2025年度版

中小企

JN026247

最速合格のための スピードテキスト

③ 運営管理

TAC中小企業診断士講座

はしがき

運営管理は、企業経営理論および中小企業経営・政策と共に中小企業診断士第1次試験における重点科目として位置づけられ、試験時間が90分となっています。その分、出題問題数も多いということになりますし、さらには出題範囲も広くなっています。よって、一定の学習量が必要になる科目といえます。

さて、科目としての運営管理の特徴は、大きく2つあります。1つは、先にも触れましたが、学習する領域が幅広く、テーマも多いことがあげられます。具体的には、生産管理と店舗・販売管理という2つの異なる領域から成り立っています。もう1つは、2次試験対策としても必要かつ重要な領域が含まれていることです。

学習する主な領域は、次のようになっています。

第1編　生産管理
　第1章　■生産管理概論
　第2章　■生産のプランニング
　第3章　■生産のオペレーション
　第4章　■製造業における情報システム
第2編　店舗・販売管理
　第1章　□店舗・商業集積
　第2章　□商品仕入・販売（マーチャンダイジング）
　第3章　□物流・輸配送管理
　第4章　□販売流通情報システム

このうち、■印の領域には2次試験対策に必要かつ重要な知識が含まれています。□印は基本的に1次試験対策中心の領域といえます。

診断士試験は1次試験がすべて選択（マークシート）形式であり、2次試験は記述式です。1次試験対策としては「キーワードの一定の記憶」で十分対応できますが、2次試験対策は「内容の理解」ができていないと解答できない（記述できない）ということになります。

そこで本書では、1次試験対策としての『運営管理』に加えて、2次試験対策の観点から必要と考えられる知識も含めています。

1次試験対策として必要な知識を効率よく学習でき、しかもそれにあわせて2次対策としての知識も身につけることができる、というのが本書の特徴です。

皆さんが本書を活用され、見事合格されることを祈念しています。

2024年11月
TAC中小企業診断士講座

本書の利用方法

本書は皆さんの学習上のストーリーを考えた構成となっています。テキストを漫然と読むだけでは、学習効果を得ることはできません。効果的な学習のためには、次の1～3の順で学習を進めるよう意識してください。

1．全体像の把握：**「科目全体の体系図」「本章の体系図」「本章のポイント」**
2．インプット学習：**「本文」**
3．本試験との関係確認：**「設例」「出題領域表」**

1．全体像の把握

テキストの巻頭には**「科目全体の体系図」**を掲載しています。科目の学習に入る前に、まずこの体系図をじっくりと見てください。知らない単語・語句等もあると思いますが、この段階では「何を学ぼうとしているのか」を把握することが重要です。

また、各章の冒頭には**「本章の体系図」**を掲載しています。これから学習する内容の概略を把握してから、学習に入るようにしましょう。「本章の体系図」は、「科目全体の体系図」とリンクしていますので、科目全体のなかでの位置づけも確認してください。

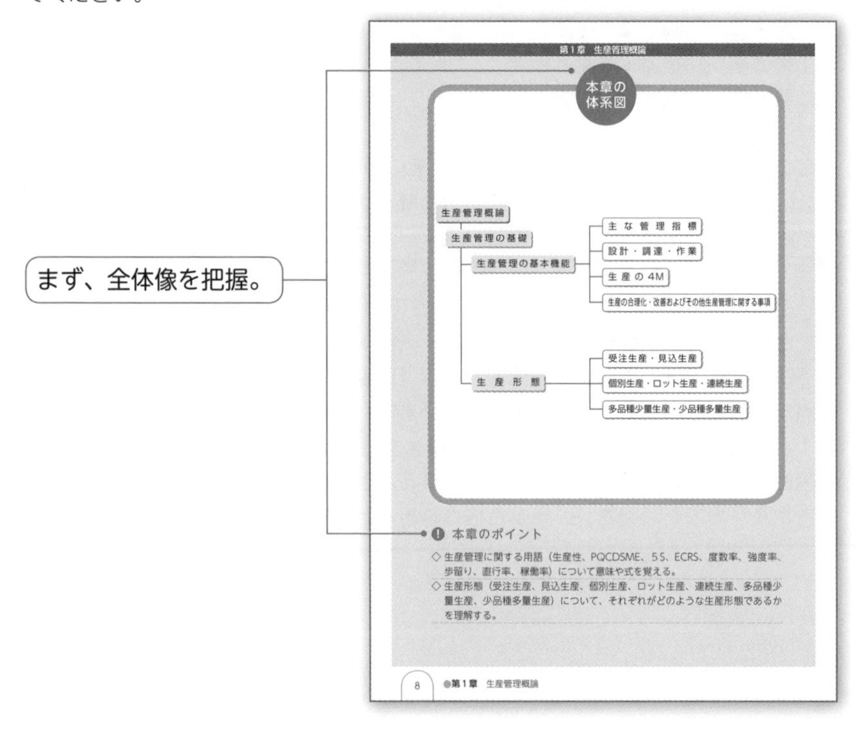

2．インプット学習

テキスト本文において、特に重要な語句については**太字**で表示しています。また、語句の定義を説明する部分については、色文字で表示をしています。復習時にサブノートやカードをつくる方は、これらの語句・説明部分を中心に行うとよいでしょう。

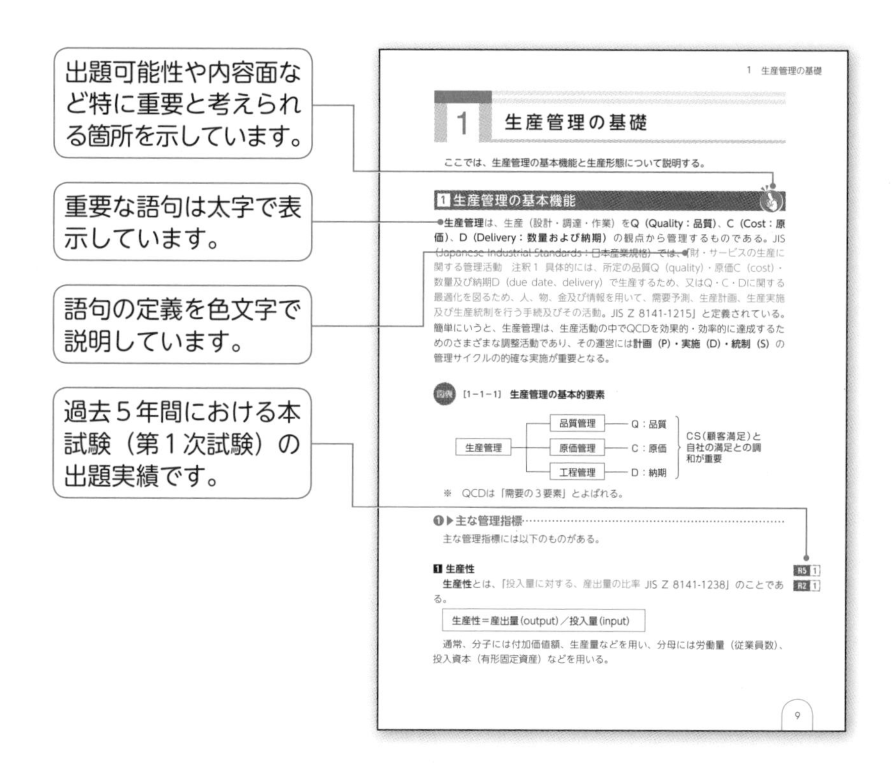

1　生産管理の基礎

1　生産管理の基礎

ここでは、生産管理の基本機能と生産形態について説明する。

1 生産管理の基本機能

生産管理は、生産（設計・調達・作業）を**Q（Quality：品質）**、**C（Cost：原価）**、**D（Delivery：数量および納期）**の観点から管理するものである。JIS（Japanese Industrial Standards：日本産業規格）では、「財・サービスの生産に関する管理活動　注釈１　具体的には、所定の品質Q（quality）・原価C（cost）・数量及び納期D（due date、delivery）で生産するため、又はQ・C・Dに関する最適化を図るため、人、物、金及び情報を用いて、需要予測、生産計画、生産実施及び生産統制を行う手続及びその活動。JIS Z 8141-1215」と定義されている。簡単にいうと、生産管理は、生産活動の中でQCDを効果的・効率的に達成するためのさまざまな調整活動であり、その運営には**計画（P）・実施（D）・統制（S）**の管理サイクルの的確な実施が重要となる。

図表［1－1－1］　**生産管理の基本的要素**

生産管理
品質管理 ― Q：品質
原価管理 ― C：原価
工程管理 ― D：納期
CS（顧客満足）と自社の満足との調和が重要

※　QCDは「需要の３要素」とよばれる。

❶▶主な管理指標

主な管理指標には以下のものがある。

1 生産性　R5 1　R2 1

生産性とは、「投入量に対する、産出量の比率　JIS Z 8141-1238」のことである。

生産性＝産出量（output）／投入量（input）

通常、分子には付加価値額、生産量などを用い、分母には労働量（従業員数）、投入資本（有形固定資産）などを用いる。

9

3．本試験との関係確認

テキスト本文の欄外にある R5 28 という表示は、令和５年度第１次試験第28問において、テキスト該当箇所の論点もしくは類似論点が出題されているということを意味しています。本試験ではどのように出題されているのか、テキスト掲載の 設 例 や過去問題集等で確認してみましょう。

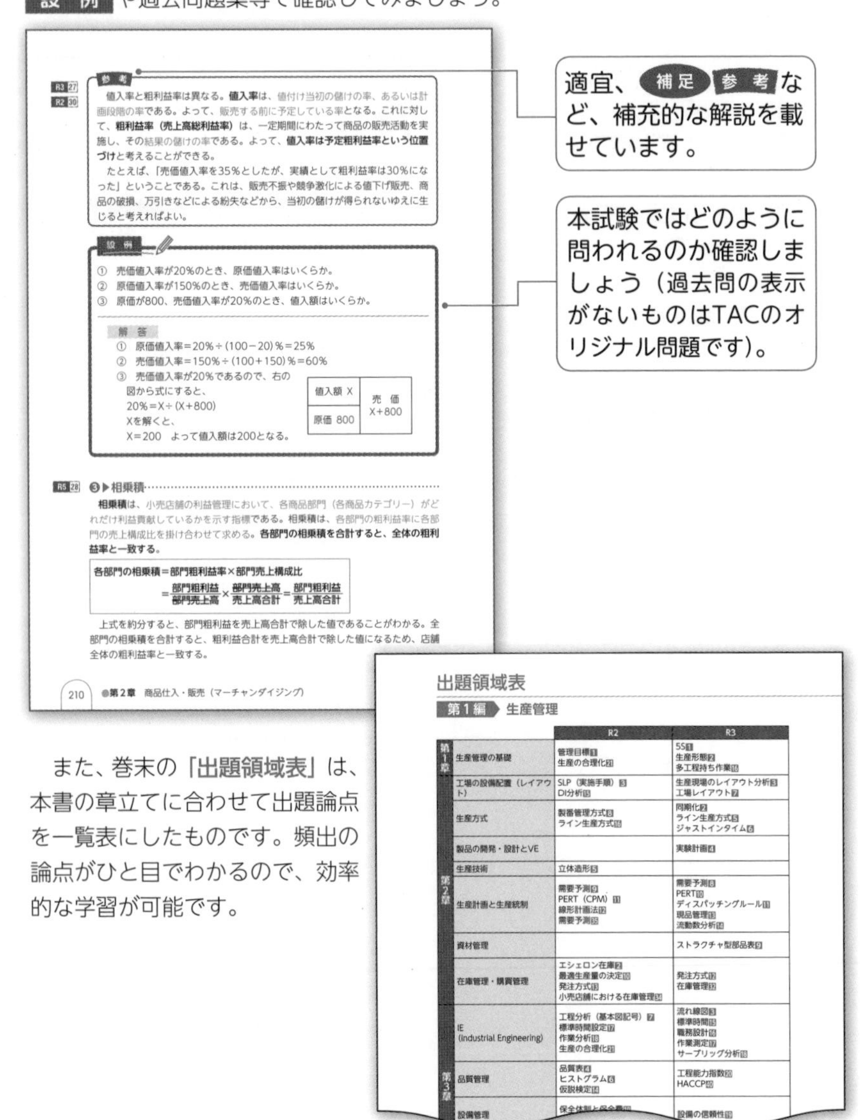

R3 27
R2 30

参考

値入率と粗利益率は異なる。**値入率**は、値付け当初の儲けの率、あるいは計画段階の率である。よって、販売する前に予定している率となる。これに対して、**粗利益率（売上高総利益率）**は、一定期間にわたって商品の販売活動を実施し、その結果の儲けの率である。よって、**値入率は予定粗利益率という位置づけ**と考えることができる。

たとえば、「売価値入率を35％としたが、実績として粗利益率は30％になった」ということである。これは、販売不振や競争激化による値下げ販売、商品の破損、万引きなどによる紛失などから、当初の儲けが得られないゆえに生じると考えればよい。

設例

① 売価値入率が20%のとき、原価値入率はいくらか。
② 原価値入率が150%のとき、売価値入率はいくらか。
③ 原価が800、売価値入率が20%のとき、値入額はいくらか。

解答

① 原価値入率＝20％÷(100－20)％＝25％
② 売価値入率＝150％÷(100＋150)％＝60％
③ 売価値入率が20%であるので、右の図から式にすると、
20％＝X÷(X＋800)
Xを解くと、
X＝200　よって値入額は200となる。

値入額 X	売価 X+800
原価 800	

R5 28 ❸▶相乗積

相乗積は、小売店舗の利益管理において、各商品部門（各商品カテゴリー）がどれだけ利益貢献しているかを示す指標である。**相乗積**は、各部門の粗利益率に各部門の売上構成比を掛け合わせて求める。**各部門の相乗積を合計すると、全体の粗利益率と一致する。**

$$\text{各部門の相乗積}=\text{部門粗利益率}\times\text{部門売上構成比}=\frac{\text{部門粗利益}}{\text{部門売上高}}\times\frac{\text{部門売上高}}{\text{売上高合計}}=\frac{\text{部門粗利益}}{\text{売上高合計}}$$

上式を約分すると、部門粗利益を売上高合計で除した値であることがわかる。全部門の相乗積を合計すると、粗利益合計を売上高合計で除した値になるため、店舗全体の粗利益率と一致する。

210 ●第２章 商品仕入・販売（マーチャンダイジング）

また、巻末の「出題領域表」は、本書の章立てに合わせて出題論点を一覧表にしたものです。頻出の論点がひと目でわかるので、効率的な学習が可能です。

出題領域表

第１編 生産管理

章	領域	R2	R3
第1章	生産管理の基礎	管理目標1 生産の合理化21	5S1 生産形態2 多工程持ち作業16
第2章	工場の設備配置（レイアウト）	SLP（実施手順）3 DI分析15	生産現場のレイアウト分析3 工場レイアウト7
	生産方式	製番管理方式8 ライン生産方式16	同期化2 ライン生産方式5 ジャストインタイム6
	製品の開発・設計とVE		実験計画4
	生産技術	立体造形5	
	生産計画と生産統制	需要予測9 PERT（CPM）11 線形計画法12 需要予測35	需要予測8 PERT10 ディスパッチングルール11 現品管理13 流動数分析14
	資材管理		ストラクチャ型部品表9
	在庫管理・購買管理	エシェロン在庫2 最適生産量の決定10 発注方式13 小売店舗における在庫管理34	発注方式12 在庫管理32
第3章	IE (Industrial Engineering)	工程分析（基本図記号）7 標準時間設定17 作業分析18 生産の合理化21	流れ線図3 標準時間15 職務設計16 作業測定17 サーブリッグ分析18
	品質管理	品質表4 ヒストグラム6 仮説検定14	工程能力指数20 HACCP40
	設備管理	保全体制と保全費[illegible]	設備の信頼性19

中小企業診断士試験の概要

中小企業診断士試験は、「第１次試験」と「第２次試験」の２段階で行われます。

第１次試験は、企業経営やコンサルティングに関する基本的な知識を問う試験であり、年齢や学歴などによる制限はなく、誰でも受験することができます。第１次試験に合格すると、第２次試験へと進みます。この第２次試験は、企業の問題点や改善点などに関して解答を行う記述式試験（筆記試験）と、面接試験（口述試験）で行われます。

それぞれの試験概要は、以下のとおりです（令和６年度現在）。

第１次試験

【試験科目・形式】 ７科目（８教科）・択一マークシート形式（四肢または五肢択一）

		試験科目	試験時間	配点
第1日目	午前	経済学・経済政策	60分	100点
		財務・会計	60分	100点
	午後	企業経営理論	90分	100点
		運営管理（オペレーション・マネジメント）	90分	100点
第2日目	午前	経営法務	60分	100点
		経営情報システム	60分	100点
	午後	中小企業経営・中小企業政策	90分	100点

※中小企業経営と中小企業政策は、90分間で両方の教科を解答します。

※公認会計士や税理士といった資格試験の合格者については、申請により試験科目の一部免除が認められています。

【受験資格】

年齢・学歴による制限なし

【実施地区】

札幌・仙台・東京・名古屋・金沢・大阪・広島・四国（松山）・福岡・那覇

【合格基準】

⑴総点数による基準

総点数の60％以上であって、かつ１科目でも満点の40％未満のないことを基準とし、試験委員会が相当と認めた得点比率とする。

⑵科目ごとによる基準

満点の60％を基準とし、試験委員会が相当と認めた得点比率とする。

※一部の科目のみに合格した場合には、翌年度および翌々年度の、第１次試験受験の際に、申請により当該科目が免除されます（合格実績は最初の年を含めて、３年間有効となる）。

※最終的に、７科目すべての科目に合格すれば、第１次試験合格となり、第２次試験を受験することができます。

【試験案内・申込書類の配布期間、申込手続き】

例年５月中旬から６月上旬（令和６年度は4/25～5/29）

【試験日】 例年８月上旬の土日２日間（令和６年度は8/3・4）

【合格発表】 例年９月上旬（令和６年度は9/3）

【合格の有効期間】

第１次試験合格（全科目合格）の有効期間は２年間（翌年度まで）有効。

第１次試験合格までの、科目合格の有効期間は３年間（翌々年度まで）有効。

第１次試験のポイント

①全７科目（８教科）を２日間で実施する試験である

②科目合格制が採られており基本的な受験スタイルとしては７科目一括合格を目指すが、必ずしもそうでなくてもよい（ただし、科目合格には期限がある）

第２次試験《筆記試験》

【試験科目】 ４科目・各設問15～200文字程度の記述式

試験科目		試験時間	配点
午前	中小企業の診断及び助言に関する実務の事例Ⅰ	80分	100点
	中小企業の診断及び助言に関する実務の事例Ⅱ	80分	100点
午後	中小企業の診断及び助言に関する実務の事例Ⅲ	80分	100点
	中小企業の診断及び助言に関する実務の事例Ⅳ	80分	100点

【受験資格】

第１次試験合格者

※第１次試験全科目合格年度とその翌年度に限り有効です。

※平成12年度以前の第１次試験合格者で、平成13年度以降の第２次試験を受験していない場合は、１回に限り有効です。

【実施地区】

札幌・仙台・東京・名古屋・大阪・広島・福岡

【試験案内・申込書類の配布期間、申込手続き】

例年８月下旬から９月中旬（令和６年度は8/23～9/17）

【試験日】 例年10月下旬の日曜日（令和６年度は10/27）

【合格発表】 例年12月上旬（令和６年度は令和７年1/15）

※筆記試験に合格すると、口述試験を受験することができます。

※口述試験を受ける資格は当該年度のみ有効です（翌年への持ち越しはできません）。

第２次試験《口述試験》

【試験科目】 筆記試験の出題内容をもとに４～５問出題（10分程度の面接）

【試験日】 例年12月中旬の日曜日（令和６年度は令和７年1/26）

【合格発表】 例年12月下旬（令和６年度は令和７年2/5）

第２次試験のポイント

①筆記試験と口述試験の２段階方式で行われる

②基本的な学習内容としては１次試験の延長線上にあるが、より実務的な事例による出題となる

〔備考〕実務補習について

中小企業診断士の登録にあたっては、第２次試験に合格後３年以内に、「診断実務に15日以上従事」するか、「実務補習を15日以上受ける」ことが必要となります。

この診断実務への従事、または実務補習を修了し、経済産業省に登録申請することで、中小企業診断士として登録証の交付を受けることができます。

中小企業診断士試験に関するお問合せは

一般社団法人 日本中小企業診断士協会連合会（試験係）

〒104-0061 東京都中央区銀座1-14-11 銀松ビル５階
ホームページ https://www.j-smeca.jp/
TEL 03-3563-0851　FAX 03-3567-5927

運営管理を学習するにあたってのポイント

運営管理は「生産管理」と「店舗・販売管理」の２つの領域を合わせてひとつの科目となっており、学習範囲が広いという特徴があります。近年の本試験では、難解な問題も出題されるものの、基礎的な知識を問う問題を間違いなく得点することができれば合格点を得られるような出題内容になっています。

令和６年度の本試験が仮に難化した場合でも、基本的事項をしっかり覚えて理解することができれば合格点に達することができるでしょう。すべての領域を隅から隅まで覚えようとせずに、優先順位を意識しながら、広く網羅的な学習をするように心がけてください。

具体的には、学習効率の低い領域に費やす時間を減らす、ということになります。当然、優先度を下げた領域が出題されると得点することが困難になるというリスクが生じますが、とらなければならない問題を確実に得点することができれば合格点をとることは十分可能ですので、効率的かつ効果的な学習法であるといえます。なお、学習効率の低い領域については、巻末にある出題領域表から判断することができます。つまり、皆さんにとって「理解しにくく暗記することも困難だ」という領域で、かつ出題頻度が低い領域があれば、それを基準に優先順位をつけて取り組めばよいということです。

運営管理は２次試験にも関連が深いことから、しっかりと学習計画を立てて、計画どおりに必要十分な学習時間を確保して取り組みましょう。

運営管理 体系図

第1編 生産管理

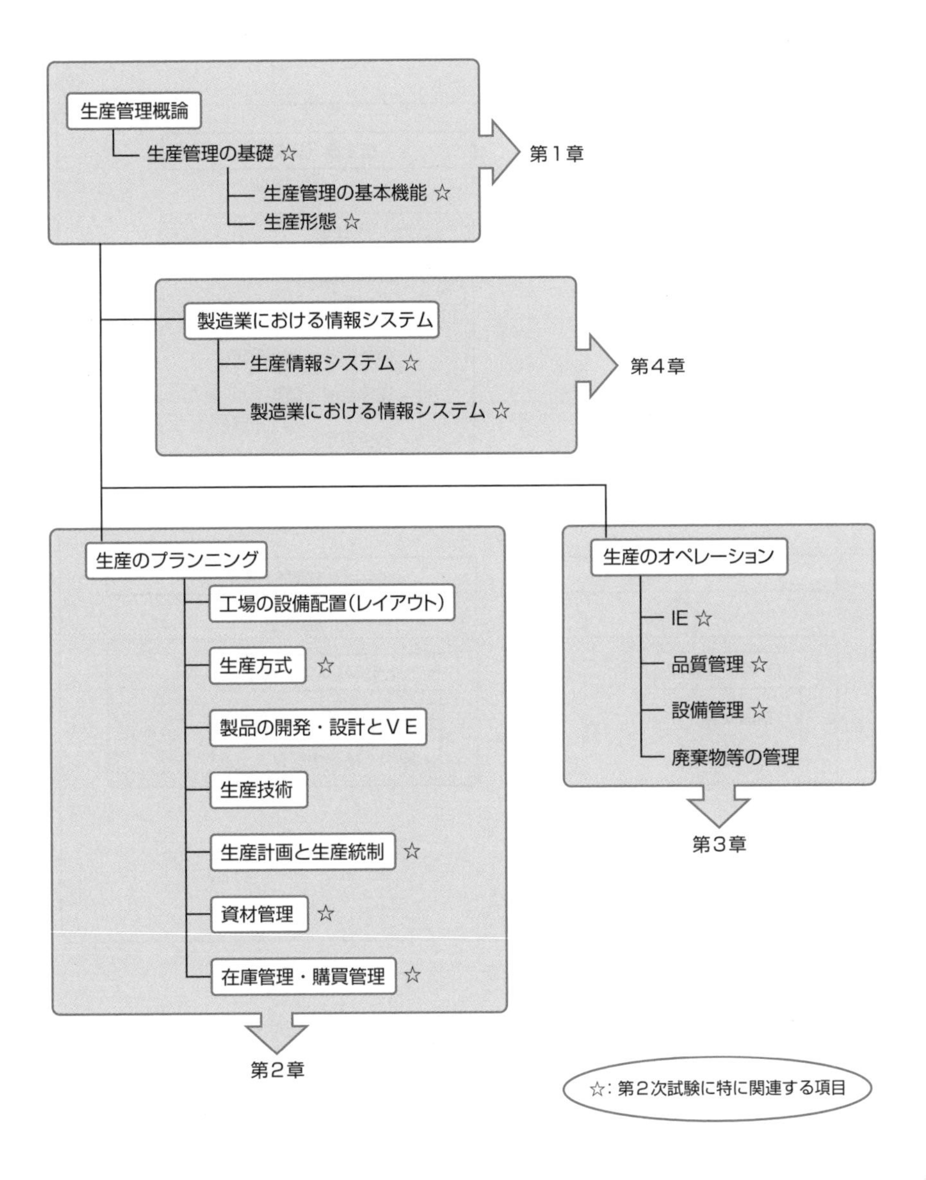

第2編 店舗・販売管理

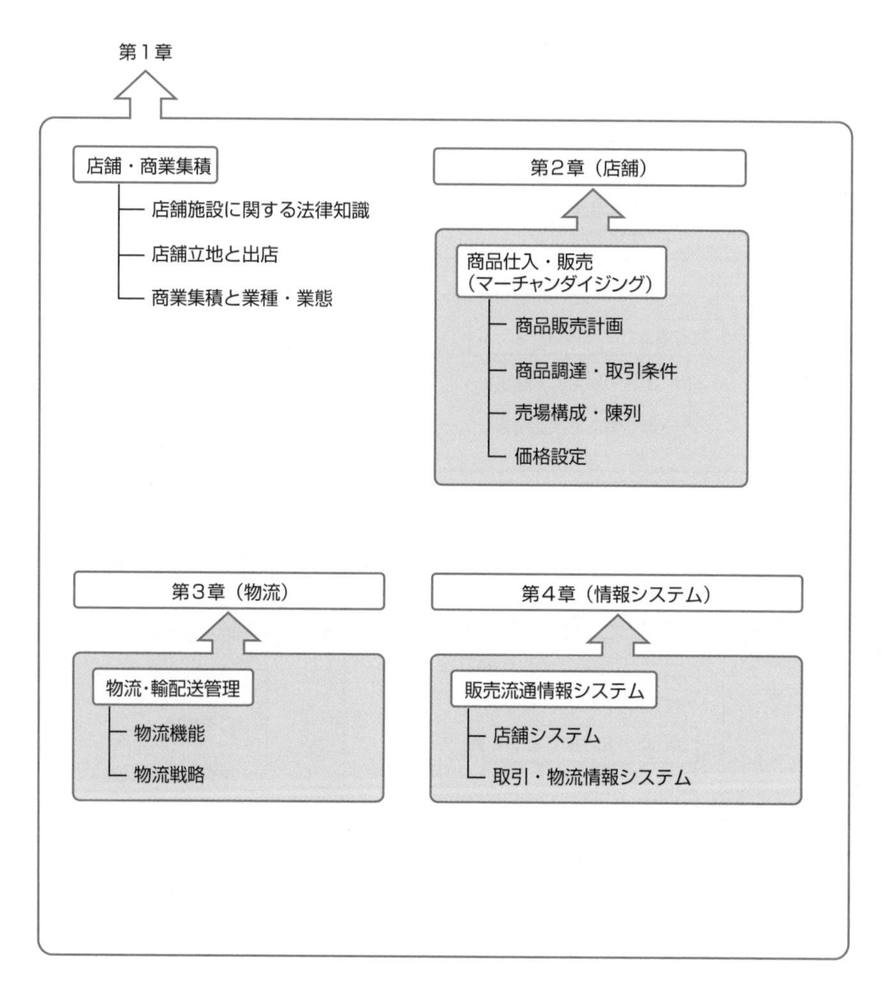

第1章
店舗・商業集積
店舗施設に関する法律知識
店舗立地と出店
商業集積と業種・業態
第2章（店舗）
商品仕入・販売
（マーチャンダイジング）
商品販売計画
商品調達・取引条件
売場構成・陳列
価格設定
第3章（物流）
物流・輸配送管理
物流機能
物流戦略
第4章（情報システム）
販売流通情報システム
店舗システム
取引・物流情報システム

CONTENTS

第1編　生産管理

序章　生産管理とは

第1章　生産管理概論

第2章　生産のプランニング

第3章　生産のオペレーション

第4章　製造業における情報システム

第2編　店舗・販売管理

第1章　店舗・商業集積

第2章 商品仕入・販売（マーチャンダイジング）

第3章 物流・輸配送管理

第4章 販売流通情報システム

第1編 生産管理

序章 生産管理とは

Registered Management Consultant

序　生産管理とは

生産管理の本格的な学習を開始する前に、生産とは何か、生産管理とは何か、という基本的な事項について以下を読み、これから学習する内容のおおまかなイメージをつかんでほしい。

❶ ▶ 生産とは

生産とは、「ものづくり」である。一例ではあるが、ものづくりのイメージをもってもらうため、以下に食品工場の現場を紹介する。

図表　**サラダ工場の例**

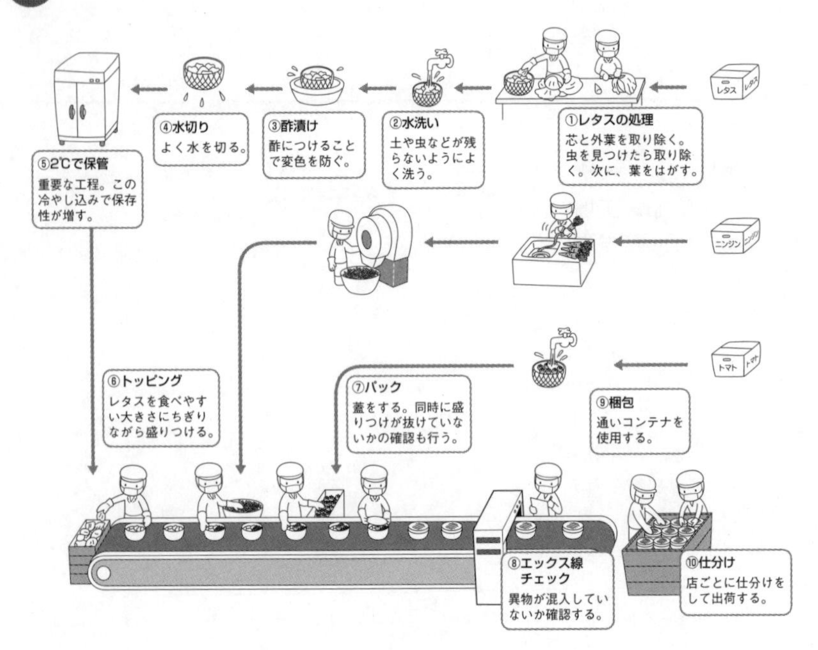

図表　餃子工場の例

（河岸宏和『ビジュアル図解食品工場のしくみ』同文舘出版　p.36～39をもとに作成）

調達した材料は、工場に送られ（インプット）、そこでさまざまな加工工程（作業）を経て製品に変換されていく（アウトプット）。つまり、生産とは、材料を製品に変えるための変換プロセスである。この生産を身近な例でイメージするならば「家庭で行われる料理」を想像すればよい。これも「工場で行われる生産」と基本的には同じである。家庭で行われる料理では、食材（材料）はスーパーマーケットなどで購入（調達）され冷蔵庫（工場の倉庫）などで保管される。そして、それらは台所（工場）で包丁・まな板などの調理道具（工具）、コンロ・オーブンなどの調理機器（設備・機械）により調理（加工）される。これらの一連の活動が「生産」である。一般に、生産活動は**「設計」→「調達」→「作業」**の流れで行われる。また、これらの変換プロセスでは「**ヒト（Man）**」「**モノ（Material）**」「**機械・設備（Machine）**」「**方法（Method）**」の**4つのM**を合理的に運用することが必要となってくる。

❷▶生産管理とは

工場の役割は、材料を製品に変換することであり、その変換はできるだけ効率的・効果的に行われることが望ましい。適切な材料を無駄なく使用し、機械や設備を活用することで、できるだけ少ない人数で短期間に生産したいと考える。そうすることで、顧客に「よいもの**（品質：Q）**」を「安く**（コスト：C）**」「早く**（納期：D）**」提供することが可能となり、売上や利益が向上すると考えられるからである。そのためには、一連の生産活動において適切な「管理」を行うことが必要となってくる。**生産管理**とは、生産（設計・調達・作業）を効果的・効率的に行うためのさまざまな「管理・調整活動」であり、非常に広い範囲で行われる。たとえば、前掲の食品工場では、下図のような管理・調整活動が必要となると考えられる。

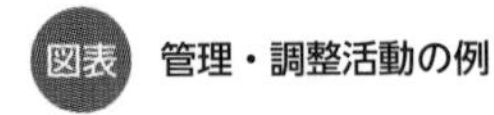

図表 管理・調整活動の例

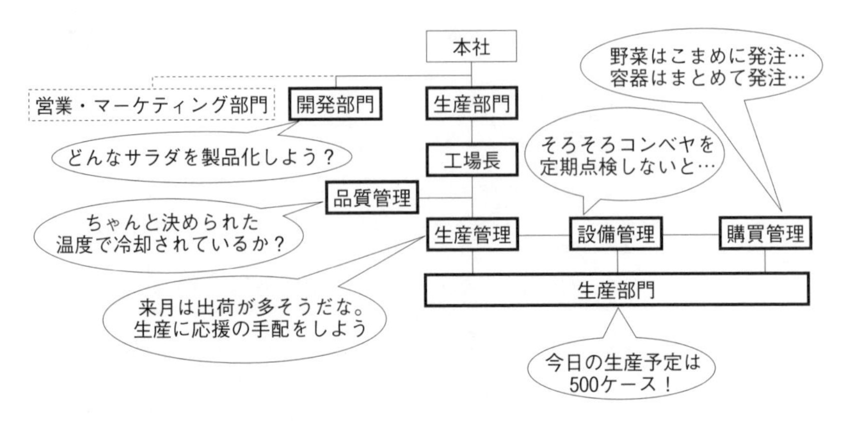

これらの管理活動では、「計画（Plan）」「実施（Do）」「統制（See）」といった管理サイクル（PDSサイクル）を適切に実施することが重要となってくる。これから学習する生産管理では、PDSサイクルを継続的に実施することで、顧客の望むQCDをできるだけ満足させつつ、工場の利益も確保できるような、生産活動全般の管理手法を学習していく。

図表　生産管理の全体イメージ

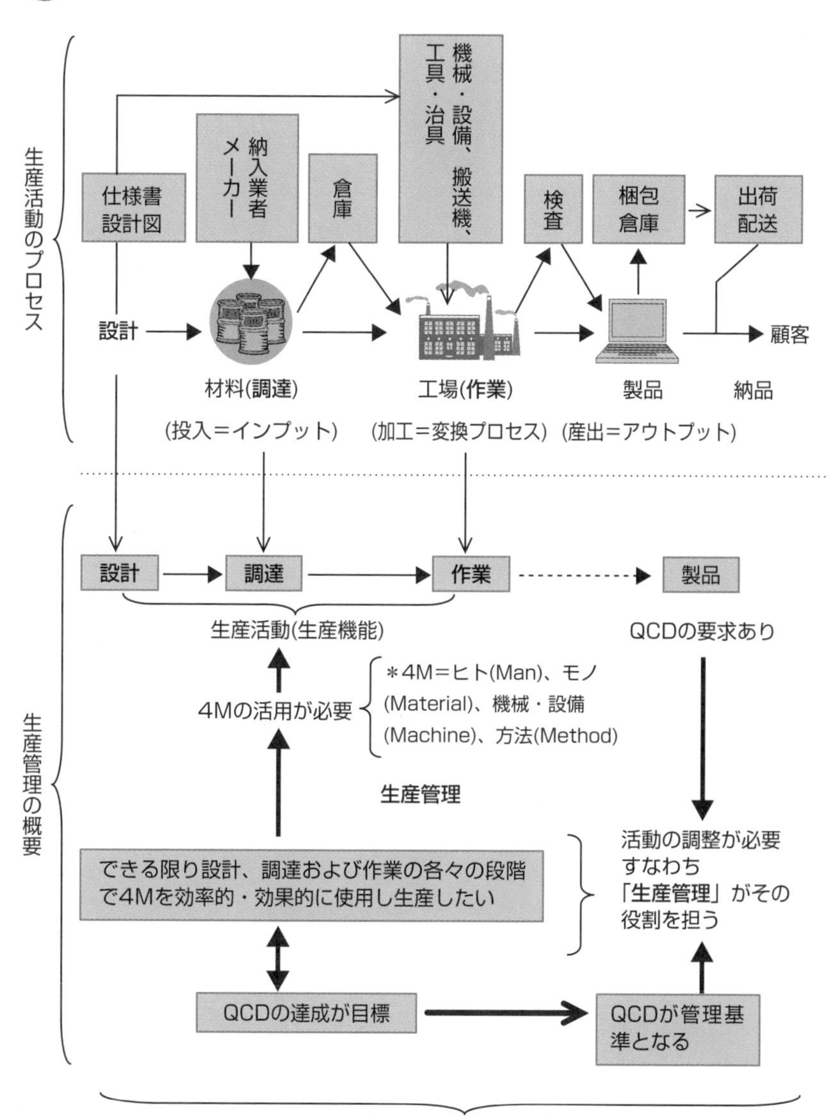

第1章
生産管理概論

Registered Management Consultant

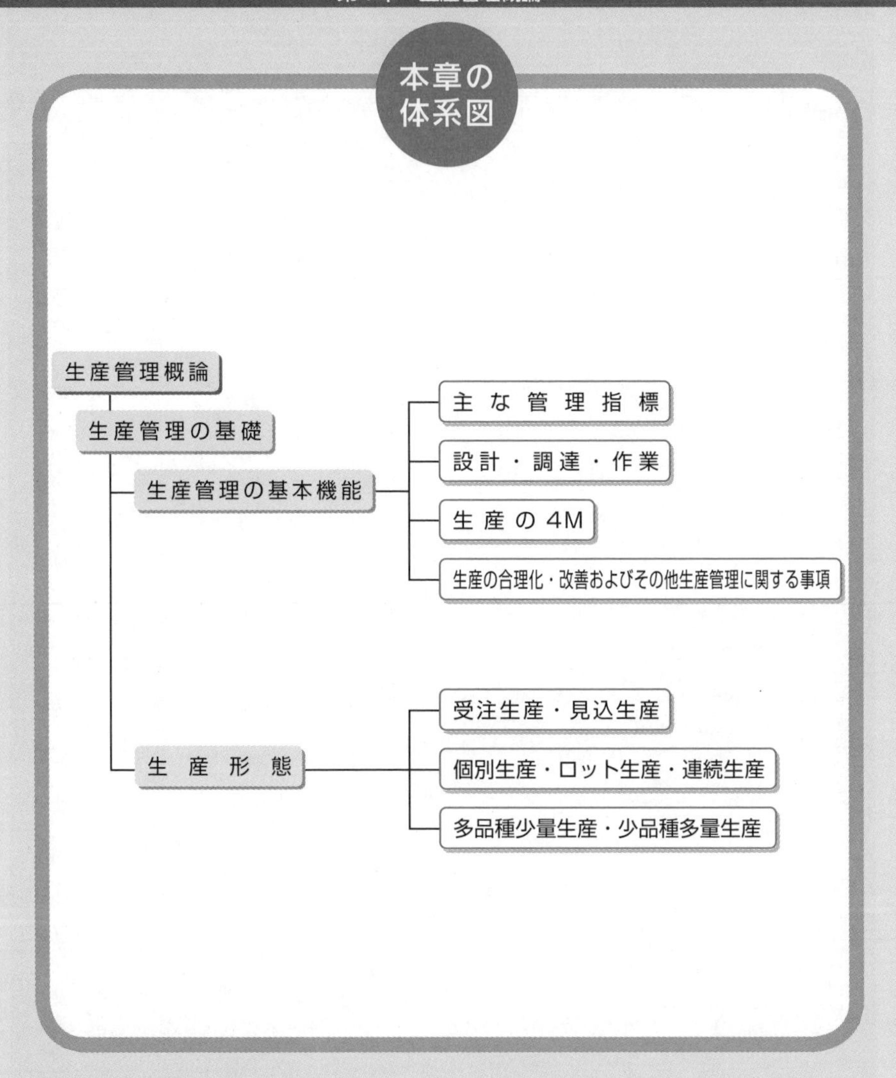

本章のポイント

◇ 生産管理に関する用語（生産性、PQCDSME、5S、ECRS、度数率、強度率、歩留り、直行率、稼働率）について意味や式を覚える。

◇ 生産形態（受注生産、見込生産、個別生産、ロット生産、連続生産、多品種少量生産、少品種多量生産）について、それぞれがどのような生産形態であるかを理解する。

1　生産管理の基礎

ここでは、生産管理の基本機能と生産形態について説明する。

1 生産管理の基本機能

生産管理は、生産（設計・調達・作業）を**Q（Quality：品質）、C（Cost：原価）、D（Delivery：数量および納期）**の観点から管理するものである。JIS（Japanese Industrial Standards：日本産業規格）では、「財・サービスの生産に関する管理活動　注釈１　具体的には、所定の品質Q（quality）・原価C（cost）・数量及び納期D（due date、delivery）で生産するため、又はQ・C・Dに関する最適化を図るため、人、物、金及び情報を用いて、需要予測、生産計画、生産実施及び生産統制を行う手続及びその活動。JIS Z 8141-1215」と定義されている。簡単にいうと、生産管理は、生産活動の中でQCDを効果的・効率的に達成するためのさまざまな調整活動であり、その運営には**計画（P）・実施（D）・統制（S）**の管理サイクルの的確な実施が重要となる。

図表　[1－1－1]　**生産管理の基本的要素**

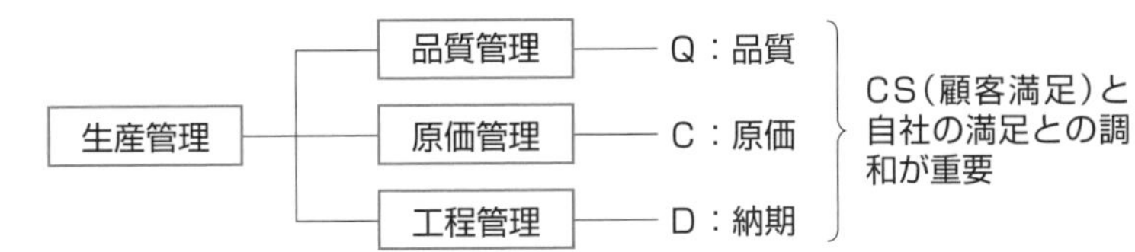

※　QCDは「需要の３要素」とよばれる。

❶▶主な管理指標

主な管理指標には以下のものがある。

1 生産性

R5 1　R2 1

生産性とは、「投入量に対する、産出量の比率 JIS Z 8141-1238」のことである。

生産性＝産出量(output)／投入量(input)

通常、分子には付加価値額、生産量などを用い、分母には労働量（従業員数）、投入資本（有形固定資産）などを用いる。

R4 1

$$労働生産性=\frac{付加価値額}{従業員数}$$
$$=\frac{付加価値額}{有形固定資産}\times\frac{有形固定資産}{従業員数}$$
$$= 資本生産性 \times 資本装備率$$

R5 1 R5 21 R4 1 R2 1

2 歩留り(ぶどまり)

「投入された主原材料の量に対する、その主原材料によって実際に産出された製品の量の比率 注釈1 収得率又は収率ともいい、次の式で表される。

歩留り=(産出された製品の量/投入された主原材料の量)×100(%) JIS Z 8141-1204」

図表 [1−1−2] **歩留り改善の例**

3 直行率

直行率とは、生産される製品のうち、生産過程で不良とみなされることなく、手直しを必要としないで生産された製品の比率のことである。

前述の歩留りは最終的に出荷さえすれば、生産過程で不良が発生し手直しを施した製品も、手直しを必要としない製品も、区別なく産出された品物の量とみなされる。それに対して直行率は、生産される製品のうち、不具合がまったく生じなかった製品だけを評価するため、歩留りよりも厳格に生産過程の評価を行うことができる。

4 安全衛生管理に関する指標

安全成績を示す代表的な尺度として、**度数率**、**年千人率**、**強度率**がある。

度数率は、労働時間100万時間あたりに発生する死傷者数で表し、死傷者数や、延べ実労働時間数は1か月または1年といった一定期間で区切って表す。

$$度数率=\frac{死傷者数}{延べ実労働時間数}\times 1{,}000{,}000$$

年千人率は、労働者1,000人あたり1年間に発生する死傷者数で表す。

$$年千人率=\frac{年間死傷者数}{平均労働者数}\times 1{,}000$$

強度率は、労働時間1,000時間あたりの労働損失日数で表す。 R5 1

$$強度率=\frac{延べ労働損失日数}{延べ実労働時間数}\times 1{,}000$$

度数率や年千人率は**災害発生の頻度**を表し、強度率は**災害の重さ**を表す。

5 PQCDSME（生産性、品質、コスト・経済性、納期・生産量、安全性、モラール、環境）

PQCDSMEは、生産管理の目標や評価の尺度に使用され、生産のテーマ（課題）を7つ取り上げ、その頭文字を並べたものである。QCDは生産管理の基本的要素（品質、コスト、納期・生産量）の頭文字である。Pは生産性：Productivity、Sは安全性：Safety、Mはモラール（意欲）：Morale、Eは環境性：EnvironmentまたはEcologyを意味する。環境に対して負荷の少ない生産プロセスを設計し、環境に対して負荷の少ない製品やサービスを提供していくことを意味する。

設 例

生産における管理目標（PQCDSME）に関する記述として、最も不適切なものはどれか。 [H25－1]

ア 管理目標Pに着目して、生産量と投入作業者数との関係を調査し、作業者1人当たりの生産量を向上させるための対策を考えた。
イ 管理目標Cに着目して、製品原価と原材料費との関係を調査し、製品原価に占める原材料費の低減方策を考えた。
ウ 管理目標Sに着目して、実績工数と標準工数との関係を調査し、その乖離が大きい作業に対して作業の改善や標準工数の見直しを行った。
エ 管理目標Mに着目して、技術的な資格と取得作業者数との関係を調査し、重点的に取る資格の取得率の向上に向けて研修方策を提案した。

解 答 ウ

ウはD（納期）の説明である。実績工数と標準工数のあいだに乖離があると、生産計画の策定時に正確な完成予定時刻を算出することができなくなる。

❷▶設計・調達・作業

生産活動（機能）は、①設計、②調達、③作業の３つから構成される。作業工程は、この全体の期間短縮が大きなテーマとなる。この生産活動には、「生産の４M」が必要である。所定のQCDを達成するためには「生産管理」を駆使し、４Mを各生産活動において効果的・効率的に（たとえば、ムダなく、ムラなく、ムリなく）利用することが必要となるのである。

さらに、生産活動全般で考えると、「受注」「納品」の業務も生産に大きな影響を与える。「受注」では、販売予測、売れ行きや店頭在庫の情報など、「納品」では、倉庫や配送などの物流システムなどが生産に影響を与える。これらも生産活動の一部としてとらえると、①受注、②設計、③調達、④作業、⑤納品の５つの機能として見ることができる。２次試験においては、この５つの機能の中で、どの機能に、あるいはどの機能間に問題があるのか、つまり要求されるQCDとのギャップがあるのか否かを見抜くことが重要となってくる。なお、「設計、調達、作業」のかわりに、「投入、加工、産出」といった表現で、生産活動を表すこともある。

❸▶生産の４M

生産管理の目的は、「生産管理の基本的要素（QCD）を満たすために、生産の４Mを合理的に運用すること」である。**生産の４M**とは、生産管理が対象とするMaterial（原材料・部品）、Machine（機械設備）、Man（作業者）、Method（作業方法）の４つの構成要素である。Method（作業方法）をMoney（金）とすることもある。これにInformation（情報あるいは作業指示）を加え、**4M1I**とよぶこともある。

❹▶生産の合理化・改善およびその他生産管理に関する事項

R3 2
R2 21

1 3S

３Sとは、「標準化、単純化及び専門化の総称であり、企業活動を効率的に行うための考え方 JIS Z 8141-1105」である。

① **標準化**（Standardization）は、設計、計画、業務、データベースなどで繰り返し共通に用いるために標準を設定し、**標準に基づいて（統一して）管理活動を行う**こと。

② **単純化**（Simplification）**は**、設計、品種構成、構造、組織、手法、職務、システムなどの**複雑さを減らす**こと。

③ **専門化**（Specialization）は、生産工程、生産システム、工場または企業を対象に**特定の機能に特化**すること。

R3 1

2 5S

５Sとは、「職場の管理の前提となる整理、整頓、清掃、清潔、及びしつけ（躾）について、日本語ローマ字表記で頭文字をとったもの JIS Z 8141-5603」である。ローマ字表記した頭文字にSが付くことから５Sといわれている。製造現場の５Sを見れば、その工場の生産性や信頼性がわかるといわれるほど５Sは重視されている。それぞれの意味は次のとおりである。

① **整理**（捨てる）：必要なものと不必要なものを区別し、不必要なものを捨てること。

② **整頓**（一目でわかるようにする）：必要なものを必要なときにすぐに使用できるように、決められた場所に準備しておくこと。

③　**清掃**（きれいにする）：必要なものについた異物を除去し、きれいな状態にすること。
④　**清潔**（整理・整頓・清掃を維持する）：整理・整頓・清掃が繰り返され、汚れのない状態を維持していること。
⑤　**しつけ**（躾：守る）：決めたことを必ず守り、習慣付けること。

設　例

以下のａ～ｅの記述は、職場管理における５Sの各内容を示している。５Sを実施する手順として、最も適切なものを下記の解答群から選べ。[R元－17]

ａ　問題を問題であると認めることができ、それを自主的に解決できるように指導する。
ｂ　必要なものが決められた場所に置かれ、使える状態にする。
ｃ　必要なものと不必要なものを区分する。
ｄ　隅々まで掃除を行い、職場のきれいさを保つことにより、問題点を顕在化させる。
ｅ　職場の汚れを取り除き、発生した問題がすぐ分かるようにする。

〔解答群〕
ア　ａ→ｂ→ｃ→ｄ→ｅ
イ　ｂ→ｅ→ｄ→ｃ→ａ
ウ　ｃ→ｂ→ｄ→ｅ→ａ
エ　ｄ→ｂ→ｃ→ａ→ｅ

解　答　**ウ**
ｃ：整理、ｂ：整頓、ｄ：清掃、ｅ：清潔、ａ：躾（しつけ）の順である。ｄ（清掃）とｅ（清潔）の判断が難しいが、最初の手順となるｃ（整理）の判断だけできれば、正解にたどりつける問題構成となっている。

3 改善のECRS（ECRSの原則）

R5 18　R4 20　R2 21

改善のECRSとは、**工程**、**作業**、**動作**を対象とした改善の指針であり、次の４つの観点から検討を行う。

- E：Eliminate　（排　除）…**なくせないか**
- C：Combine　（結　合）…**一緒にできないか**
- R：Rearrange　（交　換）…**順序の変更はできないか**
- S：Simplify　（簡素化）…**単純化できないか**

改善は、E→C→R→Sの順番で実施するのが一般的である。

R4 20 **4 5W1Hの原則**

5W1Hは、「改善活動を行うときの指針で、what（何を）、when（いつ）、who（誰が）、where（どこで）、why（なぜ）、how（どのようにして）の問いかけのこと JIS Z 8141-5305」と定義されている。**5W1Hの原則**は、改善案の検討の基本的な取り組みであり、Why以外の疑問詞とWhyを組み合わせて作業への問い掛けを行うものである。

① What？ Why？
「そのモノでないとダメか、不要な仕事を排除できないか」などの問いかけ。

② When？ Why？
「いつその仕事を必要としているか、時間や順序の変更はできないか、同時にできないか」などの問いかけ。

③ Who？ Why？
「だれがその仕事を行うか、ほかの人ではいけないか、１人で行うことはできないか」などの問いかけ。

④ Where？ Why？
「どこでその作業を行うか、なぜそこで行う必要があるか、別のところでできないか、１か所でできないか」などの問いかけ。

⑤ How？ Why？
「どのようにしてその仕事を行うか、方法の変更はできないか、簡略化できないか」などの問いかけ。

実施手順は、**最初に①を問いかける**。次に、残った仕事や作業について②～④を問いかける。**最後に⑤を問いかけ**、簡略化を進める。

5 自主管理活動

自主管理活動とは、職場における問題の改善などに、小集団活動として従業員がその自主性を発揮して取り組む活動のことである。

R4 19 **小集団活動**とは、作業者などの集団が作業方法や作業環境の条件などについて、主体的に取り組み、改善を図ろうとする活動のことである。具体的な小集団活動には、QCサークル活動などがある。**QC（Quality Control）サークル活動**とは、第一線の職場で働く人々が継続的に製品、サービス、仕事などの質の改善・管理を行うための小グループの活動のことをいう。

QCサークルの特徴として、QCの活動を通じて得る合理的な考え方や科学的手法・問題解決手法の習得、サークル員同士の十分な話し合いを通したチームワークの醸成、職場の問題を解決することによる会社への貢献、などがあげられる。

6 複数台もち作業

複数台もち作業は「一人又は二人以上の作業者が複数台の機械を受けもって行う作業 JIS Z 8141-5401」と定義されている。複数台もち作業には、作業の流れの順に複数の工程（機械）を受けもつ**多工程もち作業**と、作業者が単に複数の機械を受けもつ**多台もち作業**がある。

R3 16

1）**多工程もち作業**

多工程もち作業とは、作業工程の流れの順に、作業者が複数の工程を受けもって行う作業のことである。作業時間のバラツキや工程間の時間的なアンバランスがある場合は、これを吸収することができるため、ネック工程の後の**手待ち**（資材が届かない、機械が動かないなどの理由で作業者が仕事をできずに待つこと）**を防止でき**、**工程間の仕掛品**（生産に着手されていて完成品になる前の物）**を減少することができる**。さらに、多能工化が進むため、品種や生産量の変動に柔軟に対応することができる。しかし、手作業の場合、製品や作業の特性によって作業域が広くなるため、習熟期間が必要になる場合がある。**多能工**とは、複数の工程を作業できる作業者をいい、1つの工程しか作業できない作業者は、**単能工**という。

図表 [1−1−3]　**多能工と単能工**

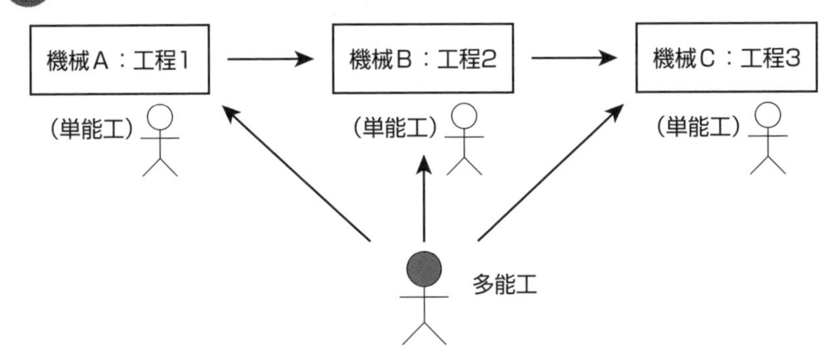

2）**多台もち作業**

多台もち作業とは、1人または2人以上の作業者が、作業工程の流れの順に関係なく単独に加工する複数台の機械を受けもって行う作業のことである。

作業者の受けもち台数を多くすると作業者の稼働率は高くなるが、機械干渉が生じて機械の稼働率が低くなる。よって、受けもち台数を設定する際は、作業者と機械の稼働率が最も高くなるように台数を決めることになる。最適受けもち台数を決める方法には、連合作業分析（第1編第3章第1節第1項で解説）やコンピュータによるシミュレーションなどがある。なお、**機械干渉**とは、複数台もち作業（とくに多台もち作業）のとき、作業者がある機械の材料補給や加工品の脱着、調整などの作業を行っている間に、他の機械が停止・空転の状態になることである。

図表 [1−1−4] **多台もち作業の例**

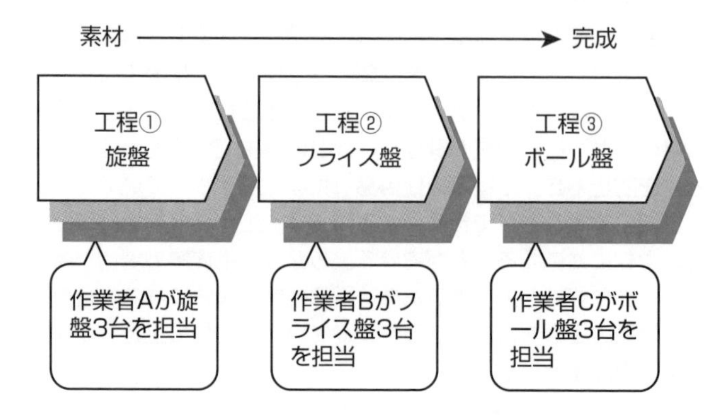

※　多台もちは、部品を加工する際には機械を機能別配置とし、１人の作業者がその作業を複数行うイメージである。（なお、多工程もちであれば、１つのU字ラインに工程①旋盤１台、工程②フライス盤１台、工程③ボール盤１台を配置し、１人の作業者が工程①〜③をすべて担当するというイメージとなる）

7 その他の重要な生産管理の基礎用語

R6 15　R2 1

1）リードタイム

「発注してから納入されるまでの時間、又は素材が準備されてから完成品になるまでの時間 注釈１ 調達時間ともいう。JIS Z 8141-1206」

2）生産リードタイム

「生産の着手時期から完了時期に至るまでの期間 JIS Z 8141-3304」

3）稼働率

「就業時間に対する人の、又は利用可能時間に対する機械の、有効稼働時間の比率 JIS Z 8141-1237」

R5 10

4）工　数

「仕事量の全体を表す尺度で、仕事を一人の作業者で遂行するのに要する時間 JIS Z 8141-1227」

R6 4　R5 1　R2 1

5）スループット

「単位時間に処理される仕事量を測る尺度 JIS Z 8141-1208」

6）課　業（task）

「道具、装置又はその他の手段を用いて、特定の目的のために行う人間の活動又は作業 注釈１ 科学的管理法では、標準の作業速度に基づいて設定された、１日の公正な仕事量 JIS Z 8141-1225」

7）負　荷

「人又は機械・設備に課せられる仕事量 注釈１ 負荷は時間、重量、工数などの単位で示される。 JIS Z 8141-1228」

8）同期化

R3 2

「生産において分業化した各工程（作業）の生産速度（作業時間、移動時間など）、稼働時間（生産開始・終了時刻など）、それに対する材料の供給時刻などを全て一致させ、仕掛品の滞留、工程の遊休などが生じないようにする行為。ジャストインタイムと同義語として用いられることがある JIS Z 8141-1212」

2 生産形態

ここでは、いくつかの観点から生産形態の分類とそれぞれの特徴を説明する。

❶▶受注生産・見込生産

注文と生産のタイミングによる分類である。

1 受注生産

R3 2

注文を受けてから生産をする形態であり、「**顧客**が定めた仕様の製品を生産者が生産する形態 JIS Z 8141-3204」と定義されている。つまり、顧客の注文に応じて設計し、製造、出荷と進める生産形態である。受注時のコスト・納期の見積りの正確さと生産リードタイムの短縮および受注の平準化がポイントとなる。

受注の内容には、製品仕様（性能、品質、形状、色など）、数量、納期、納入場所などが含まれ、顧客がそのすべてまたは一部を決めることが多い。また、顧客の立場から見ると「注文生産」ということができる。

図表［1－1－5］ **受注生産のプロセスと課題**

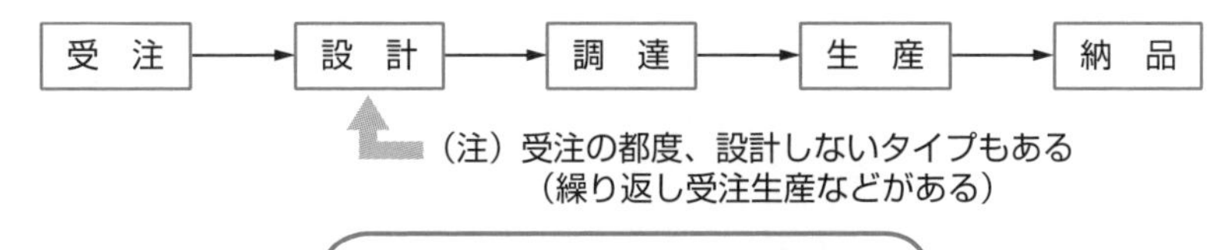

2 見込生産

R3 2

見込生産とは、「**生産者**が市場の需要を見越して企画・設計した製品を生産し、不特定な顧客を対象として市場に出荷する形態 JIS Z 8141-3203」である。簡単にいうと、受注の前に生産を行い、在庫を保有して顧客の注文に応じて販売する生産形態である。需要予測の正確さと柔軟な生産体制の確立がポイントとなる。

見込生産では、生産者が顧客のニーズを的確にとらえ、それに対応できる製品の企画力および設計力の保有、新製品開発による市場の開拓、また、製品差別化による市場での優位性の獲得などを進めて、需要の獲得を図っていくことが重要である。

図表 [1−1−6] 見込生産のプロセスと課題

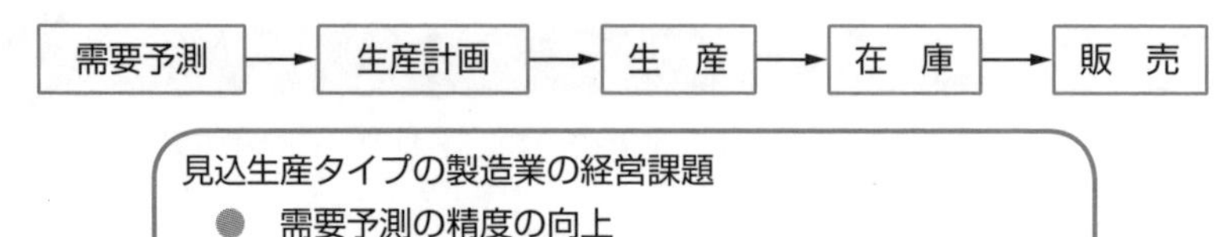

見込生産タイプの製造業の経営課題
- 需要予測の精度の向上
- 適正在庫量の維持
- 柔軟な生産体制の確立（需要予測と生産計画の連動）

需要予測の精度は、次のような場合に向上する。

1）計画対象期間（生産計画は何日分を単位とするか）が短い

この先１か月分の予測をする場合と明日１日分の予測をする場合とでは、明日１日分のほうが精度は高い。

2）計画先行期間が短い

明日１日分と３か月先の１日分とでは、明日１日分の予測をするほうが精度は高い。

図表 [1−1−7] 受注生産と見込生産の比較まとめ

	受注生産	見込生産
生産開始時期	受注後	受注前
仕様決定者	顧客	生産者
製品在庫	なし	あり

参 考

- 極端な例であるが、完全に正確な需要予測であれば、見込生産でも在庫ゼロにできる。
- しかし、現実的には完全に正確な需要予測は不可能である。よって、生産リードタイムを短縮し、可能な限り生産時期を消費（販売）時点に近づけることで、需要予測の精度を向上させる方法がとられる。これを**延期化**という。よって見込生産においても、生産リードタイムの短縮は課題といえる。
- 需要予測が大きく変更されると、それに伴って生産計画も変更を余儀なくされる。したがって、生産計画を即座に修正し、その変更を実施できる生産体制の確立が重要となる。

❷▶個別生産・ロット生産・連続生産

仕事の流し方による分類である。つまり1個ずつか、ロット（固まり）か、連続か、による分類と考えてよい。生産効率は個別生産が最も低く、連続生産が最も高くなる。

1 個別生産

個別生産は「個々の注文に応じて、その都度**1回限り**生産する形態 JIS Z 8141-3209」と定義されている。つまり、繰り返し性のない生産で、後述する「連続生産」の反義語である。

個別の受注ごとに設計を行い、標準化されていない製品を生産する形態で、受注する単位は1単位のケースが多い。

通常、1回限りの生産であるため、コストは設計・調達・作業の各機能で適切かつ円滑な業務遂行ができるか否かによって大きく影響される。そうしたコストを正確に見積ることができないと受注できなかったり、逆にコストが見積価格をオーバーしたりして、赤字の発生に結びつくこともある。個別生産の代表的な例として、船舶、注文建物、専用機械設備、各種試作品などがあげられる。

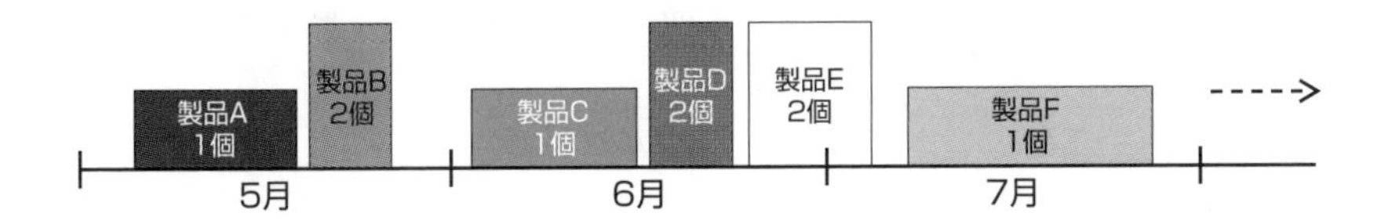

2 ロット生産

R6 1

ロット生産は「複数の製品を**品種ごと**にまとめて**交互に**生産する形態 JIS Z 8141-3210」と定義されている。断続生産ともいい、個別生産と連続生産の中間的な生産形態である。何個ずつ生産するか、その単位を**ロットサイズ**（生産ロットまたはバッチ）という。また、ロットサイズを決める手続きのことを**ロットサイジング**という。なお、生産する製品の切替えのたびに**段取替え**が発生する。

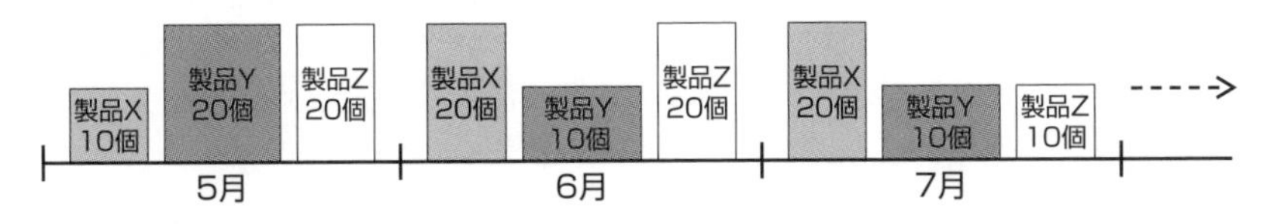

● **段取替え**

段取替えは、「品種又は工程内容を切り替える際に生じる材料、機械、治工具、図面などの準備及び試し加工 JIS Z 8141-5107」のことであり、生産管理上、重要な課題となっている。**ロットサイズが小さくなればなるほど、段取替えの回数が増えるので、段取替え時間の短縮が重要となる。**段取替えは、機械（ライン）を停止して行う**内段取**と、機械（ライン）を停止しないで行う**外段取**とに大別される。

シングル段取とは、機械の停止時間が10分未満の内段取のことである。小ロット化に伴う段取替え時間の短縮改善方法は、内段取そのものを短縮化したり、内段取を外段取化したりする方法がある。

参 考

● ロットサイズが大きいと段取替え回数は少なくてすむので、１回あたりの段取替え時間が長い場合には、ロットサイズが大きいほど生産効率は向上する。しかし、短所もある。各工程の処理に要する時間が長くなるため、生産リードタイムが長引いたり、仕掛品や半完成品が増大したりする。見込生産の場合は、売れ行きが悪くなると製品だけでなく仕掛品の一部も在庫として残り、死蔵在庫になる。また余分な仕掛在庫はキャッシュフローの悪化につながる。

図表 [1−1−8] **大ロット**

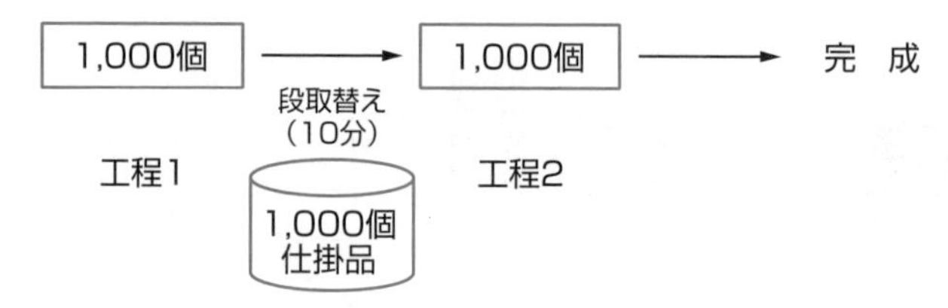

※ １工程にかかる生産時間が１個１分、段取替え時間が10分と仮定すると、ロットサイズ1,000個の場合は、1,000個すべてが完成（生産リードタイム）するまでに1,000分＋10分＋1,000分＝2,010分かかる。

※ ただし、段取替え時には、1,000個の仕掛品が滞留する。

● ロットサイズが小さいと仕掛品は少なくなる。各工程の処理に要する時間が短いため、生産リードタイムの短縮につながる。また、仕掛品の在庫も少なくなり、キャッシュフローが悪化しにくいという長所がある。しかし、段取替え回数が増えるため、１回あたりの段取替え時間が長い場合は、生産効率が低下する。そして、生産リードタイムが長くなることもある。

図表 [1−1−9]　**小ロット**

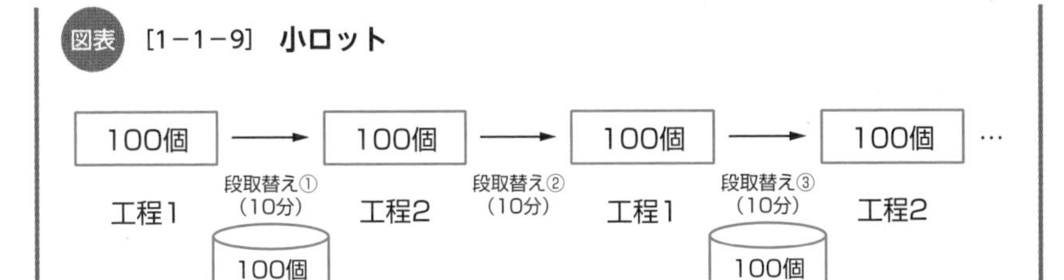

※　１工程にかかる生産時間が１個１分、段取替え時間が10分と仮定すると、ロットサイズ100個の場合は、100個すべてが完成（生産リードタイム）するまでに100分＋10分＋100分＝210分かかる。よって、最初の１つ（あるいは最初のロット）が完成するまでの時間は、小ロットのほうが短い。

※　ただし、同製品を1,000個生産しなければならないときは、上記のロットサイズ100個の生産を10回繰り返すことになり、その場合、段取替え回数が増加し、その分、生産性が低下する。単純計算すると、(100分×２工程×10回)＋(段取替え時間10分×19回)＝2,190分となり、１回で生産する大ロットよりも、総生産時間が長くなる。

3 連続生産

連続生産は「同一の製品を**一定期間続けて**生産する形態 JIS Z 8141-3211」と定義されている。個別生産の反義語でもある。標準化され、また、設計変更も少ない同一の製品を連続して生産するのに適した生産形態である。つまり、生産する製品が停滞なく流れ、次から次へと同じ製品が生産されていく形態ということである。代表的な例として、日用雑貨品、加工食品、清涼飲料などがあげられる。

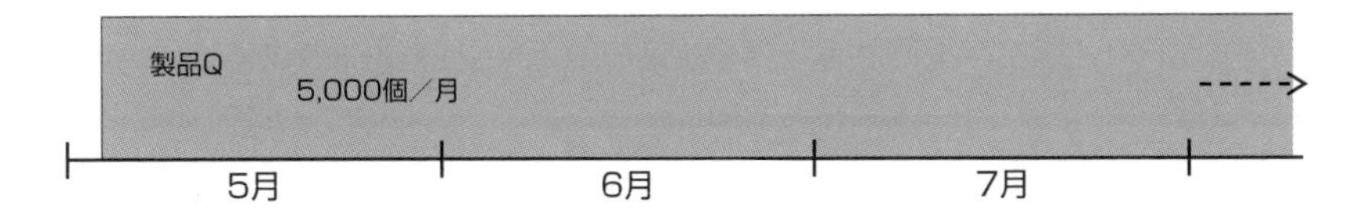

 [1−1−10] **個別生産・ロット生産・連続生産のまとめ**

	個別生産	ロット生産	連続生産
生産量	少ない	中くらい	多い
主な生産形態	受注生産	受注or見込生産	見込生産
生産品種による生産方式	多品種少量生産	中品種中量生産	少品種多量生産
製品の流し方（※レイアウト）	ジョブショップ型（機能別レイアウト）	ジョブショップ型orフローショップ型	フローショップ型（製品別レイアウト）
段取替え数	多い	中くらい（ロットサイズによる）	少ない

（菅間正二『図解よくわかるこれからの生産管理』同文舘出版　p.57をもとに作成）

※　レイアウトについては第1編第2章第1節で解説。

設 例

ロット生産に関する記述として、最も不適切なものはどれか。　[H22−2]

ア　1つのロットに含まれる製品の個数をロットサイズと呼び、その数量を決定する活動を、ロットサイジングと呼ぶ。
イ　1つのロットの中は、一般にすべて同じ品種で構成される。
ウ　受注生産と見込生産の中間的な生産形態であり、断続生産とも呼ばれる。
エ　ロットにまとめて生産することにより発生する在庫は、ロットサイズ在庫と呼ばれる。

解 答　**ウ**

ロット生産は、個別生産と連続生産の中間的な生産形態である。

R3 2

❸▶多品種少量生産・少品種多量生産

製品種類の数と生産量による分類である。

1 多品種少量生産（多種少量生産）

「多くの種類の製品を少量ずつ生産する形態 JIS Z 8141-3213」である。柔軟性（フレキシビリティ）を強調する場合、多品種変量生産という用語を使う場合もある。中小企業が最も多く採用している生産形態といわれており、その小回り性を活かせる形態である。

多品種少量生産の特徴として次の点があげられる。

1）製品の種類が多く、生産数量や納期が多様であり、加工順序は製品によって異なることが多く、工場内ではものの動きが錯綜しやすい（機能別レイアウト：第１編第２章第１節第１項で解説）。
2）受注の変動により生産設備の能力の過不足が生じ、さらに受注製品の仕様・数量・納期の変更や短納期注文の発生、購入部品の納入遅れなどが起こりやすい。
3）このため設備の能力計画や製造実施予定を適切に策定することは容易ではない。
4）上記の対策として、部品の共通化、標準化の適用などにより、製品や加工順序の多様性を吸収することが有効である。また、生産方式の改善・変更や実績収集・生産指示システムによる柔軟な生産統制などの努力がなされる。

2 少品種多量生産（少種多量生産）

少ない種類の製品を大量に生産する形態である。ライン生産（第１編第２章第２節第１項で解説）ともよばれ、連続生産する生産方式である。需要予測をもとに多量の製品需要が期待できる場合など、標準部品を多く使い、徹底した合理化を図った専用ラインなどで連続生産する方式である。

少品種多量生産の特徴として次の点があげられる。
1）製品の種類が少なく、専用ラインによる単純な加工経路をとることが多い（製品別レイアウト：第１編第２章第１節第１項で解説）。
2）作業が単純化し、機械の専用化を進めやすいので、単能工や専門工で作業が行われる。
3）作業者の間接作業が少ないので、生産性が高い。
4）多品種少量生産に比べ仕掛品が少なくすみ、生産リードタイムが短い。
5）作業が単調なため創意工夫を発揮しにくい。また、連続作業に伴う肉体的・精神的疲労など労務面での問題が起こりやすい。

図表［1−1−11］ 生産形態の分類

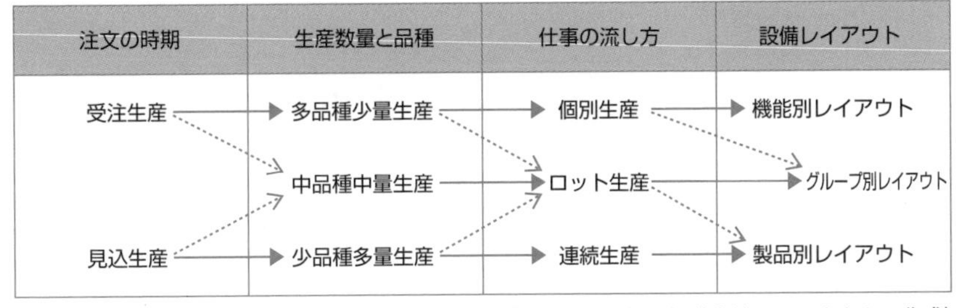

（古屋　浩『現代の生産管理』学文社　p.26をもとに作成）

設例

生産形態は、生産の時期、品種と生産量の多少、仕事の流し方によって分類される。生産形態の組み合わせとして、最も関連性の弱いものはどれか。

[H20－11]

ア　受注生産 — 多品種少量生産 — 個別生産
イ　受注生産 — 多品種少量生産 — ロット生産
ウ　見込生産 — 少品種多量生産 — ロット生産
エ　見込生産 — 多品種少量生産 — 連続生産

解　答　**エ**

見込生産と連続生産の関連性は強いが、多品種少量生産との関連性は弱い。

第2章

生産のプランニング

Registered Management Consultant

本章の体系図

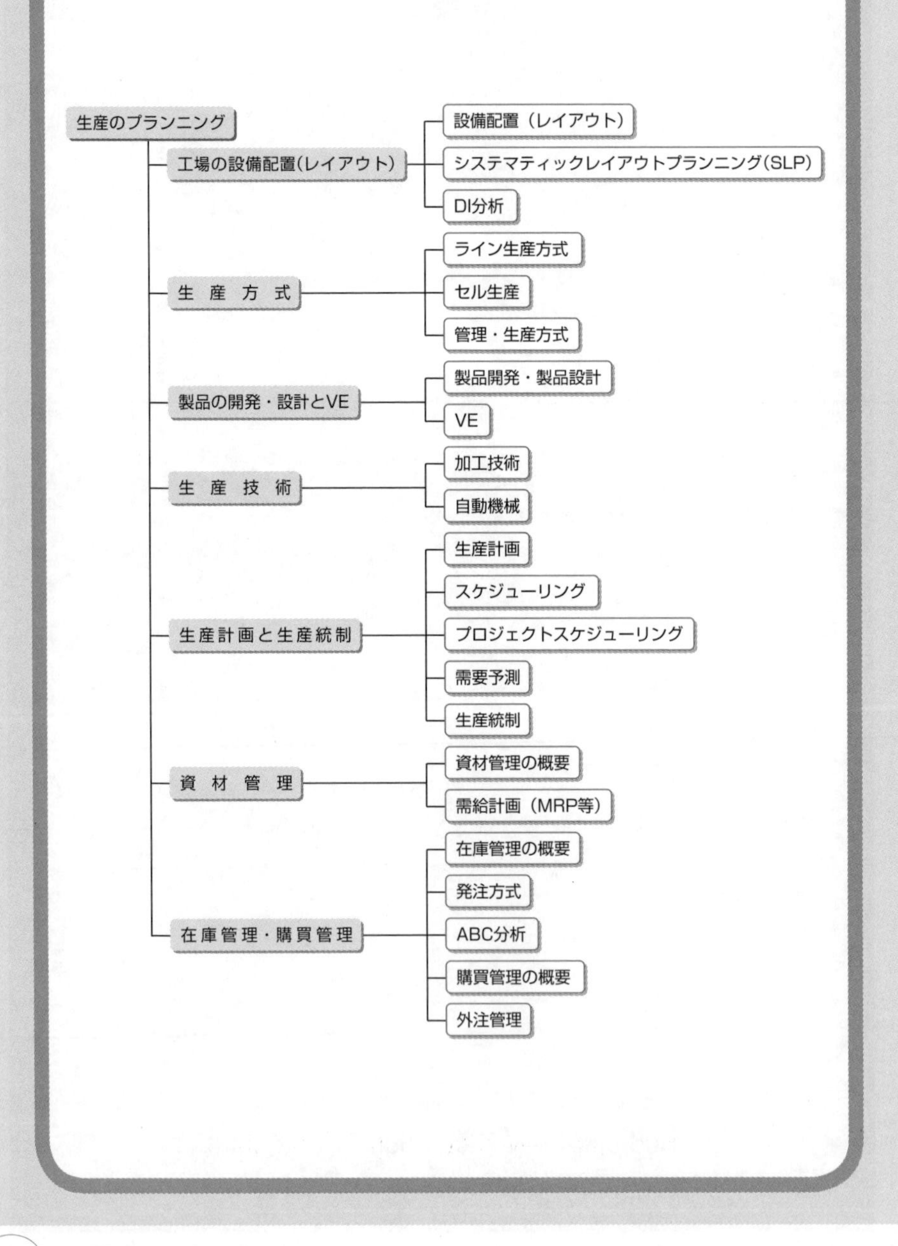
生産のプランニング
工場の設備配置(レイアウト)
設備配置（レイアウト）
システマティックレイアウトプランニング(SLP)
DI分析
生産方式
ライン生産方式
セル生産
管理・生産方式
製品の開発・設計とVE
製品開発・製品設計
VE
生産技術
加工技術
自動機械
生産計画と生産統制
生産計画
スケジューリング
プロジェクトスケジューリング
需要予測
生産統制
資材管理
資材管理の概要
需給計画（MRP等）
在庫管理・購買管理
在庫管理の概要
発注方式
ABC分析
購買管理の概要
外注管理

本章のポイント

◇ レイアウト（固定式、機能別、製品別）の内容や特徴を理解する。

◇ SLPの計画手順、P-Q分析、物の流れ分析、DI分析の内容を覚える。

◇ ライン生産方式については、ラインバランシング、サイクルタイム、編成効率を理解し、式を覚える。

◇ セル生産は、各セルに異なる機械グループが配置されること、多能工が必要なことを理解する。

◇ JIT関連用語（JIT、自働化、あんどん、かんばん方式、平準化生産）は、用語の意味と目的をあわせて理解する。

◇ オーダエントリー方式、生産座席予約方式、製番管理方式、モジュール生産方式、追番管理、常備品管理方式の内容を理解する。

◇ 製品設計に関連する用語を理解する。

◇ VEに関して、価値、機能、コストの考え方を理解する。

◇ ジョンソン法の処理、PERT（アローダイアグラム）の作成、クリティカルパスの算出ができるようにする。

◇ 移動平均法、指数平滑法、回帰分析、線形計画法の考え方を理解する。

◇ 進捗管理、現品管理、余力管理の考え方、および生産統制を円滑に進める手法を理解する。

◇ MRPの基本的な考え方を理解する。ストラクチャ型部品構成表を読み取れるようにする。

◇ 定量発注方式と定期発注方式の長短を理解し、発注点や発注量の式を覚える。

◇ ABC分析の考え方や分析結果の活用を理解する。

◇ 資材管理、在庫管理に関する用語を理解する。

◇ 外注管理や外部資源の活用を理解する。

1 工場の設備配置（レイアウト）

本節では、工場の設備配置（レイアウト）の原則などについて理解する。

1 設備配置（レイアウト）

設備配置（レイアウト）の基本的な分類および内容は次のとおりである。

1 固定式レイアウト

内容	特徴
大型機械などの組み立て工程で行われるレイアウト。 生産対象は定位置にあり、そこに生産設備や工具を運んで作業を行う。	[メリット] ・船舶や大型製品などに適用される ・設計、工程の変更に対応しやすい ・重量物である製品の移動は最小限 [デメリット] ・作業者や機械工具の移動が多くなる

R6 11

2 機能別レイアウト（工程別レイアウト・ジョブショップ型）

内容	特徴
同じ種類の機械や設備を1か所に集めて配置するレイアウト（機能を重視）。	[メリット] ・**多品種少量生産**に適している ・加工経路が異なる場合に適用される ・設備の稼働率を上げやすい ・製品が変わっても機械の配置を変えなくてよい ・作業者への技術指導が容易 [デメリット] ・製品の移動経路が複雑になりやすい

R6 11

3 製品別レイアウト（フローショップ型）

内容	特徴
生産設備を原材料から製品までの変換過程に従って直線的に配置するレイアウト。 工程の順序に従って必要な設備を配置する（流れを重視）。	[メリット] ・**少品種多量生産**に適している ・作業が単純化し、機械の専用化が容易 ・工程管理、進捗管理が容易 ・仕掛在庫が減少する ・生産期間を短縮しやすい [デメリット] ・一部の機械が故障すると、ライン全体を停止しなければならない ・製品加工順序の変更に対応しにくい ・万能熟練作業者の養成が困難

図表 [1−2−1] **設備レイアウトの基本型**

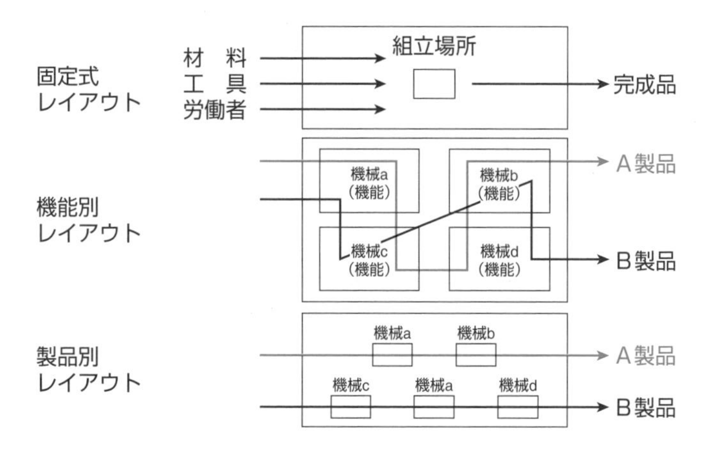

4 セル生産レイアウト（グループ別レイアウト）

セル生産とは、異なる機械をまとめて機械グループを構成して工程を編成する場合の生産方式で、その機械グループをセルとよんでいる。このタイプのレイアウトが**セル生産レイアウト**である。詳しくは本章第2節第2項「セル生産」で学習する。

設　例

機能別職場の特徴に関する記述として、最も不適切なものはどれか。

[H23−2]

ア　熟練工を職長にすることにより部下の技術指導がしやすくなる。
イ　職場間での仕事量にバラつきが生じやすい。
ウ　職場間の運搬が煩雑である。
エ　製品の流れの管理がしやすい。

解　答　**エ**

機能別職場という用語で出題されているが「機能別（工程別）レイアウト」ととらえてよい。機能別レイアウトによる配置は、移動経路が複雑になりやすいため、製品の流れを管理しにくい。なお、製品の流れを管理しやすいのは、製品別レイアウトとなる。

R5 2
R2 3

2 システマティックレイアウトプランニング（SLP）

❶▶SLP（Systematic Layout Planning）の体系

工場の生産を効率的に行うためには、建物、設備、機械などの適切な配置と合理的な運搬・移動の管理が重要となる。**レイアウトプランニング**とは、工場における構成要素（機能）の適切な配置と流れを計画することである（構成要素とは、人・設備・機械・材料・倉庫・事務所・工具室などで、SLPではこれらを「**アクティビティ**」とよぶ）。

SLPはリチャード・ミューサーが提唱した工場レイアウトの汎用的なレイアウト計画法である。これは、アクティビティ間の**物の流れ**と**関連性の強さ**（**アクティビティ相互関係**）とに基づいてレイアウトを設計する手法である。

一般に工場の規模が大きくなるほど、設備レイアウト作業も複雑化するが、SLPは工場の規模に関係なく同じ方法で計画が可能という点に特徴がある。

また、SLPを用いてレイアウトを行う際に必要な情報項目として**PQRST**がある。

図表 [1−2−2] **SLPにおけるインプット要素「PQRST」**

情報項目	関連するSLP手法
P（Product：製品または材料） 「何を生産するのか」	P-Q分析 物の流れ分析
Q（Quantity：量または嵩（かさ）） 「どれだけ生産するのか」	P-Q分析 アクティビティ相互関係図表
R（Route：経路） 「どうやって生産するのか」	物の流れ分析
S（Supporting Service：補助サービス） 「何で生産が支えられているのか」	アクティビティ相互関係図表
T（Time：時間またはタイミング） 「いつ生産すべきか」	

※ Tは、他の４項目（PQRS）すべてに関連する項目である。

 [1－2－3] **SLPにおける計画手順とPQRST**

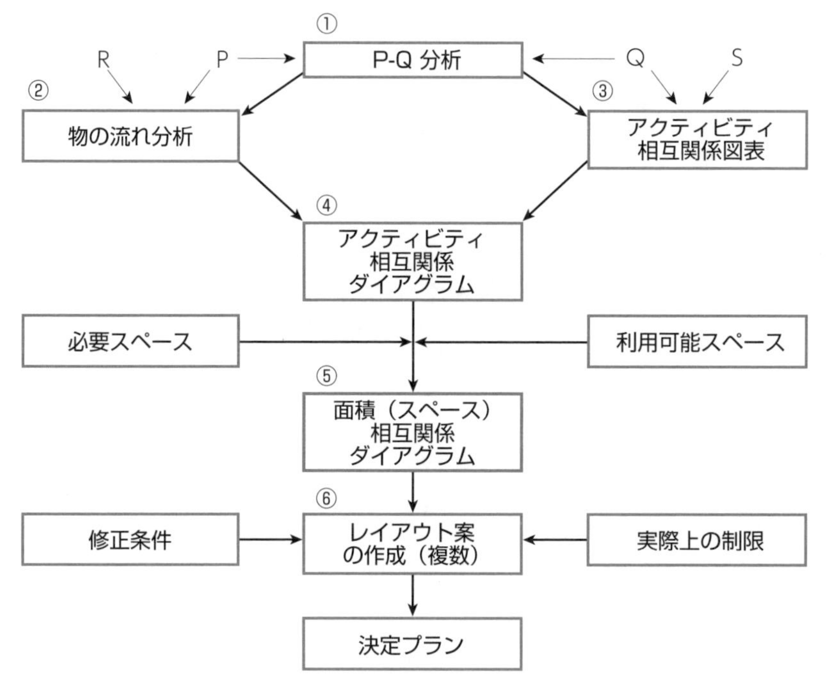

❷▶SLPの進め方

■1 P-Q分析

R3 3

SLPにおける工場レイアウト計画の出発点は、**生産する品種と生産量を正確に把握する**ことである。つまり、何を（P）、どれだけ（Q）生産するのか、についてP-Q分析を用いて明確にする。

P-Q分析のP（Product）は製品を表し、Q（Quantity）は生産量を表す。横軸に製品の種類を、縦軸に生産量をとり、左から生産量の大きい順に並べてチャートを作成する。P-Q分析図の生産量の多い上位グループは製品別レイアウト、下位グループは機能別レイアウト、中間製品はグループ別レイアウト※、というのが一般的である。

なお、P-Q分析の結果、グループごとに図表1－2－5のような生産形態とレイアウト形式を採用するのが一般的である。

※ グループ別レイアウト

P-Q分析により曲線の中央に位置づけられる製品群の生産に適したレイアウトで、複数の製品の共通ライン化を図り、流れ生産を指向するものである。グループ化の視点としては、①設計上類似している製品品目をグループにまとめる、②加工工程上類似している製品品目をグループにまとめるなどがある。

図表 [1−2−4] P-Q分析

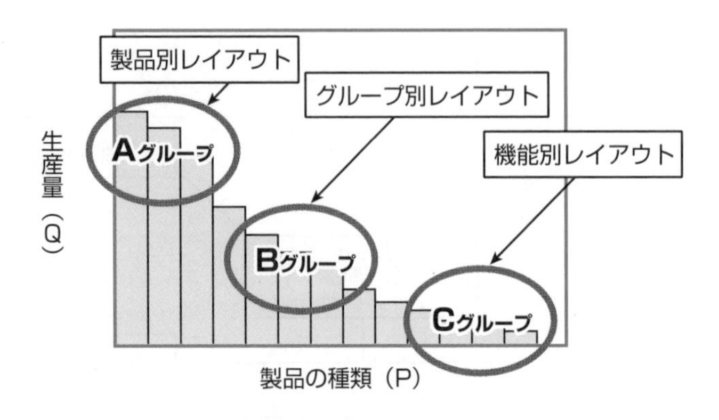

図表 [1−2−5] P-Q分析の結果と各手法

	Aグループ	Bグループ	Cグループ
生産形態	少品種多量生産	中品種中量生産	多品種少量生産または個別生産
レイアウト	製品別レイアウト	グループ別レイアウト	機能別レイアウト
物の流れ分析	単純工程分析	多品種工程分析	フロムツーチャート

2 物の流れ分析

物の流れ分析は、「どのように製品（部品）を生産するか」という観点から、工程経路と物が移動するときの最も効率的な順序を決定することを目的に行われる。効率的な流れとは、物が工程を通して移動する際に、迂回したり逆行したりせずにつねに完成品へ向かってまっすぐ進むことを意味する。

前述したように、P-Q分析の結果、グループごとに以下のような「物の流れ分析」の手法がある。なお、以下の分析手法については、第１編第３章第１節のIEの方法研究でも触れる。

1）単純工程分析（オペレーション・プロセスチャート）

P-Q分析図（図表1−2−4）において、Aグループのように、製品ごとの生産量が多いグループで停滞や運搬がない製品の物の流れ分析は、**単純工程分析**が適している。単純工程分析とは、原材料、部品がプロセスに投入される点およびすべての作業と検査の系列を表現した図表を作成し、分析することである。これは原材料が製品になっていくプロセスの基本である「加工：○」と「検査：□」の２項目を一覧の図表にしたものであり、少品種多量生産のケースでは、貯蔵、停滞が少ないため、「加工」と「検査」の２項目で十分に事足りるということである。

※　なお、「□」「○」の基本図記号は、第１編第３章第１節のIEの方法研究で詳しく述べる。

図表 [1－2－6]　**単純工程分析図の例**

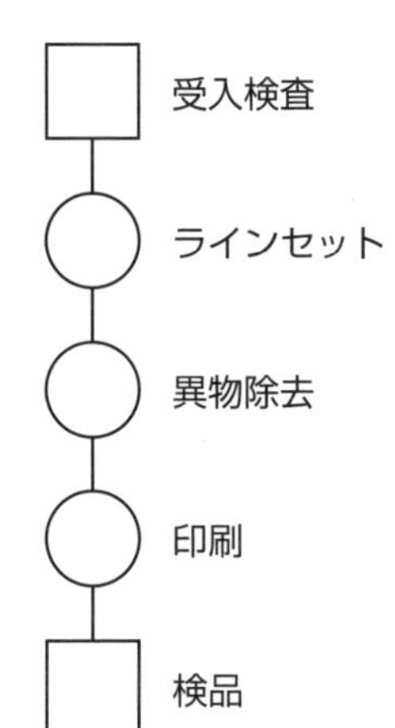

2）多品種工程分析（加工経路分析）

Bグループである中品種中量生産の場合に適している物の流れ分析の手法である。**多品種工程分析**とは、加工経路分析ともよばれ、工程（加工）経路の類似した製品や部品等をグループ化するために、工程（加工）経路図を作成して分析することである。そして、主に次の３つの基準で製品ごとに分類し、レイアウトを検討する。

①　工程がまったく同じもの
　→　専用ライン化を検討する。
②　一部異なるがほとんどの工程が類似しているもの
　→　同類工程グループはロット作業を流れ作業化したり、一部異なる工程のみを分岐（複線化）して流すことを検討する。
③　ほとんどの工程に共通性のないもの
　→　機能別レイアウトを検討する。

図表 [1－2－7]　**多品種工程分析図（加工経路分析図）の例**

製品名＼工程名		普通旋盤	ターレット旋盤	ボール盤	フライス盤	中ぐり盤	平削盤	研磨盤	検査
1	A	①	②		③	④	⑤		⑥
2	B	①	②	④	③	⑤			⑥
3	C		①		②	③			④
4	D		①	②		③			④
5	E	①	③	②	④	⑤	⑥		⑦

（実践経営研究会編『IE７つ道具』日刊工業新聞社　p.179をもとに作成）

※　なお、工程分析は、第１編第３章第１節のIEの方法研究でも詳しく述べる。

R3 3

3）フロムツーチャート（流出流入図表）

フロムツーチャートとは、流出流入図表ともよび、Cグループである多品種少量生産の職場における、機械設備や作業場所の配置計画をするときに用いられるツールである。物の流れに関する分析に使用するもので、生産ラインの前工程（From）と行き先である後工程（To）の関係を定量化し、工程間の相互関係を分析するものである。SLPでは、アクティビティ間の関係、近接性を明確にするのに使用される。フロムツーチャートの作成は次のような方法で行われる。

① 縦、横列に工程(設備)をレイアウト順に記入する。
② 製品がレイアウト順に流れるのを正流、逆の場合を逆流とよぶ。
③ FromとToの交点のマスには、延べ運搬距離または延べ運搬重量を記入する。
④ 正流は図の斜線の上側に、逆流は下側に表示する。
⑤ 延べ運搬重量の大きい工程を接近させて、延べ運搬距離の縮減を図る。

図表 [1−2−8] **フロムツーチャートの例**

後工程 To / From 前工程	A	B	C	D
A		30kg (1m)		
B			20kg (10m)	
C				15kg (2m)
D	15kg (3m)			

※ フロムツーチャートは、前工程と後工程を定量的に分析するものであるため、図表1−2−8の例でＡ工程→Ｂ工程は、生産対象物30kgのものが１m移動していることがわかる。このケースでは、Ｂ工程→Ｃ工程の移動距離を短くすることが課題となる。

R3 3

3 アクティビティ相互関係図表

アクティビティ相互関係図表は、生産にかかわるさまざまなアクティビティの相互関係、つまり、それらを互いに近接させて配置するのか、あるいは離して配置するのかを検討（評価）するために使用する分析ツールである。

※　アクティビティは、次の２つに分類することができる。

- 面積を必要とするアクティビティ…機械、設備、倉庫、通路など
- 面積を不要とするアクティビティ…出入口、採光など

 ［1−2−9］ **近接性の重要度の例**

値	近接性
A	絶対必要
E	特に必要
I	重要
O	通常の強さ
U	重要でない
X	望ましくない

 ［1−2−10］ **アクティビティ相互関係図表の例**

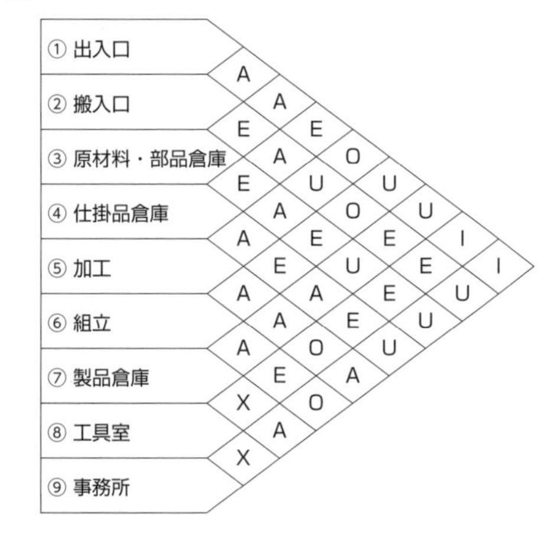

たとえば、①出入口と②搬入口との近接性は「A」の「絶対必要」であるので、最優先に近接配置とする。⑦製品倉庫と⑧工具室は「X」であるため、極力離して設置する。③原材料・部品倉庫と⑦製品倉庫は「U」であるため、近接性の重要度はなく、他の配置関係を優先して設置することになる。

4 アクティビティ相互関係ダイアグラム

次の段階は、**アクティビティ相互関係ダイアグラム**である。先の「物の流れ分析」と「アクティビティ相互関係図表」を基にして、アクティビティおよび工程を線図に展開し、アクティビティの順序と近接性を地理的な配置に置き換えたものである。アクティビティ間での近接性要求の強さを「線の太さ」、あるいは「線の本数」によって示すのが一般的である。近接性の強いアクティビティ同士を極力近づけ、線が重なり合わないようにすることが重要となる。なお、図表1−2−11には、面積に関する情報は含まれておらず、面積は次の段階の「面積（スペース）相互関係ダイアグラム」で把握することになる。

[1−2−11] **アクティビティ相互関係ダイアグラムの例**

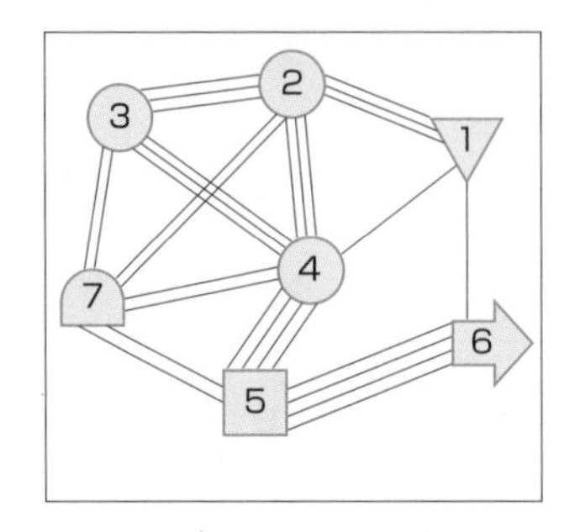

記号	アクティビティの内容
	加工場
	輸送場
	貯蔵場
	検査場
	サービス部門

5 面積（スペース）相互関係ダイアグラム

次の段階は、**面積相互関係ダイアグラム**の作成になる。アクティビティ相互関係ダイアグラムの各アクティビティの必要な面積を見積り、それを図に組み入れると面積（スペース）相互関係ダイアグラムとなる（図表1−2−12）。この段階で、さらに利用可能なスペースの調整を行い、レイアウト案に盛り込むべき面積を決定するという流れになる。

[1−2−12] **面積（スペース）相互関係ダイアグラムの例**

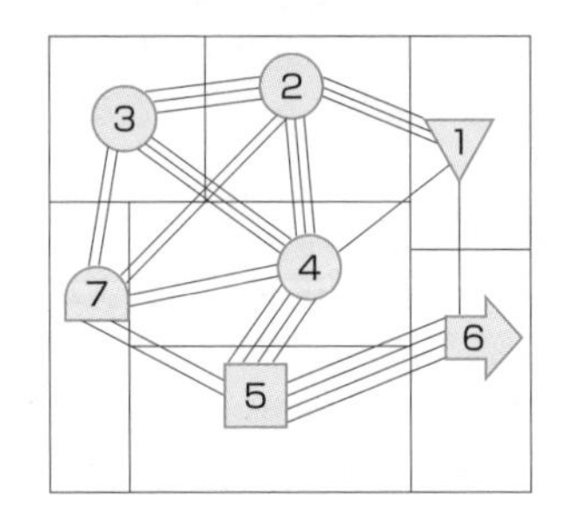

6 レイアウト案の作成

最後の段階は、「レイアウト案の作成」となる。面積相互関係ダイアグラムに基づきひとつの理想的なレイアウト案が作成されることになるが、複数の代替案を作成して検討するのが一般的である。

工場レイアウトの設計における体系的な進め方として、システマティックレイアウトプランニング（SLP）が知られている。

以下のａ～ｄは、SLPの各ステップで実施する事項である。SLPの実施手順として、最も適切なものを下記の解答群から選べ。 [R2-3]

a 必要スペースと使用可能スペースの調整を行う。
b 生産品目と生産数量との関係を分析する。
c 実施上の制約を考慮して調整を行い、複数のレイアウト案を作成する。
d 物の流れとアクティビティを分析し、各部門間の関連性を把握する。

〔解答群〕
ア a→b→d→c
イ a→c→b→d
ウ b→a→d→c
エ b→d→a→c
オ d→c→a→b

解 答 **エ**

SLPでは、最初にP-Q分析を用いて、何を（P：生産品目）、どれだけ（Q：生産数量）生産するのかについて明らかにしたうえで、物の流れとアクティビティの相互関係を分析する。

R6 12
R5 2
R3 3
R2 15

3 DI分析

DI分析は、「施設のレイアウトを運搬に着目して分析する手法　注釈1　職場又は設備などの間に発生している全ての運搬について、**運搬距離**（Distance）をx、運搬回数、物流量などの**強度**（Intensity）をyとして、2次元平面上にプロットしたグラフを作成することによって、運搬のムダによるレイアウトの課題を発見することが可能である。注釈2　全ての運搬の運搬距離×強度の総和（ΣDI）によって、レイアウトの比較評価も可能である。」と定義されている。

図表 [1−2−13] **DI分析**

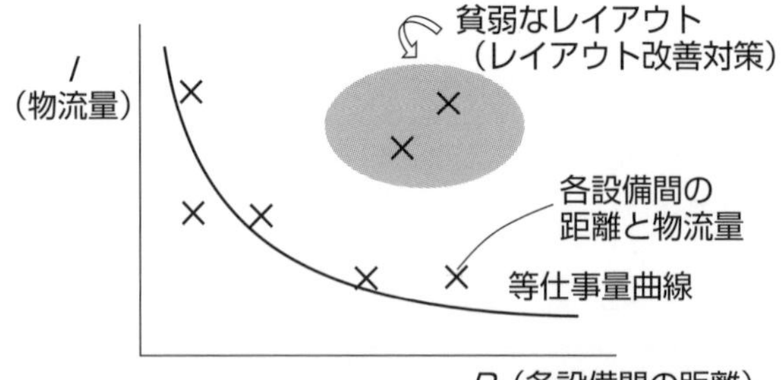

（『生産と経営の管理』吉本一穂・伊呂原隆著　日本規格協会　p.115をもとに作成）

2 生産方式

1 ライン生産方式

❶▶ライン生産方式の特徴

ライン生産方式とは、いわゆる流れ作業のことで、「生産ライン上の各作業ステーションに作業を割り付けておき、品物がラインを移動するにつれて加工が進んでいく方式 JIS Z 8141-3404」である。

※ **作業ステーション**は、「生産ラインを構成する作業場所であり、作業要素の割り付け対象 JIS Z 8141-3407」である。

※ 生産設備をベルトコンベアで連結した生産ラインを用いずに、手作業・手渡しで生産を行う方法も、ライン生産方式の一種である。

図表 [1−2−14] **ライン生産方式のイメージ**

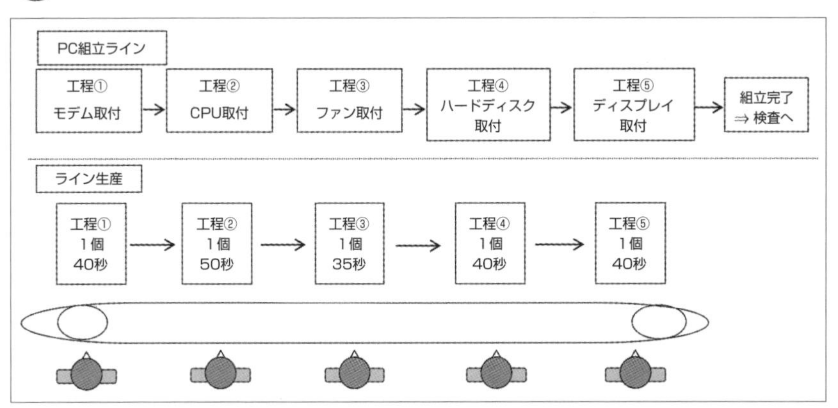

この生産方式を実行するレイアウトは製品別レイアウトになる。主に需要予測に基づいた見込生産で、需要量が多くて市場が安定しており、プロダクトライフサイクルが長い製品に適している。製品の種類が少なく（少品種多量生産）、専用ラインによる単純な加工経路をとることが多い。

たとえば、ライン生産方式でライン編成する場合を考えてみる。図表1−2−15のケース１のように、工程①よりも工程②の作業時間が短い場合、工程②で毎回手待ちが発生し、時間にムダが生じる。逆に、ケース２のように、工程①より工程②の作業時間が長い場合、工程間に仕掛品が滞留する。このようなムダを解消するには、ケース３のように２つの工程間で仕事の配分を均等にして同期化できれば、手待ちや滞留をなくすことができる。このように、作業者や機械に割り当てる仕事の量を均等化する技法を、**ラインバランシング**という。

図表 [1−2−15] **手待ちと停滞の例**

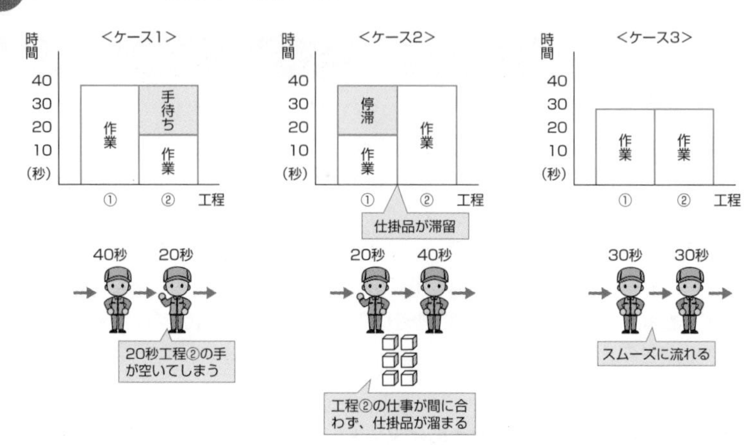

❷▶ラインバランシング

ラインバランシング（ラインバランス分析）とは、「生産ラインの各作業ステーションに割り付ける作業量を均等化する方法 JIS Z 8141-3403」である。つまり、各工程の所要時間差をなくし、スムーズな生産の流れを設計することである。

ラインバランシングは次のような目的で行われている。

1）人・機械の稼働率の向上
2）省人化、省力化
3）機械化、自動化
4）工程設計、工程編成を行うため
5）作業能率の向上
6）生産リードタイムの短縮化

❸▶ラインバランシングの手順

ラインバランシングは、次のような手順で行われる。

① 工程を単位作業に分けて時間を測定する。
② ピッチダイアグラムを作成する。

 [1－2－16] **工程改善前（図表1－2－14）のピッチダイアグラム**

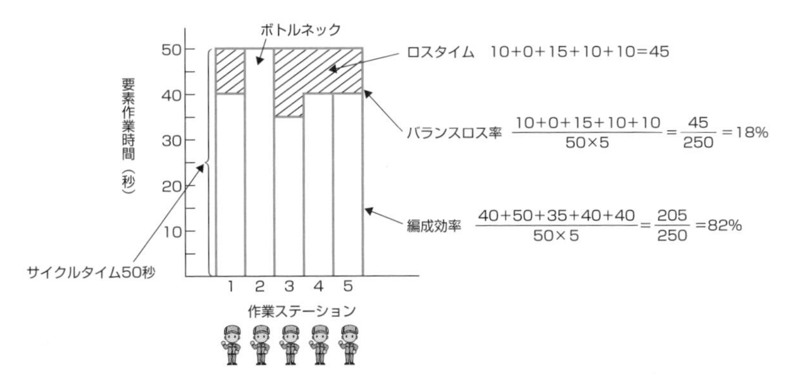

※　**ピッチダイアグラム**は、縦軸に要素作業時間（各工程の所要時間）、横軸に作業ステーションをとり、それぞれの作業ステーションでの要素作業時間を示したものである。ラインのサイクルタイムとラインの編成状態、さらにはロスタイムの状況をわかりやすく表示できる。

※　**サイクルタイム**は、「生産ラインに資材を投入する時間間隔 注釈１ 通常、製品が産出される時間間隔に等しい。ピッチタイムともいう。JIS Z 8141-3409」である。結果的に、要素作業時間の最長時間に相当する。

R6 4
R5 6
R4 2
R3 5
R2 16

$$\text{サイクルタイム}=\frac{\text{生産期間}}{\text{(その期間中の)生産量}}$$

※　上式のように一定の生産期間における必要生産量からサイクルタイムを設定するという考え方がある。

参　考

サイクルタイムの算出例（バランスロス率を０％と仮定）

〈算出例１〉　**必要生産量が１日80個の場合**

ライン稼働時間：８時間（480分）

製品１個あたりの作業時間の総和：12分

たとえば、１作業ステーション（１人の作業者）で生産すると

$\frac{480}{12}$＝40個しか生産できない。

480分で80個生産するためには、何分おきに製品を産出すればよいか（何分おきに資材を投入すればよいか）と考え、以下のようにサイクルタイムを設定する。

サイクルタイム　⇒　480分÷80個＝６分/個

６分おきに製品を産出するためには１つの作業ステーション（１人の作業

者）では不可能であるため、以下のように分業を図る。

必要作業ステーション数　⇒　作業時間の総和12分÷6分＝2

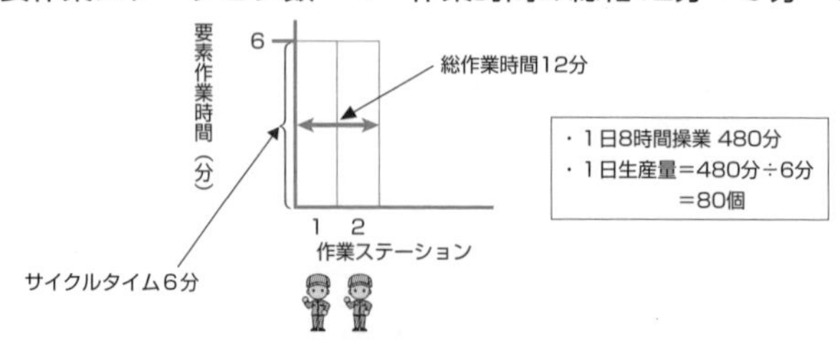

〈算出例2〉 **必要生産量が1日160個の場合**

ライン稼働時間：8時間（480分）

製品1個あたりの作業時間の総和：12分

サイクルタイム　⇒　480分÷160個＝3分/個

必要作業ステーション数　⇒　作業時間の総和12分÷3分＝4

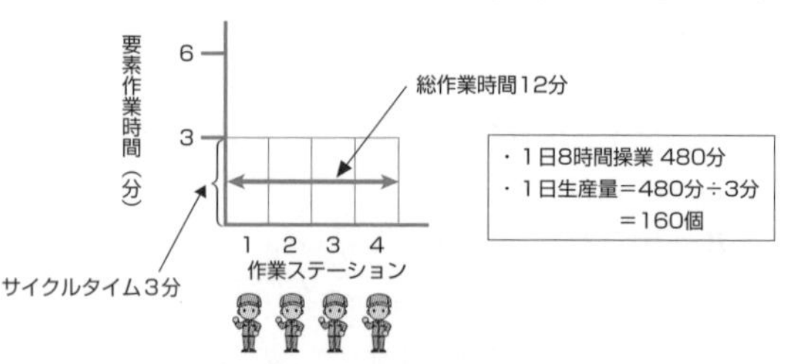

R6 4
R5 6
R4 2
R3 5

③ **編成効率（ラインバランス効率）およびバランスロス率を計算する。**

$$\text{編成効率}(\%)=\frac{\text{各工程の所要時間の合計}}{\text{サイクルタイム}\times\text{作業ステーション数}}\times 100$$

$$\text{バランスロス率}(\%)=100-\text{編成効率}(\%)$$

【計算例】図表1－2－16「工程改善前」の編成効率（%）

$$=\frac{40+50+35+40+40}{50\times 5}=\frac{205}{250}\times 100=82\%$$

※　**編成効率**は、「作業編成の効率性を示す尺度 JIS Z 8141-3410」である。

※　編成効率の分母「サイクルタイム×作業ステーション数」は、作業の所要時間とロスタイムの合計であり、本例でいえば5つの作業ステーション（5人の作業者）が50秒ずつ作業に従事したことを表す。

④ **ラインバランシングを実施する。**

時間の長い工程（**ボトルネック**とよぶ）の単位作業を短い工程に分配する。図表1－2－16を例にとると、作業ステーション2の要素作業時間が最大（ボトルネック）であるので、ここを他の作業ステーションへ移すことを繰り返して、ロスを削減していく（これを**山崩し**という）。つまり、要素作業時間が均等になるように単位作業の割当てを行うのである。

⑤ **改善後のピッチダイアグラムを作成する。**

図表 [1−2−17] [図表1−2−16] を工程改善した後のピッチダイアグラム

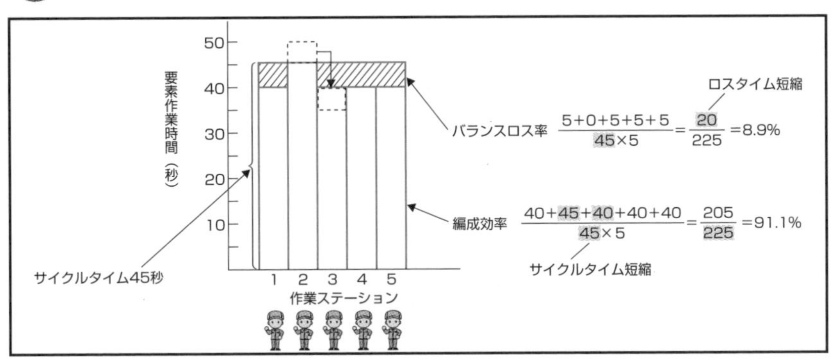

⑥ **改善後の編成効率とバランスロス率を計算する。**

【計算例】図表1−2−17「工程改善後」の編成効率（%）

$$=\frac{40+45+40+40+40}{45\times5}=\frac{205}{225}\times100=91.11\cdots\fallingdotseq91.1\%$$

以上の結果、工程改善前の82%から約9.1ポイント、編成効率が改善したことになる。

設 例

サイクル時間50において組立ラインのラインバランシングを行ったところ、ワークステーション数が5となり、次表に示される各ワークステーションの作業時間が得られた。この工程編成における編成効率の値に最も近いものを下記の解答群から選べ。 [H22−8]

ワークステーション	1	2	3	4	5
作業時間	46	50	47	46	46

〔解答群〕

ア 0.90
イ 0.92
ウ 0.94
エ 0.96

解　答　**ウ**

各工程の所要時間の合計は235秒（＝46＋50＋47＋46＋46）である。サイクルタイムは50秒であり、作業(ワーク)ステーション数＝5であるため、

$$編成効率=\frac{235}{50\times5}=\frac{235}{250}=0.94$$となる。

❹▶ラインの形態

生産ラインは、そのラインで生産する品種数により、**単一品種ライン**と**多品種ライン**に分けられ、多品種ラインはさらに、ライン切替方式と混合品種ラインに分けられる。ライン切替方式は、ある期間中に生産される製品を１品種生産して終了した後、次の品種に切り替えて生産する方式である。要素作業の内容、作業時間、工程数などが異なる２種類以上の製品群を生産する場合に適している。混合品種ラインは、１つのラインに複数の品種を混合して連続的に生産する方式である。要素作業の内容に類似性が高く、品種切替え時に段取がないか、段取時間が短いときに適している。

図表 [1−2−18] **ラインの形態**

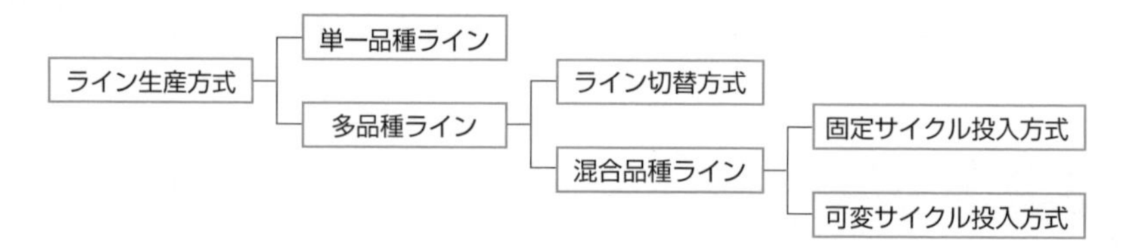

なお、混合品種ラインの編成効率は下式で求めることができる。

$$混合品種ラインの編成効率=\frac{各製品の(生産量\times総作業時間)を合計した値}{ステーション数\times サイクルタイム\times 各製品の生産量の合計}$$

混合品種組立ラインの編成を検討した結果、サイクルタイムを150秒、ステーション数を10とする案が提示された。生産される３種類の製品Ａ、Ｂ、Ｃの総作業時間と１か月当たりの計画生産量は、以下の表に与えられている。この案の編成効率を求めよ。 [H25－9改題]

	製品Ａ	製品Ｂ	製品Ｃ
総作業時間（秒／個）	1,400	1,450	1,450
生産量（個／月）	2,000	1,000	1,000

解　答　**95%**

混合品種組立ラインの編成効率

$$=\frac{\text{各製品の(生産量×総作業時間)を合計した値}}{\text{ステーション数×サイクルタイム×各製品の生産量の合計}}$$

$$=\frac{1,400\text{秒}\times 2,000\text{個}+1,450\text{秒}\times 1,000\text{個}+1,450\text{秒}\times 1,000\text{個}}{10\text{ステーション}\times 150\text{秒}\times(2,000+1,000+1,000)\text{個}}$$

$=0.95(95\%)$

また、以下のように考えることもできる。

製品Aのみの編成効率は、単一品種ラインの編成効率の公式で算出できる。

$$\text{ライン編成効率}(\%)=\frac{\text{各工程の所要時間合計（総作業時間）}}{\text{サイクルタイム×作業ステーション数}}\times 100$$

$$=\frac{1,400}{150\times 10}\times 100\ (\%)$$

$$=93.33\cdots\fallingdotseq 93\%$$

製品Ａを生産しているときの編成効率は約93％であり、この編成効率がライン全体の編成効率に与える割合は、全体の生産量に対する製品Ａの生産量の割合となる（2,000／4,000＝50％）。製品Ｂ、Ｃも同様に考えることができるため、以下のようにライン全体の編成効率を算出することもできる。

ライン編成効率(%)

$$=\left(\frac{1,400}{150\times 10}\times\frac{2,000}{4,000}+\frac{1,450}{150\times 10}\times\frac{1,000}{4,000}+\frac{1,450}{150\times 10}\times\frac{1,000}{4,000}\right)\times 100(\%)$$

$$=\left(\frac{1,400}{1,500}\times 0.5+\frac{1,450}{1,500}\times 0.25+\frac{1,450}{1,500}\times 0.25\right)\times 100(\%)$$

$=95\%$

ライン生産方式のメリット・デメリット

メリット

- 作業の単純化 → 機械の専用化が容易 → 単能工・専門工で作業可能
- 作業者の間接作業が少ない → 生産性が高い
- 物の流れの単純化 → 工程管理が容易
- 製品運搬の機械化が容易 → 運搬コストの低減

デメリット

- 製品仕様や生産量の変化に対する融通性が低い
- 連続した工程にあった生産設備の配置が必要 → レイアウト上の制約が多い
- 作業者の単能工化 → 負荷の急増や欠勤対応が困難
- 作業の単調化 → 創意工夫を生みにくい、肉体的・精神的疲労などの労務面の問題発生

2 セル生産

セル生産とは、異なる機械をまとめて機械グループを構成して工程を編成する生産方式で、その機械グループをセルとよぶ（異なる機械ではなく、類似の機械（機能）をまとめてグループを構成した配置を機能別レイアウトというが、両者の違いに留意すること）。

このセル生産方式は、加工する製品の類似性に基づいて製品をグループ化して生産することにより、部品の運搬の手間や間接作業が減少し、**生産リードタイム短縮と仕掛品削減が可能**となる。

図表 ［1−2−19］ **セル生産（1人生産方式）**

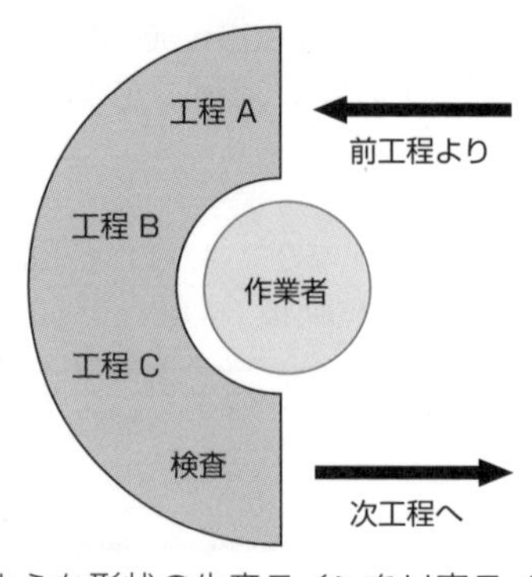

R5 18

※　このような形状の生産ラインをU字ラインとよぶ。

セル生産（1人生産方式）のメリット・デメリット

メリット
- 工程間のバラツキ最小化 → 仕掛品減少
- 同期化 → 作業効率上昇 → 生産性向上
- 品種や数量の柔軟な変更が可能
- 多能工化 → 作業者のモチベーション向上

デメリット（留意点）
- 多能工の育成困難 → 導入初期における生産性低下
- 優秀な技術者、管理者、作業者が必要（留意点）
- 「作りやすい」製品設計が必要（留意点）

※ セル生産（1人生産方式）のメリット・デメリット（留意点）は、ライン生産方式と対比して理解するとよい。

設 例

需要量が多く、市場が安定している製品の組立を行う生産方式を決定することに関する記述として、最も不適切なものはどれか。 [H25－8]

ア 製品の組立作業に必要な設備の多くが高価であるので、一人生産方式を採用することにした。
イ 製品の組立作業要素の数が多く複雑であるので、ライン生産方式を採用することにした。
ウ 製品の組立作業要素の数は少ないが作業者の作業時間変動が大きいので、一人生産方式を採用することにした。
エ 製品の組立作業要素の数が少なく効率の高いライン編成ができないので、一人生産方式を採用することにした。

解 答 ア

1人生産方式の場合、たとえば工場内に複数のU字ラインを設置すると仮定すると、U字ラインの数だけ高価な組立用の生産設備を用意する必要があり、資金面の制約により現実的とはいえない。そもそも1人生産方式のメリットのひとつに、高額な設備投資の必要性が少ないということがあることにも留意したい。

3 管理・生産方式

❶▶ジャストインタイム生産方式（JIT）

1 トヨタ生産方式（リーン生産方式）

トヨタ生産方式は、トヨタ自動車で開発された生産方式の総称で、ムダを極力排除することに力点が置かれていることから、リーン（脂身のない肉）生産方式とよばれることもある。かんばんとよばれる作業指示票を巧みに運用して、ムダな在庫（仕掛在庫）をもたない、ムダな経費をかけない、ムダな設備をもたないというキャッシュフロー経営やSCMに通じる概念をもっている。この生産方式は、**ジャストインタイム**と**自働化**という２つの基本思想に基づくものである。

R6 10
R3 6

2 ジャストインタイム（JIT（ジット））

ジャストインタイム（JIT：Just In Time）は、トヨタ生産方式の中核的な基本思想である。JISでは、「全ての工程が、**後工程の要求に合わせて**、必要な物を、必要なときに、必要な量だけ生産（供給）する生産方式 JIS Z 8141-2201」と定義している。後工程が使った量だけ前工程から引き取る方式であることから、**後工程引取方式（プルシステム）**ともいう。

R6 3

ジャストインタイムのねらいは、生産工程の流れ化（スムーズに流れること）と生産リードタイムの短縮を実現することにより、作りすぎによる中間仕掛品の滞留や、工程の遊休などを生じないようにすることである。ジャストインタイムを実現するための前提として、最終組立工程の生産量を平準化すること（平準化生産）が重要である。**平準化生産**とは、「需要の変動に対して、生産を適応させるために、**最終組立工程の生産品種と生産量**とを平準化した生産方式 JIS Z 8141-2202」と定義されている。

[1－2－20]　プッシュシステムとプルシステム

〈前工程押出方式〉(プッシュシステム)

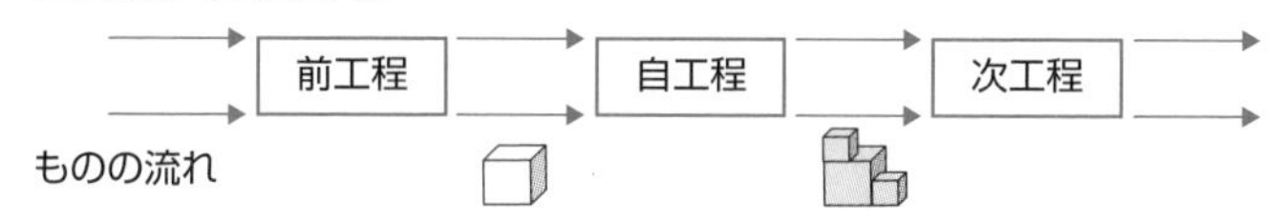

計画どおりに前工程から後工程に押し出して生産する。

〈後工程引取方式〉(プルシステム)

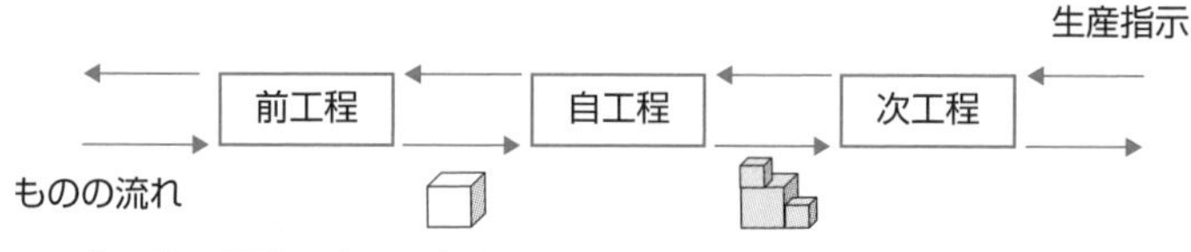

後工程の要請に応じて生産し、引き取られる。

3 自働化

自働化とは、機械設備の異常（不良）発生時に自動停止させムダと異常を顕在化させるシステムのことで、不良を作り続けることを防止する仕組みである。さらに、機械のみならず、手作業ラインで異常が発生した場合もラインを停止させ、二度と同じ異常が発生しないように真の原因を究明して徹底的な対策が施される。

作業者の自働化を図る方式として**あんどん**がある。これは、作業者が各工程で異常を発見した場合にラインをストップさせてその問題をクローズアップさせるための「ラインストップ表示板（ランプ）」のことである。つまり、上記の自働化を具現化するためのもので、**目で見る管理**に役立っている。 R6 3

R6 3

4 かんばん方式

かんばん方式とは、「トヨタ生産システムにおいて、後工程引取り方式を実現する際に、かんばんと呼ばれる作業指示票を利用して、**生産指示**又は**運搬指示**をする仕組み JIS Z 8141-2203」と定義されている。生産指示をするための**生産指示かんばん（仕掛けかんばん）**と、運搬指示をするための**引取りかんばん**の２種類に大別する。かんばんは、指示情報が一目でわかるように工夫されており、**目で見る管理**のひとつになっている。これらにより、連続する工程間の情報伝達と物の流れを同期化しようとするものである。かんばん方式のひとつの例を図表1－2－21に示す。

［1－2－21］ **かんばん方式の概念図**

〈仕掛けかんばん〉 ①引き取られると仕掛けかんばんがはずれる。
②仕掛けかんばんに指示された数量を作る。
③仕掛けかんばんを作った部品に付けて置場に置く。

〈引取りかんばん〉 ❶使うときに引取りかんばんをはずす。
❷引取りかんばんを持って部品を取りに行く。
❸仕掛けかんばんをはずし、引取りかんばんを付ける。
❹引取りかんばんを付けた部品を後工程に運ぶ。

図表 [1−2−22] かんばんの例

引取りかんばんの例

棚番号	H3	**前工程** 鍛造 D−5
背番号	A2−2	
品番	123456	
品名	クランクシャフト	**後工程** 機械加工 GG−6
車種	タック	
収容数20　容器C 発行番号222		

仕掛けかんばんの例

棚番号	J5	**工程** 機械加工 D−8
背番号	A6−7	
品番	123456	
品名	ドライブピニオン	
車種	タック	

（太田雅晴『生産情報システム』日科技連出版社をもとに作成）

かんばん方式を確実に運用することで、**情報の流れと物の流れは同期化する**。したがって、かんばんの枚数およびそこに指示される量は、生産量であると同時に工程間の在庫量も指示することとなるので、かんばんは生産量と在庫量をコントロールする道具ともなる。かんばんの枚数およびそこに指示する量を少なくすれば生産すべきロット量は小さくなり、在庫量も少なくなる。極端にいえば、かんばんに書かれるロット量は1個で、かんばんポストの容量を1枚にすれば、工程間在庫は1個、1回に1個しか生産しないことになる。これを「**1個流し**」という。

設　例

かんばん方式に関する記述として、最も不適切なものはどれか。［H29−9］

ア　かんばんは、あらかじめ定められた工程間、職場間で循環的に用いられる。
イ　かんばん方式を導入することにより、平準化生産が達成される。
ウ　仕掛けかんばんには、品名、品番、工程名、生産指示量、完成品置場名などが記載される。
エ　引取かんばんのかんばん枚数によって、工程間における部材の総保有数を調整することができる。

解　答　**イ**

平準化生産は、かんばん方式を導入する前提であり、かんばん方式を導入することで平準化生産が達成されるわけではない。

R6 10

❷▶オーダエントリー方式

オーダエントリー方式とは、「生産工程において生産中の製品に顧客のオーダを引き当て、**顧客の要求に応じて生産中の製品仕様を選択又は変更**する生産方式 JIS Z 8141-3207」と定義されている。乗用車の生産に用いられる用語である。乗用車は同一の車種であっても、エンジンの排気量、ターボチャージャーの有無、ギアの種類や段数、駆動方式（4WD)、ボディカラー、オーディオなど、相当数のオプションの組み合わせによって多数の種類の製品が１つの組立ラインで生産される。顧客のオプションの選択や変更に対応し、かつ短納期で製品を生産するためには、ライン上の顧客が決まっていない標準製品（標準車）に、顧客からの注文仕様として引き当てて仕様変更をしたり、顧客が決まっている製品（車）間で仕様変更の相殺や調整をして、顧客の要求を満たす方法が有効となる。以上のような、部品の供給量を制約条件として取り扱いながら、**短期間で市場の変化や個別オーダに適応することを指向したシステム**をオーダエントリー方式とよぶ。

図表 [1−2−23] **オーダエントリー方式のイメージ**

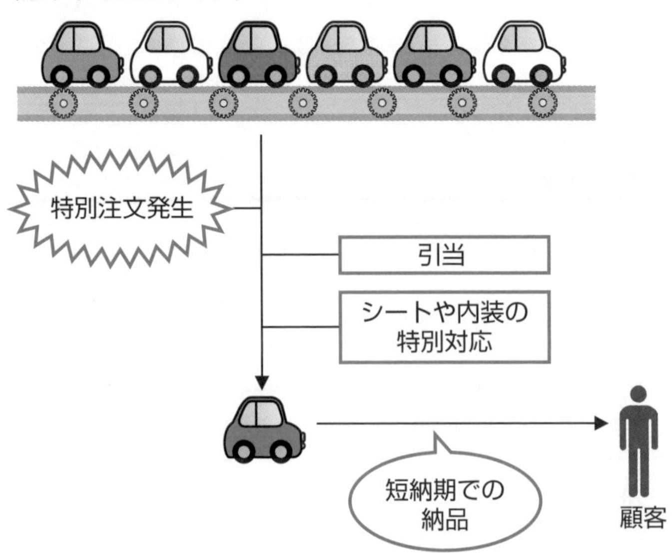

❸▶生産座席予約方式

R6 10
R4 4

生産座席予約方式とは、「受注したオーダを**顧客が要求する納期どおり**に生産するため、製造設備の使用日程・資材の使用予定などに**割り付けて**生産する方式 JIS Z 8141-3208」と定義されている。この方式は、生産能力あるいは生産期間を座席と見立て、営業部門があたかも列車や飛行機の座席を予約するような感覚で、顧客の希望する製品の出荷を予約するものである。社内の円滑な意思疎通を図るためのツールとして効果があり、たとえば、販売部門と生産部門と生産管理部門の３者が共有できる情報を提供する。

販売部門は、計画された生産座席を基に、顧客が要求する納期近くの空いている座席にオーダを割り当てる。これを生産座席の予約という。この予約は、コンピュータネットワークを介して、客先からリアルタイムに行うことで、信頼できるオーダの完成時期や重要なユニットの生産日程を顧客に提示することが可能になる。

生産部門は、座席予約状況を見ながら、納期遅れが生じないように、生産準備や生産進捗を調整する。

生産座席予約方式の利点は次のとおりである。

- **販売と生産の両部門が、共通の情報でリアルタイムに需要と供給を調整**できる。
- **顧客情報を一元管理**できる。
- **受注見積りの時点で、信頼できる納期を提示**できる。
- 生産部門は販売部門からの受注情報を早い段階で入手できるので、**資材調達などの生産準備を精度よく行う**ことができる。

[1－2－24]　**生産座席予約方式のイメージ**

※　営業が客先で製品の出荷予約をすると、設計、調達、生産の各部門は、タイムリーに受注を把握できるため、早々に準備に取りかかることができる。

R6 10　R4 4　R2 8

❹▶製番管理方式

製番管理方式とは、「製造命令書において、対象製品に関する**全ての加工及び組立の指示書**を準備し、**同一の製造番号**をそれぞれにつけて管理する方式　注釈1　**個別生産のほか、ロットサイズの小さい、つまり品種ごとの月間生産量が少ない場合のロット生産で用いられることが多い。** JIS Z 8141-3212」と定義されている。製番とは、製品が製造指示を受けたときに付される製造番号、工番＝工事番号、オーダーNo.などをいう。そして、製番管理は、生産管理業務をこの製番単位で行う管理手法のことで、日本でも古くから受注生産形態で多く用いられている。

製番管理では、製品を構成する部品・材料に対しても、その製品のひも付きとして同じ製番が付される。つまり、その部品・材料の発注、加工手配もすべて製番単位で行われる。購入先や外注先からの納入も製番を付けて行われ、製造工程で加工する場合も製番ごとに処理されることになる。このシステムでは、発注・加工手配といった業務以外に工程管理、購買業務での進捗・納入確認も製番ごとに行われ、工数集計、品質管理も同様の形で行われる。非常に理解しやすい管理方式であり、**製番単位での確実な手配・工程進捗度の状況の把握が可能になる。**

図表 [1−2−25] **製番管理方式の例**

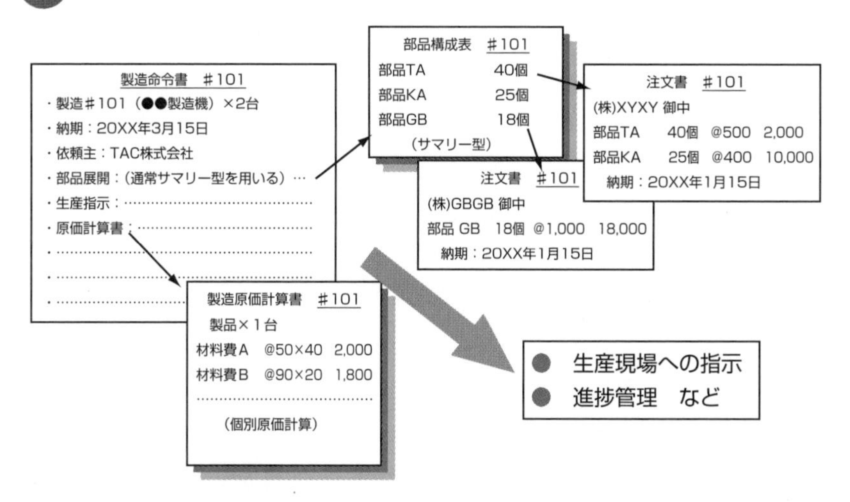

❺ ▶ モジュール生産

R6 1　R4 4

モジュール生産は「複数種類の部品又はユニットのモジュールを**あらかじめ生産**しておき、受注後にモジュールの**組合せによって多品種の製品を生産**する方式 JIS Z 8141-3205」と定義されている。複数種類の部品を組み付けたモジュール部品をあらかじめ組み立てておき、受注後にモジュール部品の組合せによって多品種の最終製品を生産する方式である。

❻ ▶ 追番（おいばん）管理

R5 13

追番とは、繰り返し生産の場合に、製品・部品などの生産すべき数あるいは生産された数を累計で記録したもので「**累計製造番号**」のことである。「シーケンスナンバー」「号機」ともいう。

追番管理は、生産の計画と実績に追番を付け、計画と実績の差で手配計画および進度管理を行うものである。製品・部品の生産計画に「計画追番」を、実績に対して「実績追番」を付け、計画追番と実績追番との差により進度管理を行う。

［1－2－26］ **追番管理の例**

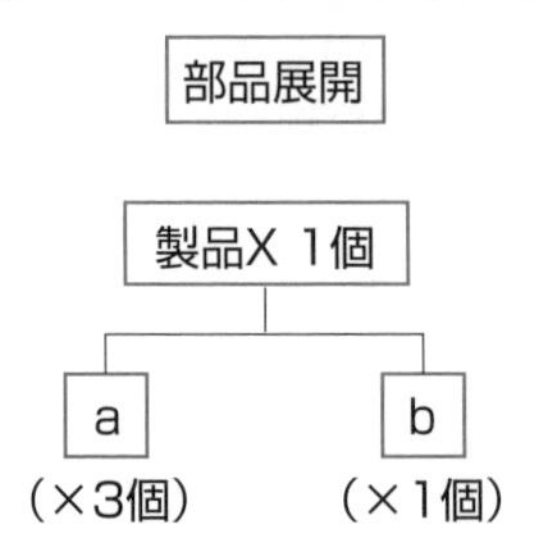

品名	8月度				
	1日	2日	3日	4日	5日
X	4	3	2	5	2
	4	7	9	14	16
a	12	9	6	15	6
	12	21	27	42	48
b	4	3	2	5	2
	4	7	9	14	16

＊下段（網掛け部分）が累計数＝追番

図表1－2－26では、製品Xの8月度の1～5日までの計画が記されている。1段目はX、2段目と3段目はXの構成部品のaとbである。また、それぞれの行の下段は上段の累計となっている。つまり、部品などに製品の生産計画に連動した番号を付けて管理する手法が追番管理である。

この番号には2つの意味がある。1つめは部品をひとつひとつ認識する背番号のようなものであり、**現品管理が容易になる**。2つめは累計そのものを意味する。たとえば、a部品の8月2日の追番は「21」である。これは8月2日に生産計画されている9個で8月2日までの累計として21個になる生産分として認識されるのである。この内容と実績（実績も追番を付ける）を比較することで進捗を確認することができ、**進度管理の目的でも使用される**。

❼▶常備品管理方式

材料・部品・製品を常備品としてつねに一定量を在庫として保管しておく方式である。**部品の調達期間が長い場合**や、**安価で継続的に消費される材料**、**共通部品など**に用いられる。一方で、専用部品であっても、**長期的に継続して生産される製品の構成部品や材料**において、同様の管理方式を適用する場合がある。これにより、管理の簡素化・管理コストの軽減だけでなく、需給変動の吸収や生産期間の短縮化を図ることが可能となる特徴がある。

[1−2−27] **各管理生産方式の特徴**

	特 徴
オーダエントリー方式	・連続生産における特別注文対応 ・自動車の生産に用いられる ・迅速かつ柔軟性の高い顧客対応
生産座席予約方式	・受注生産で用いられる ・顧客と座席予約表を共有し、即座に生産予約をする ・迅速な顧客対応と、社内のリアルタイム情報共有による円滑な調整
製番管理方式	・個別生産や小ロット生産、受注生産に用いられる ・生産にまつわる情報を製番に紐付けて一元管理できる ・顧客対応や設計変更に対応しやすい ・原則的に、在庫を常備しない ・注文ごとに管理するため、他注文分の部品の流用など柔軟な対応をとりにくい（デメリット）
モジュール生産方式	・多品種の最終製品を生産することが可能 ・組立工程の簡略化によるリードタイムの短縮 ・部品を外部調達する場合、サプライヤーの数の削減による管理コストの低減、大量発注によるボリュームディスカウントが期待できる
追番管理	・連続生産やロット生産で用いられる ・計画と生産物に累積番号を振り、進捗管理する ・進度管理の見える化、現品管理がしやすくなる
常備品管理方式	・調達期間が長く、安価で継続的に消費される資材に適用する ・管理コストが軽減する ・需要変動の吸収や生産期間の短縮化を図ることができる

設 例

工程管理方式に関する記述として、最も適切なものはどれか。　[H26−8]

ア　完成品や仕掛品の現品管理を容易にするために、追番管理方式を採用した。
イ　工程間の仕掛在庫量を管理するために、製番管理方式を採用した。
ウ　受注見積りの時点で信頼できる納期を提示するために、かんばん方式を採用した。
エ　注文品ごとに部品を管理するために、生産座席予約方式を採用した。

解 答　**ア**

選択肢イの記述には、かんばん方式が適している。選択肢ウの記述には、生産座席予約方式が適している。選択肢エの記述には、製番管理方式が適している。

3 製品の開発・設計とVE

1 製品開発・製品設計

①▶製品開発

R6 20
R4 3

1 プロダクトライフサイクル

プロダクトライフサイクルは「製品の市場寿命又は物理寿命 注釈1 マーケティング分野では、市場寿命を対象とする。市場寿命は導入、成長、成熟及び衰退の四つの段階に区分される。エンジニアリング分野では、物理寿命を対象とする。製品の開発・設計、製造、販売、使用を経て、最終的に3R・廃棄されるまでの期間を物理寿命と呼ぶ。JIS Z 8141-3104」と定義されている。

2 顧客満足を得るための製品開発

製品開発とは、「顧客ニーズの変化、生産者の技術向上、地球環境への対応などを動機として新たな製品を企画し、その製品化を図る活動 JIS Z 8141-3101」と定義されている。つまり、製品開発は、顧客満足を得るための活動のひとつともいえる。顧客ニーズを把握し、そのニーズに対応する製品企画、その企画に基づいて製品の技術的な構造を決める製品設計、設計された製品を経済的にまた容易に作ることを図る生産設計、その生産の立ち上げに関する活動が製品開発に含まれている。

②▶製品設計に関する用語

R4 3

1 生産設計

生産設計とは、「機能設計の内容について、生産に対する容易性・経済性などを考慮して設計する活動、又はその設計図 JIS Z 8141-3110」のことである。

R4 3

機能設計は製品自体を対象として各機能を実現させる構造を決めるが、その製品を生産する際の加工、運搬、荷役、保管、検査という各工程での作業、設備または各種環境に対する容易性、安全性、経済性、弊害性などについても考慮する必要がある。この活動を生産設計という。

2 組立容易性

組立容易性とは、「製品を組み立てる際の作業のしやすさ JIS Z 8141-3111」のことをいう。たとえば部品点数の削減、部品の組み付けの方向性、治工具採用の可能性などを検討する。

3 コンジョイント分析

コンジョイント分析とは、製品やサービスの総合評価をするとき、つまり顧客が複数の製品から１つを選考する場合に、それぞれの評価項目（特徴・因子）がどの程度その選考に影響を与えているのかを知る分析手法である。つまり、製品企画に際し、製品やサービスを構成する規格や性能などの要素をバランスよく選択することで顧客満足を最適化するための方法論である。

たとえば、どんなパソコンがいいかとの問いかけをバラバラに顧客にした場合、「性能ＡもBもCも装備されていて、低価格なもの」など実現不可能な回答が出てくるとする。このような場合、コンジョイント分析を用いて、要素間のトレードオフの関係や顧客がどのような組み合わせなら評価するかなど、製品の機能、デザイン、価格などの各要因の影響度について顧客による評価を得て、最も顧客に好まれる設計値の組み合わせを探していく。これにより、「性能ＡとBがついていれば多少の高価格でも顧客は評価する。機能Cは、ターゲット層にとっては特に必要とされていない」といった評価を得て、その結果を製品開発に活かしていく。

4 フロントローディング

フロントローディングは、製品製造のプロセスにおいて、設計初期段階に重点を置いて、集中的に労力・資源を投入し、後工程で発生しそうな仕様変更などの負荷を前倒しすることで、品質向上や製造期間の短縮を図る活動をいう。企画や開発の段階で製造ラインでの作りやすさを考慮したり、試作するまえにCAD／CAE（第１編第４章１節参照）でシミュレーションしたりして、設計品質を早期に向上する。また、デザインレビューも有効である。

5 デザインレビュー

R5 4

デザインレビューは、新製品の設計のできばえを評価・確認する方法のひとつであり、基本に立ち返ってさまざまな角度から実際の使用時に起こる可能性のある問題点の評価を行うことである。

6 マーケットイン

マーケットインは、「市場の要望に適合する製品を、生産者が企画、設計、製造及び販売する活動の考え方 JIS Z 8141-3102」と定義されている。品質、価格、納期、数量などさまざまな顧客のニーズを十分に汲み上げ、顧客が満足する製品を生産者が企画・生産し、それを販売するという一連の活動である。それに対してプロダクトアウトとは、まず企業側の都合（経営戦略、技術・デザインへのこだわりなど）を優先して企画・生産・販売していくやり方である。**マーケットインは〝ニーズを考えてから作る方法〟**であるのに対して、**プロダクトアウトは〝作ってから売り方を考える方法〟**と理解しておくとよい。

2 V　E

VEとは、日本バリューエンジニアリング協会では、「製品やサービスの「価値」

を、それが果たすべき「機能」とそのためにかける「コスト」との関係で把握し、システム化された手順によって「価値」の向上をはかる手法」としている。

❶▶VE5原則

VEを正しく活用するための行動指針であり、次の５項目の原則がある。

1）使用者優先
2）機能本位
3）創造による変更
4）チーム・デザイン
5）価値向上

❷▶VEにおけるValue：価値

VEでは価値を次のように考える。

$$価値=\frac{機\quad 能}{コスト}$$

図表 [1−2−28] VEの価値向上の考え方

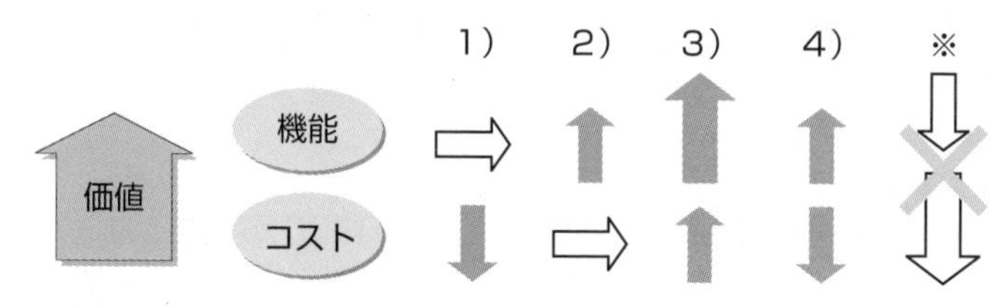

1）機能を一定に保ち、コストを小さくする
2）コストを一定に保ち、機能を拡大する
3）コストを大きくするが、機能はもっと大きくする
4）機能を拡大し、しかもコストを小さくする
※　VEでは、コストを機能以上に下げて価値を向上するという考え方はしない。

なお、価値には使用価値、コスト価値、交換価値、貴重価値などがある。VEでは、そのうち次の２つが価値の対象となっている。

- **使用価値**：そのものがもつ役割、働きで判断される価値。
- **貴重価値**：そのものを所有することによって得られる満足感で判断される価値。

❸▶VEにおける機能とコスト

R5 3

1 機　能

VEで対象とする主な機能は使用機能（製品の本来の使用価値を果たすために必

要な機能）**の中の補助機能（二次機能）**である。**基本機能（一次機能）**とは、これを欠くとそのものの必要性や存在理由がなくなるといった類のもので、腕時計を例にあげると「時刻を表示する」にあたる。**補助機能（二次機能）**とは、基本機能の達成を補助する機能で、付属的・装飾的・補完的機能のことである。同様に腕時計なら「アラーム、夜間照明、日付表示」にあたる。

また、**貴重機能**とは、見栄えをよくするための働きのことである。

機能定義は製品・部品のもっている機能を**名詞**（目的語）＋**動詞**（ネジであれば「部品を固定する」）で表現することにより行う。機能定義上の留意点は次のものがある。

1）名詞は定量的に表現できるものをできるだけ選択する。
2）２つ以上の定義を１つに表現しない。
3）状態を表す表現や否定語を使わない。
4）いろいろな発想がしやすい動詞を選択する。

これは、普遍的な動詞（たとえば、開ける、つぶす、走る）を使用することによって、機能を定義する際にいろいろなアイデアを出しやすくして、そのアイデアによって最も高い価値の製品を作り出すことをねらうという意味である。

 ［1－2－29］ **機能系統図（ファンヒーターの例）**

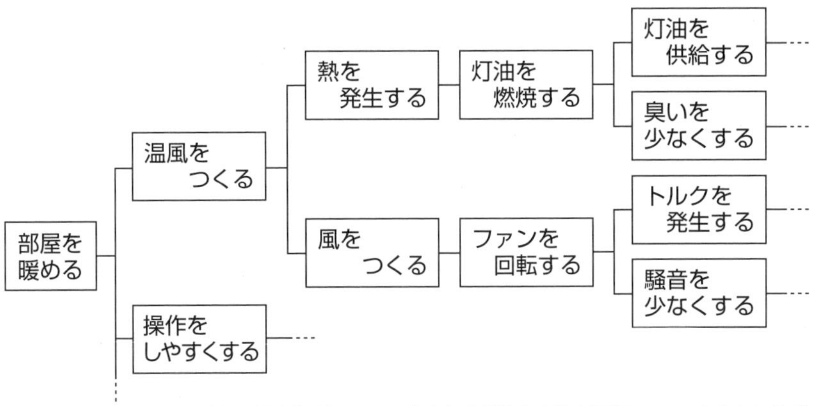

（土屋裕監修『新・VEの基本』産業能率大学出版部　p.117をもとに作成）

図表1－2－29は**機能系統図**とよばれる図であり、顧客や利用者に提供する最終目的機能を最上位に置き、それを分解した要素機能の相互関係を「**目的─手段**」の観点で階層的に整理・記述したものである。

図表 [1−2−30] **機能の種類**

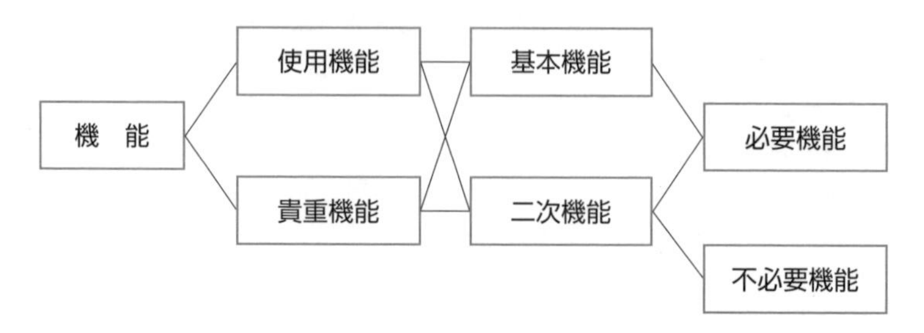

（土屋裕監修『新・VEの基本』産業能率大学出版部 p.102をもとに作成）

用　語	意　味
使用機能	機能について、その**性質**から見た機能の種類のひとつであり、製品やサービスを使用するために備えていなければならない機能のこと
貴重機能	機能について、その**性質**から見た機能の種類のひとつであり、製品の意匠や外観など、顧客（使用者）に魅力を感じさせる機能のこと
基本機能（一次機能）	機能について、その**重要性**から機能を分類した場合の種類のひとつであり、その機能を除くとその対象の存在価値がなくなる機能のこと
二次機能（補助機能）	機能について、その**重要性**から機能を分類した場合の種類のひとつであり、基本機能を達成するための手段的ないしは補助的な機能のこと
必要機能	機能について、その**必要性**から機能を分類した場合の機能のひとつであり、製品やサービスの顧客（使用者）が必要とする機能のこと
不必要機能	機能について、その**必要性**から機能を分類した場合の機能のひとつであり、製品やサービスの顧客（使用者）が必要としない機能のこと

図表 [1−2−31] **機能定義〈穴あけパンチの例〉**

構成要素	機能		基本機能	二次機能	…
	名詞	動詞			
全　体	穴を	打ち抜く	○		…
	カスの飛散を	防ぐ		○	…
ハンドル	…	…	…	…	…

❷ コスト

VEにおけるコストの考え方は、製品の開発から、その利用、廃棄までを含めたライフサイクル・コストである。つまり、製造コストばかりでなく、その製品を使用する際に発生する運転コストや、操作コスト、また、保守・サービスの費用（コスト）や、部品の交換コスト、あるいは製品を納入する際の物流コストや、寿命の尽きた製品の廃棄コストなど、製品のライフサイクルのあらゆる場面で発生するすべての費用（コスト）をいう。

❹▶VEの実施手順

VE活動の展開には、以下のような実施手順がある。この手順に従って問題解決を進めることによって問題の焦点が明確になり、価値の高い解決案の作成が可能となる。

また、手順の各段階に応じた７つの問いかけを行い、それらに応えていくことで効果的に活動を進めることができる。この７つの問いかけを**VE質問**という。

図表 [1－2－32] VEの実施手順とVE質問

基本ステップ	詳細ステップ	VE質問
1　機能定義	1　VE対象の情報収集	それは何か？
	2　機能の定義	その働きは何か？
	3　機能の整理	
2　機能評価	4　機能別コスト分析	そのコストはいくらか？
	5　機能の評価	その価値はどうか？
	6　対象分野の選定	
3　代替案作成	7　アイデア発想	他に同じ働きをするものはないか？
	8　概略評価	そのコストはいくらか？ それは必要な機能を確実に果たすか？
	9　具体化	
	10　詳細評価	

設 例

VEの「機能」に関する記述として、最も不適切なものはどれか。

[H22－5]

ア　基本機能は、必要機能と貴重機能に分類される。

イ　使用機能は、基本機能と二次機能に分類される。

ウ　製品の形や色彩などのデザイン的特徴に関わる機能を、貴重機能という。

エ　製品やサービスの使用目的に関わる機能を、使用機能という。

解 答　**ア**

各機能の関係が不適切である（p.62図表1－2－30参照）。

4 生産技術

ここでは、生産技術に関する加工技術、自動機械について取り上げているが、詳細な知識は不要で、大枠を理解すればよい。

[1－2－33] **生産技術の体系**

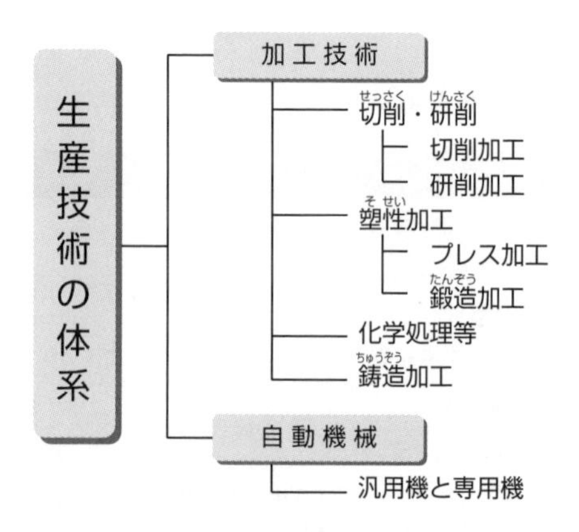

1 加工技術

❶▶切削（せっさく）・研削（けんさく）

1 切削加工

切削加工は、切削工具を使用して、不要部分を削り取り、工作物を所定の形状・寸法に仕上げる加工法である。使用する加工機械によりいくつかの方法に分類される。

1）加工の種類

① **旋盤加工**

工作物を回転させ、そこに切削工具を当てて仕様の形状に削る加工法である。

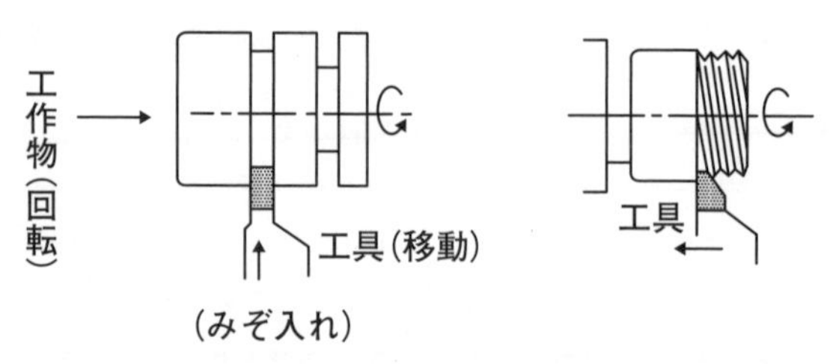

②　ボール盤加工

ボール盤は穴を加工する機械で、工作物を固定し、主軸に工具を取り付けて回転させ、穴をあけたり穴を加工したりする加工法である。

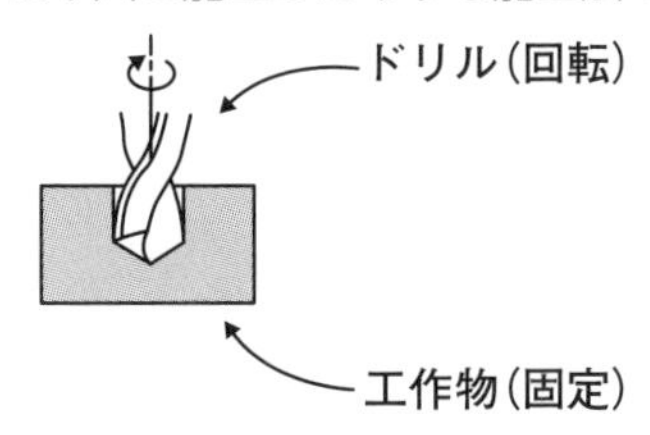

③　フライス盤加工

フライスとよばれる多くの刃を持つ回転切削工具を工作物に当てて仕様の形状に削る加工法である。

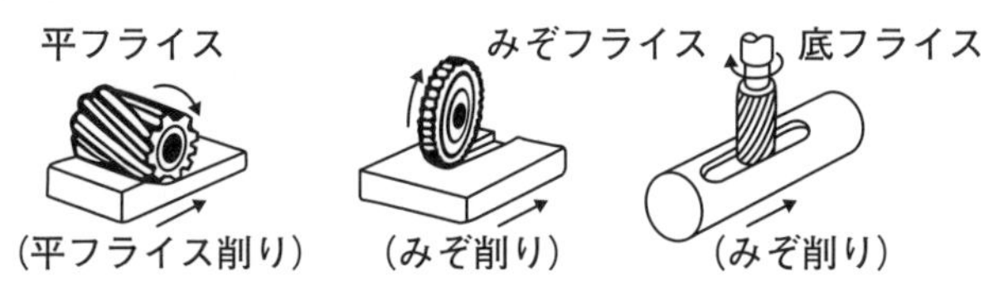

2）切削工具の材質

切削に用いる工具は、当然、削るものよりも硬い必要があり、炭素工具鋼、超合金、セラミックス、ダイヤモンドなどが利用される。

2 研削加工

研削加工は極めて精度の高い加工が可能である。砥石(といし)に硬度の高い材料を使うことによって、超合金など硬い材料の加工も可能である。

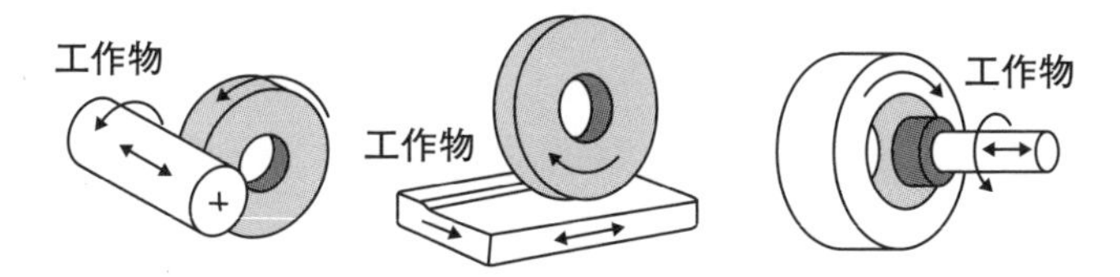

設例

工作機械に関する記述として、最も適切なものはどれか。　[H22−6]

ア　研削盤は、加工物に回転運動を与え、固定された砥石で研磨する機械である。
イ　旋盤は、切削用バイトに回転運動を与え、加工物を固定して切削する機械である。

ウ　フライス盤は、加工物に回転運動を与え、工具のフライスを送りながら切削する機械である。

エ　ボール盤は、ドリルを回転させながら、固定された加工物に穴をあける機械である。

解　答　**エ**

選択肢アについては、研削盤は、砥石に回転運動を与え、加工物を研磨する機械である。選択肢イについては、旋盤は、加工物に回転運動を与え、切削用バイト（工具）を当てて切削する機械である。選択肢ウについては、フライス盤は、フライスとよばれる多くの刃を持つ切削工具に回転運動を与え、加工物を送りながら切削する機械である。

❷▶塑性（そせい）加工

金属に弾性限界を超える力を加えると、力を加えるのをやめても、元の形には戻らなくなる。このような変形を塑性変形という。この塑性変形という性質を利用した加工が**塑性加工**である。代表的な加工方法は次のとおりである。

1 プレス加工

塑性加工の代表的なもので、プレス機械を用いて次のような加工を行う。

1）抜き加工

せん断加工ともいう。外形抜きと穴あけがある。

2）曲げ加工

V曲げ、U曲げ、端曲げの３つが代表的である。

3）絞り加工

底つきの容器などを加工する場合に利用する。やかんのように入口より中央の直径が大きなものも可能である。

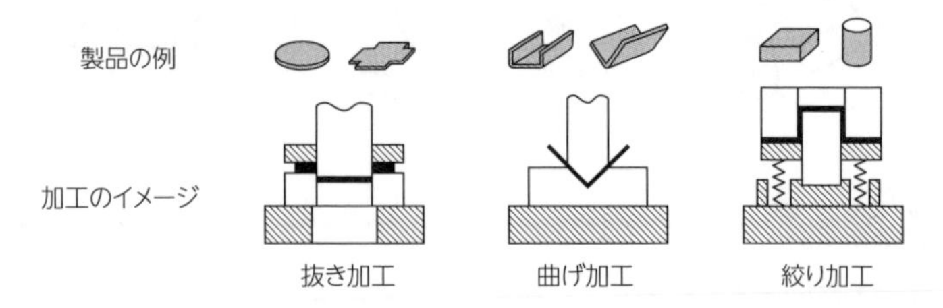

（吉田弘美『トコトンやさしい金型の本』　日刊工業新聞社　p.69をもとに作成）

2 鍛造（たんぞう）加工

これは、日本刀を作る場面をイメージすればよい。材料をたたいたり、圧縮したりして加工する。加工するときの温度によって、熱間鍛造、温間鍛造、冷間鍛造の3種類に分類される。

❸▶化学処理等

材料の表面を処理する場合に行う。めっき、塗装が代表的な処理である。耐食性（防錆）や装飾性の向上が目的である。

1 めっき

電気めっきと化学めっきに分類される。電気めっきはプラスチックなど、電極とならない材料には利用できない。そのような場合に、化学めっきを利用する。

2 塗　装

一般になじみの深い、はけ塗りやスプレーのほかに、静電塗装や電着塗装などがある。

❹▶鋳造（ちゅうぞう）加工

R2 5

鋳造加工は、砂や金属で耐火度の高い雌型（鋳型：いがた）を作り、溶解した金属をその空洞に注入して凝固させ、鋳型の原型と同じ製品（鋳物）を製造する方法である。複雑な形のものでも１回の流し込み（鋳込み）で製造できるのが特徴である。金属材料の中では鋳鉄が、この方法による加工に向いている。

2 自動機械

自動機械は使用範囲により汎用機と専用機に大別される。

汎用機は、種々のワークの加工に対応できるように作られた工作機械を指す。市販されている工作機械の大半が該当する。**機械の操作については熟練を要する**が、広範な加工が可能であり、**多品種少量生産に向いている。**

専用機は、特定のワークを能率的に大量加工できるように作られた工作機械を指す。**機械の操作については熟練が不要**で、**少品種多量生産に向いている。**

5 生産計画と生産統制

生産管理の内容を大別すると、生産計画と生産統制の２つの機能になる。ここでは、生産計画の概要と生産計画と関連して特に重要な需要予測とスケジューリング方法、そして生産統制について学習する。

1 生産計画

❶▶生産計画

生産計画は「生産量と生産時期とに関する計画 JIS Z 8141-3302」と定義されており、その備考に、大日程計画、中日程計画、小日程計画に分けられるとしている。

1 大日程計画

日程に関しマスターとなる長期の生産計画であり、月別の生産量を決めること。

2 中日程計画

大日程計画に基づき部門別の生産予定を決めること。

3 小日程計画

日々の作業予定を決めること。

[1－2－34] **日程計画の特徴**

計画の種類	おおよその計画期間	計画対象
大日程計画	６か月～２年	全工場、全製品
中日程計画	１～３か月	部門
小日程計画	１～10日	人、機械

※　計画期間や計画対象は個別企業の生産環境によって異なる。

日程計画では製品部品の生産量や各作業の開始と完了時期を決定していく。着手予定日を基準として工程順序に沿って予定を組んでいく**フォワードスケジューリング**と、完成予定日や納期を基準として工程順序とは逆方向に予定を組んでいく**バックワードスケジューリング**がある。

2 スケジューリング

❶▶生産スケジューリング

1 フローショップ・スケジューリング

フローショップとは、すべてのジョブについて実行されるべき作業が類似のもので、その作業順序に従って機械が配置されている多段階生産システムである。したがって、全ジョブは、機械配置に沿って一方向に流れることになる。古典的かつ代表的な方法にジョンソン法がある。

R4 8

● **ジョンソン法**

ジョンソン法は、２段階の工程に複数の生産オーダーが出ているとき、全体の作業期間が最短になる順序を算出するものである。

〈ジョンソン法による処理順序の決定方法〉
① すべての作業から処理時間が最短のものを選ぶ。
② 最短処理時間の作業が前工程にあれば、そのジョブをできるだけ前の順序にする。
最短処理時間の作業が後工程にあれば、そのジョブをできるだけ後の順序にする。

図表 [1−2−35] **ジョンソン法の例**

ジョブ	工程１（時間）	工程２（時間）
Ｊ１	4	5
Ｊ２	6	5
Ｊ３	6	7
Ｊ４	3	2
Ｊ５	4	3

Ｊ１～５は、すべて工程１→工程２の順に処理される。この場合の総所要時間を最短にする順序は次のように求める。

① すべての処理時間の中から最小のものを選ぶ＝Ｊ４の工程２
最小値は後工程である工程２にあるので、Ｊ４を最後尾に決定する。
② 次の最小処理時間を選ぶ＝Ｊ５の工程２
工程２にあるので、Ｊ５を最後尾から２番目に決定する。
③ 次の最小処理時間を選ぶ＝Ｊ１の工程１
工程１にあるので、Ｊ１を先頭に決定する。
④ 次の最小処理時間を選ぶ＝Ｊ２の工程２
工程２にあるので、Ｊ２を最後尾から３番目に決定する。
⑤ 残ったＪ３を残った順序（先頭から２番目）に決定する。

求められた順序は　J 1→J 3→J 2→J 5→J 4

次に、ガントチャートを作成し、総所要時間を求める。

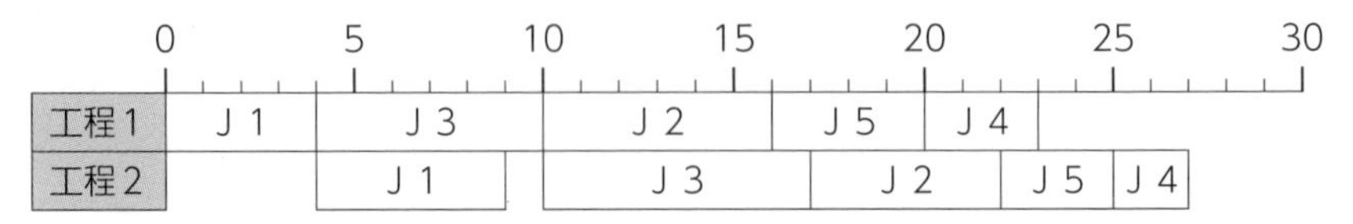

求められた総所要時間は 27

2 ジョブショップ・スケジューリング

ジョブショップのスケジューリングをいう。**ジョブショップ**は、機械設備や配置の利用順序が異なる多数のジョブを対象とし、加工を行う工場あるいは生産形態をいう。フローショップに比べてジョブの流れは複雑で錯綜したものとなり、最適スケジュールを得ることは相対的に難しい。代表的な手法にディスパッチングルールがある。

R5 9
R3 11

● ディスパッチングルール

ディスパッチングルールは、「待ちジョブのなかから、次に処理するジョブを決めるための規則 JIS Z 8141-3314」と定義され、次に処理する仕事の優先度を決める規則のことである。代表的な規則には、次のようなものがある。

ディスパッチングルール名	説　明
先着順規則 (First Come First Served Rule)	機械に先に到着したジョブを優先する規則
最小作業時間規則 (Shortest Processing Time First Rule)	当該機械での加工時間が最小のジョブを優先する規則
最長作業時間規則 (Longest Processing Time First Rule)	当該機械での加工時間が最長のジョブを優先する規則
最早納期規則 (Earliest Due-date First Rule)	納期が最も迫っているジョブを優先する規則
最小スラック規則 (Minimum Slack First Rule)	納期に対する余裕（スラック）が最小のジョブを優先する規則スラック：納期－現在時刻－残り総加工時間

なお、ディスパッチング法は、ジョブショップ・スケジューリング以外でも適用可能な方法である。

２機械ジョブショップにおいて、各ジョブの作業時間と作業順序が下表に与えられている。各ジョブのジョブ投入順序をLPT（最長作業時間）ルールで決定したとき、総所要時間の値として最も適切なものを下記の解答群から選べ。

[R3－11]

	作業時間		作業順序
	機械１	機械２	
ジョブ1	6	6	機械１→機械２
ジョブ2	5	5	機械１→機械２
ジョブ3	4	4	機械２→機械１
ジョブ4	3	3	機械２→機械１

〔解答群〕

ア　18　　イ　19　　ウ　20　　エ　21　　オ　22

解 答　ア

① 作業順序で機械１を先とするジョブ１、ジョブ２のうち、機械１の作業時間が長いジョブ１を先に着手する。

② 作業順序で機械２を先とするジョブ３、ジョブ４のうち、機械２の作業時間が長いジョブ３を先に着手する。

③ 機械２でジョブ３の加工終了後に、機械２に着手できるのはジョブ４のみであるためジョブ４に着手する。

④ 機械１でジョブ１の加工終了後に、機械１に着手可能なジョブ２、ジョブ３のうち、作業時間が長いジョブ２に着手する。

⑤ 機械２でジョブ４の加工終了後に、着手できるのはジョブ１のみであるためジョブ１に着手する。

⑥ 機械１でジョブ２の加工終了後に、機械１に着手可能なジョブ３、ジョブ４のうち、作業時間が長いジョブ３に着手する。

⑦ 機械１で残ったジョブ4、機械２で残ったジョブ２に着手する。

以上のように着手順を決定し、その結果、総所要時間は18となる。

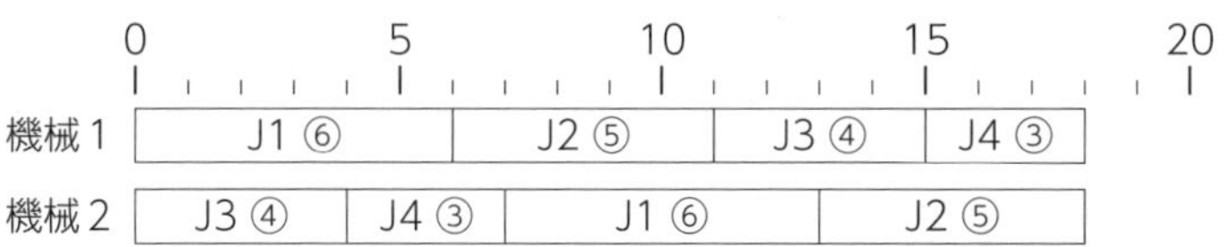

3 プロジェクトスケジューリング

プロジェクトスケジューリングとは、「多数の作業からなるプロジェクトにおいて、個々の作業とプロジェクト全体の日程とを管理する方法 JIS Z 8141-3315」である。

R6 2
R5 8
R4 7
R3 10
R2 11

❶▶PERT（Program Evaluation and Review Technique）…………

PERTとは、順序関係が存在する複数のアクティビティ（作業）で構成されるプロジェクトを、能率よく実行するためのスケジューリング手法である。アローダイアグラムとよばれる表記法を使って、作業の全体像を図で表現する。

1 アローダイアグラム

❶ アローダイアグラムの書き方

アローダイアグラムとは、「プロジェクトを構成している各作業を矢線で表し、作業間の先行関係に従って結合し、プロジェクトの開始と完了を表すノードを追加したネットワーク図 JIS Z 8141-3315 注釈2」のことである。

図表 [1−2−36] **アローダイアグラムの書き方**

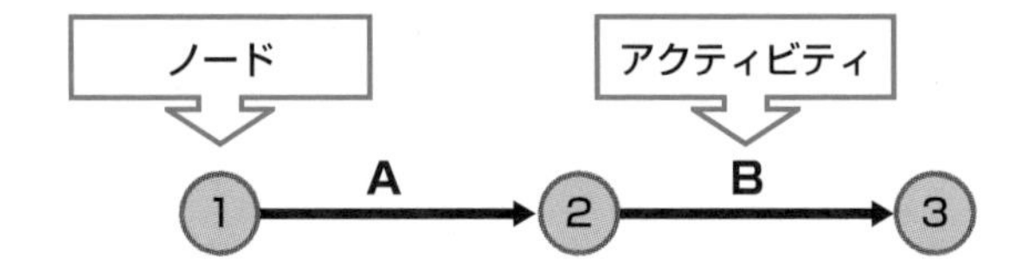

※ ノードは「結合点」「イベント」ともいう。

❷ アローダイアグラムの考え方

1）あるノードに複数の先行作業がある場合は、それらすべてが完了してから作業が開始される。
2）同じノード間に複数のアクティビティがある場合は、作業時間0のダミー作業により分割する。

❸ ダミー作業の考え方

アローダイアグラムを書く際に、**ダミー作業**を使わなければならないケースがある。ダミー作業は、「見せかけの作業」であり、常に作業時間は0となる。ダミー作業が必要になるケースは大きく分けて2つある。

1）作業の並行を避ける

アローダイアグラムでは、ノード間に複数作業が並行する作図は認められておらず、これを避けるためにダミー作業が必要となる。このようなケースは作業一覧表の中で、同一の先行作業（下図A）と後続作業（下図D）をもつ、複数の作業（下図B、C）が存在する場合に発生する。

図表 [1－2－37] **ダミー作業の発生ケース1**

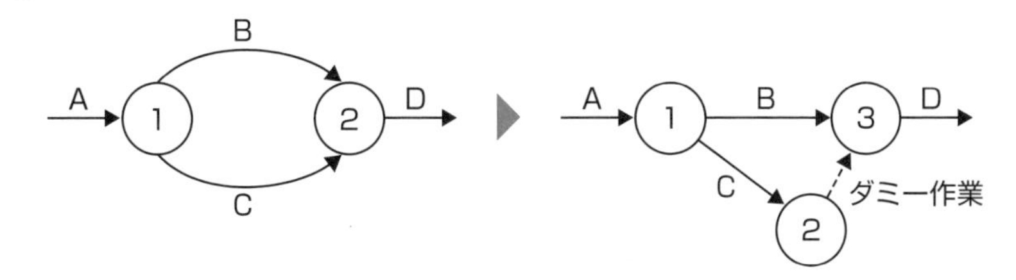

2）正しい順序関係を表示する

ダミー作業を使用しないと、正しい順序関係を表示できない図表1－2－38のようなケースがある。

図表 [1－2－38] **ダミー作業の発生ケース2-1**

作業名	先行作業
A	－
B	－
C	A
D	A、B

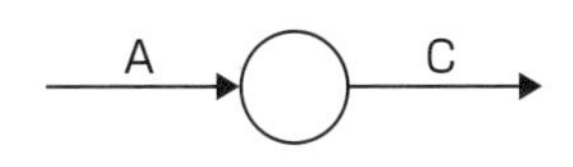

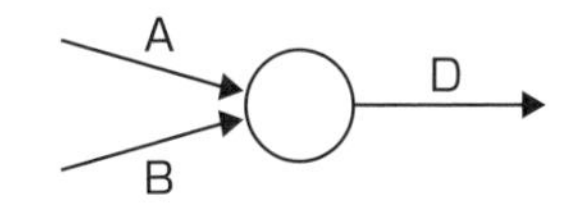

これらを下図①のように作図した場合、順序関係が適切ではなくなる。なぜなら、Dだけでなく Cの先行作業もA、Bとなってしまうためである。よって、下図②のようにA、Bの終点となるノードを分け、ダミー作業を使用して表現する。

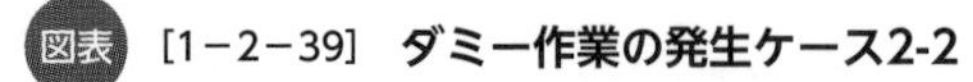
図表 [1−2−39] **ダミー作業の発生ケース2-2**

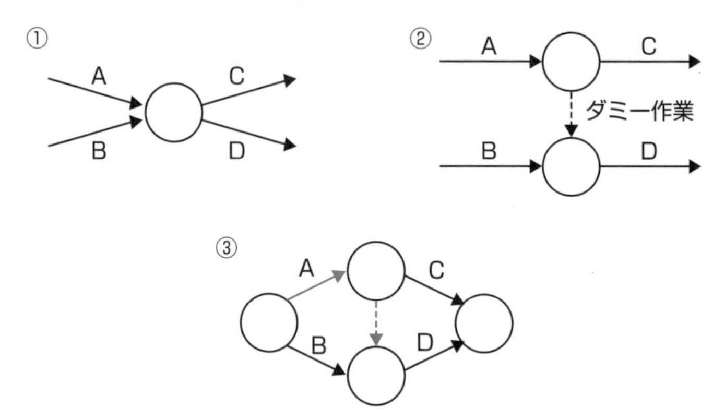

❹ アローダイアグラムの一般的な作成手順

1）作業・期間の情報を整理したうえで一覧表にする（図表1−2−40）

2）一覧表を基にノードとアクティビティによるネットワーク図を作成する（図表1−2−41）

3）アクティビティに期間を記述する（図表1−2−41）

4）最早着手日を記入する（図表1−2−41）

5）最遅着手日を記入する（図表1−2−41）

6）クリティカルパスを確認する（図表1−2−42）

図表 [1−2−40] **作業一覧表の例**

作業名	先行作業	期間（日）
A	なし	5
B	なし	5
C	A	2
D	A	3
E	B	6
F	B	1
G	C	4
H	D、E	6
I	F	4

図表 [1−2−41] **アローダイアグラムの例**

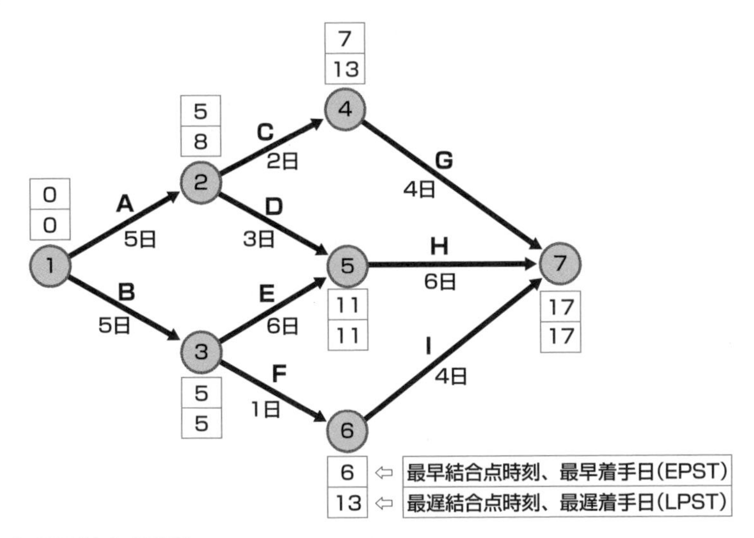

1）**最早結合点時刻**

最早着手日（**EPST**：Earliest Possible Start Time）ともいう。文字どおり次の作業を最も早く開始できる日を表している。たとえば、最も早く作業を進めると、Gは７日後に開始できるということである。

最早結合点時刻の算出は、プロジェクトの最初のノード（アローダイアグラムの左側）から順に、アクティビティの始点側の最早結合点時刻とそのアクティビティの所要時間を加算し、終点側の最早結合点時刻を求める。

・最初のノード（ノード①）の最早結合点時刻は０日となる。

・ノード②の最早結合点時刻は、Aの始点側の最早結合点時刻０日とAの所要時間５日を加算して５日となる。

①０＋A５＝②５

・ノード④の最早結合点時刻は、Cの始点側の最早結合点時刻５日とCの所要時間２日を加算して７となる。

②５＋C２＝④７

・ノードに複数のアクティビティが合流し、複数の最早結合点時刻が考えられる場合は、最も日数の大きいものを最早結合点時刻とする。ノード⑤は、②５＋D３＝８、③５＋E６＝11の２つがあるが、最早結合点時刻は数字の大きい11となる。これはノード⑤から出ていくHは、DとEの両方が終わらないと作業を始めることができず、Eの作業終了（最早で11日後）を待ってHが開始可能となるためである。

2）最遅結合点時刻

最遅着手日（**LPST**：Latest Possible Start Time）ともいう。作業を最も遅く着手できる日のこと、つまり少なくともこの日までに次の作業に着手しなければならない日のことである。たとえば、Gは遅くとも13日後に作業に着手しないと、プロジェクト完了に遅れが生じるということである。

最遅結合点時刻の算出は、プロジェクトの最後のノード（アローダイアグラムの右側）から順に、アクティビティの終点側の最遅結合点時刻に対しそのアクティビティの所要時間を減算し、始点側の最遅結合点時刻を求める。

・最後のノード（ノード⑦）の最遅結合点時刻は、そのノードの最早結合点時刻と同じになる。ノード⑦の最遅結合点時刻は17日となる。

・ノード④の最遅結合点時刻は、Gの終点側の最遅結合点時刻17日からGの所要時間４日を減算して13日となる。

⑦17－G４＝④13

・ノードを出るアクティビティが複数あり、複数の最遅結合点時刻が考えられる場合は、最も日数の小さいものを最遅結合点時刻とする。ノード②は、④13－C２＝11、⑤11－D３＝８の２つがあるが、最遅結合点時刻は日数の小さい８となる。これはノード②から出ていくC、Dが仮に11日後に作業を開始した場合、Hの作業を開始できるのは14日後となり、プロジェクトの所要日数が20日になってしまう。最遅結合点時刻はプロジェクトの所要日数に遅れが生じない範囲で、最も遅く着手できる日のことであるため、日数の小さい８日とする。

参考

結合点時刻の算出のポイント

・最早結合点時刻はアローダイアグラムの左から**加算して**求め、複数の候補がある場合は日数の**大きい方**を採用する。

・最遅結合点時刻はアローダイアグラムの右から**減算して**求め、複数の候補がある場合は日数の**小さい方**を採用する。

R6 2

R5 8

3）クリティカルパス

クリティカルパスは、「アローダイアグラム上でプロジェクトの所要日数を決定付ける作業の経路 JIS Z 8141-3315 注釈３」と定義されている。アローダイアグラム上で、**開始から完了までの複数の経路（パス）のうち、最長の経路がクリティカルパスとなる**。各経路の所要日数は、以下のとおりである。

・A5＋C2＋G4＝11

・A5＋D3＋H6＝14

・B5＋E6＋H6＝17

・B5＋F1＋I4＝10

よって、B→E→Hが最長の経路であるため、クリティカルパスであると分かる。クリティカルパス上の各作業は、少しでも作業が遅れるとプロジェクト全体の期間が延びることとなるため、重点的に管理しなければならない。

また、**最早結合点時刻と最遅結合点時刻が同じ値のノードを結んだ作業群がクリティカルパスとなる**。クリティカルパスはアローダイアグラム上に複数存在する場合もある。

図表 [1−2−42] **クリティカルパスの例**

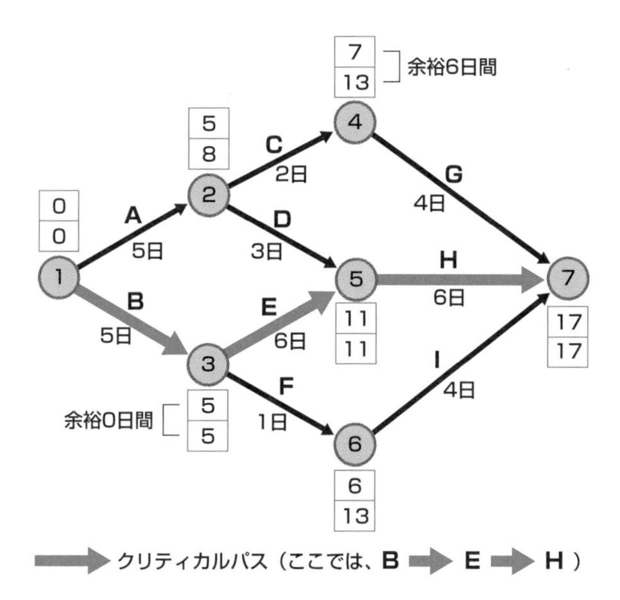

設　例

下表に示される作業Ａ～Ｆで構成されるプロジェクトについて、PERTを用いて日程管理をすることに関する記述として、最も適切なものを下記の解答群から選べ。
[H30−6]

作業	作業日数	先行作業
A	3	なし
B	4	なし
C	3	A
D	2	A
E	3	B，C，D
F	3	D

〔解答群〕

ア　このプロジェクトのアローダイアグラムを作成するためには、ダミーが2本必要である。

イ　このプロジェクトの所要日数は８日である。

ウ　このプロジェクトの所要日数を１日縮めるためには、作業Ｆを１日短縮すればよい。

エ　作業Ｅを最も早く始められるのは６日後である。

解　答　**エ**

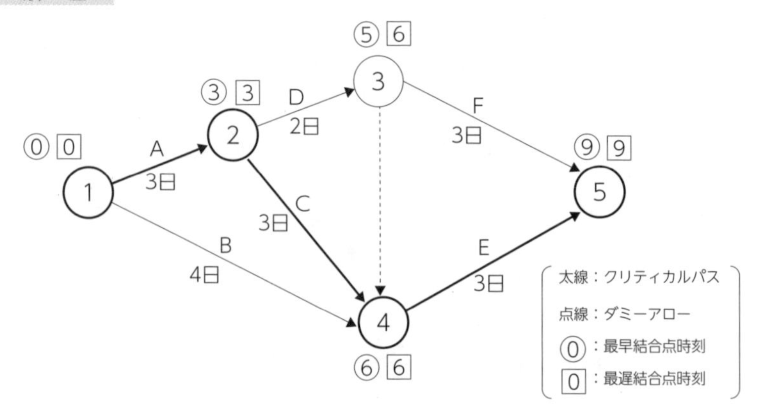

エについて、作業Ｅはクリティカルパス上の先行作業である作業Ｃ（３日）と、作業Cの先行作業である作業Ａ（３日）が終了しないと始められないため、作業Ｅを最も早く始められる日数（最早着手日）は６日後になる。

R4 7 / R2 11

❷ CPM（Critical Path Method：クリティカルパスメソッド）

❶　CPMとは

CPMとは、最小の投下費用で最大のプロジェクト全体の期間短縮を実現する策を検討する方法で、最もお金をかけずに期間を短縮できる作業を見つけ出し、期待される期間を達成しようとするものである。この方法の根幹は、

①　まずはクリティカルパス上の作業で期間短縮を考える

②　その中で最も短縮費用が経済的な作業を見つけ出し短縮する

③　そして、これを要求されるプロジェクト全体の期間になるまで繰り返す

という考え方である。

❷　CPMによる期間短縮の例

図表1－2－42を例にCPMによる期間短縮を検討してみる。

①　20万円の費用をかけて、作業Aを4日短縮する。
②　30万円の費用をかけて、作業Eを4日短縮する。
③　25万円の費用をかけて、作業Hを3日短縮する。

①はクリティカルパス上の作業ではないため、作業Aを短縮しても全体の17日間という期間は変わらない。

②を実施すれば、30万円の費用で4日間短縮（1日7万5千円）できると思われる。しかし、作業Eを4日間短縮しても全体の期間は3日しか短縮されず、30万円で3日しか短縮できない。これは、作業Eを4日間短縮するとクリティカルパスが作業ADH（ノード①②⑤⑦）の14日間に変化してしまうからである。

③を実施すれば25万円で3日の短縮が可能となるため、②よりも5万円安く、費用対効果は最も大きい。

参　考

CPM実施上のポイント

・プロジェクトの工期を短縮する場合は、クリティカルパス上を短縮する。
・クリティカルパス上を短縮した場合、クリティカルパスが別のルートに変化する場合がある。
・クリティカルパスが変化する場合、実際に短縮した日数により全体工期を短縮することができない（短縮効果が得られない）こともある。

設　例

下表は、あるプロジェクト業務を行う際の各作業の要件を示している。CPM（Critical Path Method）を適用して、最短プロジェクト遂行期間となる条件を達成したときの最小費用を、下記の解答群から選べ（単位：万円）。

[H28－10]

作業名	先行作業	所要期間	最短所要期間	単位当たり短縮費用（万円）
A	—	5	5	—
B	A	4	3	90
C	A	5	2	50
D	B、C	8	3	120

〔解答群〕

ア　650　　イ　730　　ウ　790　　エ　840

解　答　**ウ**

解答の手順は、

①　与えられた作業一覧表の最短所要期間を基に、アローダイアグラムを

作成する。

② クリティカルパスを認識する。

③ クリティカルパス以外の作業の余裕日数（最短所要期間まで短縮する必要がない日数）を検討する。

④ それぞれの必要短縮期間を算出し、単位当たり短縮費用をかけた総和を算出する。

となる。③の手順がポイントとなる。

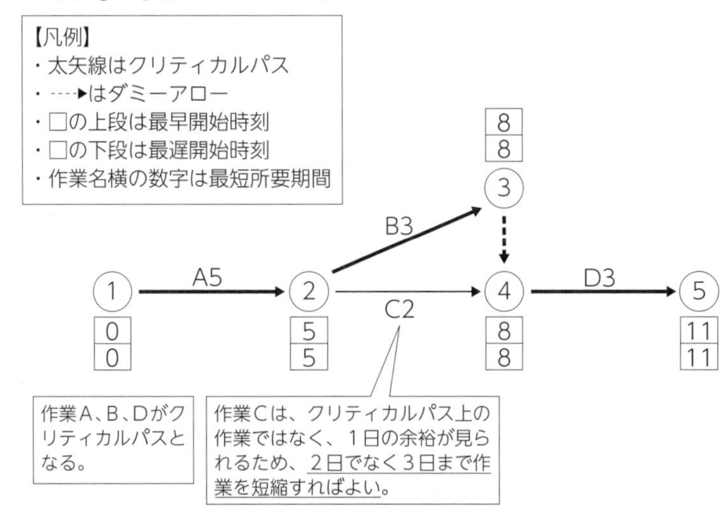

作業名	先行作業	所要期間（①）	最短所要期間（②）	必要短縮期間（③＝①－②）	単位当たり短縮費用（万円）（④）	短縮費用（万円）（⑤＝③×④）
A	–	5	5	–	–	–
B	A	4	3	1	90	90
C	A	5	2→3	2	50	100
D	B、C	8	3	5	120	600
計	–	–	–	–	–	790

4 需要予測

R5 32　R2 9

❶▶需要予測

見込生産を行う企業は、需要予測を行って生産量を決定する。予測した需要量（実際の生産量）が実際の需要量よりも多かった場合、売れ残った製品在庫の在庫コストが発生する。また、反対に予測した需要量が実際の需要量よりも少なかった場合、機会損失が発生する。このように、予測した需要量と実際の需要量の差が大きければ企業は大きな損失を抱えることとなるため、その差を極小化すること、すなわち、**精度の高い需要予測を行うことが、見込生産を行う企業の重要な課題**となる。

代表的な需要予測の方法として、次のようなものがある。

❷ ▶ 移動平均法

R6 34　R3 8　R2 35

移動平均法は、過去の任意の観測値（個数）を需要量の予測値として用いる需要予測法である。

移動平均法には、単純移動平均法と加重移動平均法の２つがある。

1 単純移動平均法

実績データの単純平均を求め、その平均値を予想値とする方法である。

例題　当月の売上高予測を直近４か月の**単純**移動平均とする場合

	商品Xの月間売上高（単位：万円）
今月	1,200
先月	1,000
２か月前	1,200
３か月前	1,400
４か月前	1,000

今月の予測売上高（単位：万円）

$$=\frac{1{,}000+1{,}200+1{,}400+1{,}000}{4}$$

$=1{,}150$

来月の予測売上高（単位：万円）

$$=\frac{1{,}200+1{,}000+1{,}200+1{,}400}{4}$$

$=1{,}200$

2 加重移動平均法

実績データに異なる「重み」を与えてその平均値を求め、予測値とする方法である。

例題　当月の売上高予測を直近４か月の**加重**移動平均とする場合

	商品Xの月間売上高（単位：万円）	今月予測の重み	来月予測の重み
今月	1,200	―	0.4
先月	1,000	0.4	0.3
２か月前	1,200	0.3	0.2
３か月前	1,400	0.2	0.1
４か月前	1,000	0.1	―

今月の予測売上高（単位：万円）

$$=\frac{1{,}000\times0.4+1{,}200\times0.3+1{,}400\times0.2+1{,}000\times0.1}{0.4+0.3+0.2+0.1}=1{,}140$$

来月の予測売上高（単位：万円）

$$=\frac{1{,}200\times0.4+1{,}000\times0.3+1{,}200\times0.2+1{,}400\times0.1}{0.4+0.3+0.2+0.1}=1{,}160$$

R6 34
R3 8
R2 35

❸▶指数平滑法

指数平滑法とは、観測値が古くなるにつれて指数的に「重み」を減少させる重みづけ移動平均法である。どの程度「重み」を減少させるかは、**平滑化定数**によって決定される。

単純指数平滑法による、次期の予測値は次の式で表される。

次期の予測値＝当期の予測値＋α（当期の実績値－当期の予測値）
＝α×当期の実績値＋（1－α）×当期の予測値
α：平滑化定数（0＜α＜1）

たとえば、今月売上予測を1,150万円、今月売上実績を1,200万円とした場合、平滑化定数をそれぞれ0.9、0.1とすると、来月売上予測は以下のように算出できる。

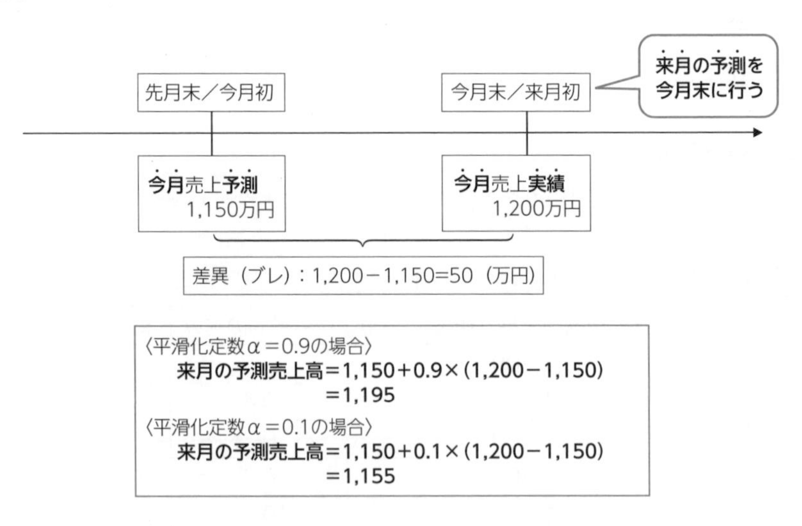

上記の場合、来月売上予測の値は、今月売上予測を基準とし、今月売上実績と今月売上予測との差異をどの程度反映させるかで決定される。平滑化定数αが大きい

場合には、差異を大きく反映し今月の実績値に近い値となり、αが小さい場合には、差異をあまり反映させずに今月の予測値に近い値となる。

つまり、平滑化定数を大きく設定する場合とは、直近の「重み」を大きくとらえたほうがよい場合であり、需要変動が大きい場合といえる。

平滑化定数αが大きい（1に近い）→直近の加重を大きくする、需要変動が大きい

❹▶回帰分析 R2 9

回帰分析とは、目的変数yについて説明変数xを使った回帰方程式を求めることである。説明変数は「原因系の変数」、目的変数は「結果系の変数」のことである。図表1－2－43は、ある販売会社の営業所別の宣伝費と売上高の数値をグラフにプロットした例である。これにより、宣伝費の予算額から売上高の予測が可能となる。

単一の説明変数から回帰方程式を求めることを**単回帰分析**、複数の説明変数から回帰方程式を求めることを**重回帰分析**という。 R2 35

[1－2－43]　**単回帰分析の例**

営業所	宣伝費（x）[単位:百万円]	売上高（y）[単位:百万円]
A	4.2	800
B	4.5	850
C	4.0	700
D	2.5	550
E	3.0	620
F	2.8	630
G	3.3	610

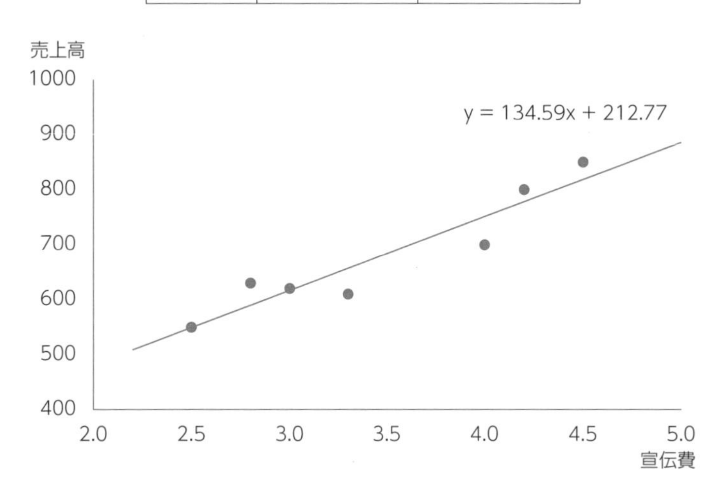

❺▶線形計画法

線形計画法とは、目的関数と制約条件を数式で表し、その条件下で目的関数を最大化（または最小化）する解を求める方法である。制約条件下で制約条件を満たす実行可能解の中から、目的関数が最大あるいは最小になるような最適解を求めるもので、目的関数も制約条件も１次式で表されるものを線形計画法（リニアプログラミング：LP）という。

設 例

ある工場では、２つの生産設備を用いて２種類の製品Ａ、Ｂが生産可能である。以下の表には、製品１単位を生産するのに必要な工数と製品１単位当たりの利益、および各設備において使用可能な工数が示されている。

使用可能な工数の範囲内で製品Ａ、Ｂを生産するとき、下記の解答群に示す生産量の組（Ａの生産量，Ｂの生産量）のうち、総利益を最も高くする実行可能なものはどれか。 [H26－11]

	設備１	設備２	製品１単位当たりの利益
製品Ａ	2	4	4
製品Ｂ	4	2	6
使用可能工数	20	28	－

〔解答群〕

ア（10，0）　イ（7，0）　ウ（0，5）　エ（6，2）

解 答　**エ**

まず、各選択肢の生産量の組み合わせから得られる総利益を算出し、総利益の大きい組み合わせから、使用可能な工数の範囲で生産することができるかを検証する。

	総利益	設備１の工数（使用可能工数20）	設備２の工数（使用可能工数28）
ア（10，0）の場合	4×10+6×0=40①	2×10+4×0=20	4×10+2×0=40
イ（7，0）の場合	4×7+6×0=28④		
ウ（0，5）の場合	4×0+6×5=30③		
エ（6，2）の場合	4×6+6×2=36②	2×6+4×2=20	4×6+2×2=28

総利益が１番大きい選択肢アの組み合わせでは、設備２の使用可能工数

を超えてしまうことがわかる。次に総利益の大きい選択肢エの組み合わせでは、設備の使用可能工数の範囲で生産できるため、選択肢エが正解となる。

解の求め方としては、他に図解法などがある。

参　考

R2 12

図解法の例

前掲の設例を図解法で解く。製品A、Bの生産量をそれぞれx、yとすると、製品の個数は0以上の数である（個数がマイナスになることはありえない）ので、$x \geqq 0$、$y \geqq 0$である。

所与の条件から、設備1、設備2について、以下の制約条件式が成り立つ。

設備1：$2x + 4y \leqq 20$

設備2：$4x + 2y \leqq 28$

これらを図式化すると、下図の網掛け部分が実行可能領域となる。

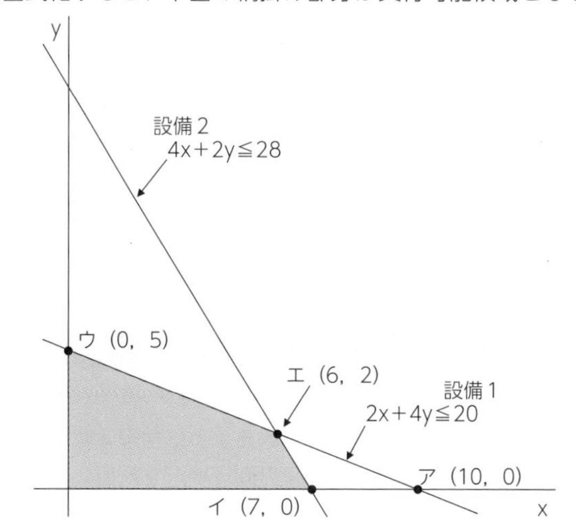

この時点で、選択肢ア（10，0）は実行可能領域に収まらないことが判明する。

さらに、最大の総利益をzとおいて、目的関数を考えると、$z = 4x + 6y$で表される。この式をyについて整理すると、以下のようになる。

$$y = -\frac{2}{3}x + \frac{1}{6}z$$

グラフ上で、傾きが$-\frac{2}{3}$で示される目的関数の直線（下図の太線）で、選択肢イ、ウ、エのそれぞれの交点と接する位置が原点より遠いほうが正解となる。

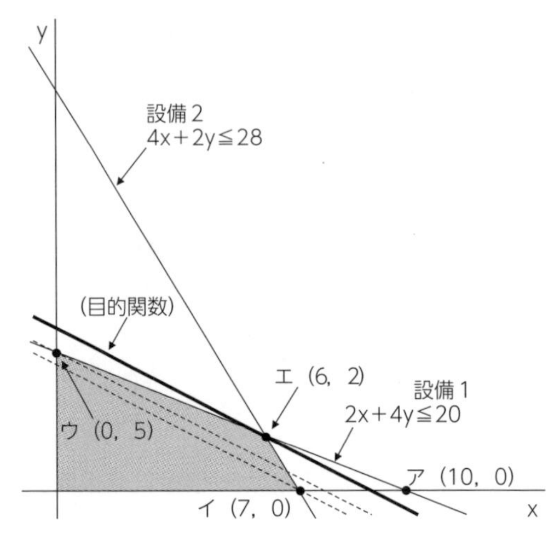

線形計画法の特徴

① 解の領域は、必ず凸型多角形になる。
② 求める解は必ず①の多角形の頂点のどれかである。
③ 解（目的関数）の値は①の解の領域内で必ずある方向に向かって大きくなる。

5 生産統制

❶▶生産計画に対応した生産統制

生産統制とは、生産計画どおりに実施できるように生産活動を制御（管理と是正処置）していくことで、計画に対して生産の進行状況を把握して差異がある場合には、即座に対応策を実施し差異を解消させていくことである。具体的には、仕事の再配分、作業方法の変更、材料・部品の変更、着手優先順序の変更、工程間の応援、外注への切り替え、残業・休日出勤の指示などである。生産統制は、進捗管理、現品管理、余力管理に大きく分けられるが、生産統制の方法は生産計画との関係から次のようになる。

図表 [1−2−44] **生産計画と生産統制**

管理対象	生産計画	生産統制	
日　程 （時間）	日程計画	進捗管理	仕事の進行状況を把握して、日程を維持し、そのための調整を行う
物	材料・部品計画	現品管理	どこに、何が、どのくらいあるかを的確に把握する
工　数	工数計画	余力管理	人と機械の**能力**と**負荷**を調整する

❷▶進捗管理（進度管理）

R6 3

進捗管理とは、「仕事の進行状況を把握し、日々の仕事の**進み具合を調整**する活動 JIS Z 8141-4104」である。第1の目的は、納期の維持である。しかし、納期を維持するために作業を計画よりも先行して進めると、仕掛品や在庫が増加してしまう。そのため、生産速度の維持および調整が第2の目的となる。進捗の調査および管理の方法としては、追番管理、カムアップシステム（決められた期日どおりに完成・納品されるよう管理するための方法）などがある。

図表 [1−2−45] **カムアップシステム（例）**

R5 13

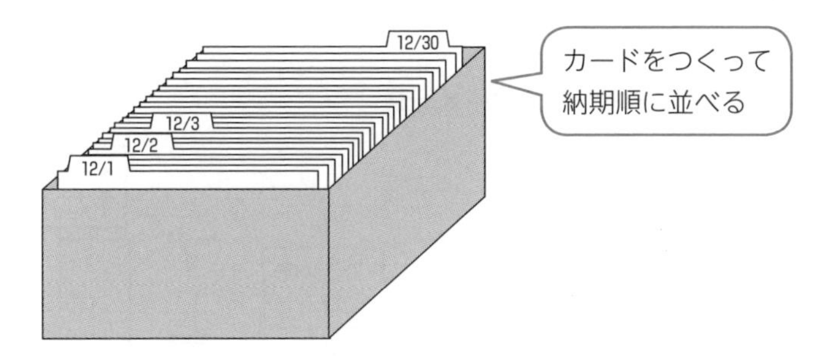

❸▶現品管理

R6 3
R3 13

現品管理とは、「資材、仕掛品、製品などの物について**運搬・移動**又は**停滞・保管**の状況を管理する活動 注釈1 **現品の経済的な処理並びに数量及び所在の確実な把握を目的**とする。現物管理ともいう JIS Z 8141-4102」のことである。生産活動において変質や破損などにより、あるべき数量と実際の数量に差異が生じる場合がある。これを放置すると、計画数量や在庫量に過不足が生じるため、どこに、何が、何個あるのかを的確に把握して、過不足がある場合はその原因を調べ、適切な処置をとることが必要になる。

設 例

現品管理の活動に関する記述として、適切なものをすべて選べ。

[R3－13改題]

a　原材料の品質を保持するため、置き場の環境改善を徹底した。
b　仕掛品量の適正かつ迅速な把握のため、RFIDを導入した。
c　仕掛在庫を減らすため、運搬ロットサイズを小さくした。
d　在庫量の適正化を図るため、発注方式の変更を検討した。

解　答　**aとb**

cとdは、いずれも在庫管理である。

❹▶余力管理

余力管理とは、「各工程又は個々の作業者について、現在の負荷状態と現有能力とを把握し、現在どれだけの余力又は不足があるかを検討し、作業の再配分を行って**能力と負荷とを均衡させる**活動 JIS Z 8141-4103」である。**余力とは、負荷と能力との差**である。

R5 10

図表 [1−2−46] 余力のイメージ

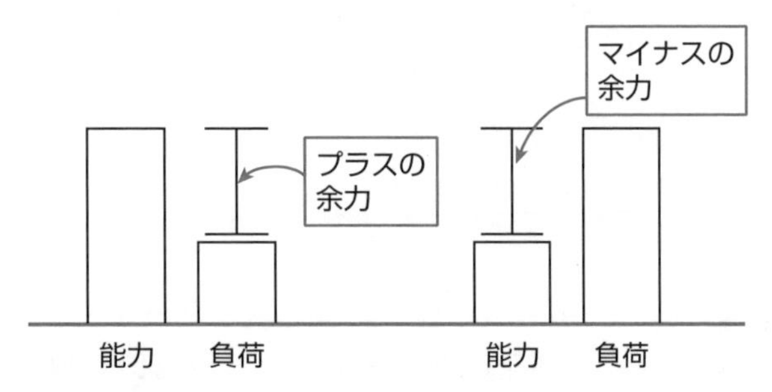

能力以上に負荷がかかるとマイナスの余力となり、指示された日程を維持できなくなる。一方、プラスの余力が大きすぎると遊休が生じてコストが増大する。そこで、人員や機械の余力をつねに把握して、能力と負荷のバランスを保つのが余力管理の目的である。

工数計画およびそれに対応した余力管理に関する記述として、最も不適切なものはどれか。 [H28－11]

ア 各職場・各作業者について手持仕事量と現有生産能力とを調査し、これらを比較対照したうえで手順計画によって再スケジュールをする。
イ 工数計画において、仕事量や生産能力を算定するためには、一般的に作業時間や作業量が用いられる。
ウ 工数計画において求めた工程別の仕事量と日程計画で計画された納期までに完了する工程別の仕事量とを比較することを並行的に進めていき、生産能力の過不足の状況を把握する。
エ 余力がマイナスになった場合に、就業時間の延長、作業員の増員、外注の利用、機械・設備の増強などの対策をとる。

解 答 **ア**

手順計画とは、「製品を生産するにあたり、その製品の設計情報から、必要作業、工程順序、作業順序、作業条件を決める活動 JIS Z 8141-3303」を指す。手持仕事量と現有生産能力に応じて再スケジュールを行うような性質のものではない。

❺▶流動数分析

R4 14
R3 14

流動数分析は、同じ製品を継続的に生産するような場合に、進度管理や問題のある工程の特定などに利用されている。**流動数分析**は、前工程からの仕掛品の累積受入数量と次工程への累積払出数量を日時で比較し、その差から仕掛品の在庫量や過少過多、停滞時間などを把握するものである。この停滞時間を見ることで**進度管理**ができる。

工程間の進度管理で流動数分析を使う場合は、縦軸に累積製造量、横軸に時間（日時）をとり、前工程からの受入の累積数量と次工程への払出の累積数量を描く。また、流動数分析は、不良の発生と解決の分析や売上金額と回収金額の分析などにも有効と考えられている。

 ［1−2−47］ **流動数分析の例**

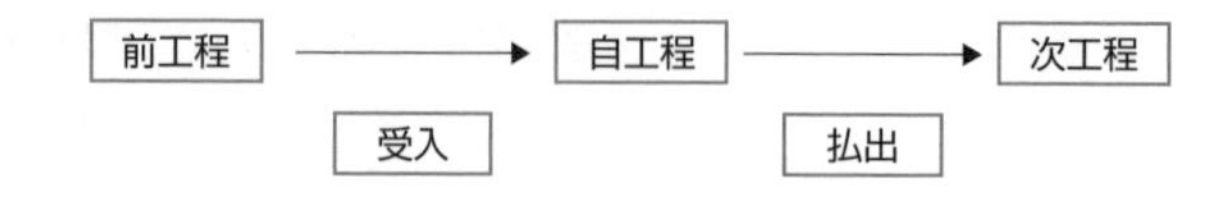

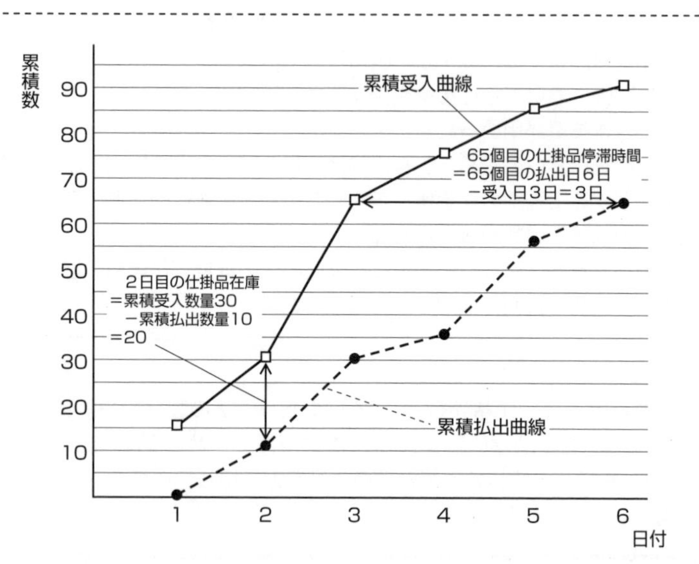

6 資材管理

ここでは、資材管理業務の目的・範囲を中心としたその概要と資材計画について学習する。

1 資材管理の概要

R6 13

❶ ▶ 資材管理の重要性

資材管理は、生産計画に基づき、生産に必要な資材確保を保証するものである。その際、生産管理面と、購買費用、在庫関連費用などのコスト面の両面から最適な調達を実現することを目的とする。

❷ ▶ 資材の標準化

何も手を打たなければ、通常資材の種類は次第に増加していく。資材の種類が増えれば、その手配の手間も増えるし、ロスの発生も増える。したがって、資材標準化による資材の種類の削減は大きな意義を持っている。

資材標準化のメリット・デメリット

メリット

- 品質面
  標準資材については、**品質のバラツキや不良品の削減が進み、結果的に製品の品質向上が図れる**
- コスト面
  資材種類数が削減され、資材ごとにまとめて発注することが可能となり、**単価の引き下げ**が図れる。また、資材種類数の削減や共通化により**在庫量も削減**できる
- 納期面
  標準資材を**常備在庫とすることにより、短納期対応が可能**となる
- 管理面
  種類数の削減により、**発注業務、在庫管理業務の負荷が軽減**される

デメリット

- 経営面
  標準化そのものにこだわりすぎると、保守的になり、**技術革新やニーズの変化への柔軟な対応に欠ける可能性**がある
- 業務面
  設計業務において、標準資材のその都度の設計は不要になるが、限定された資材を使用した製品の設計は、**さまざまな制約が増加し、設計作業を複雑化させる可能性**がある

2 需給計画（MRP等）

R6 13
R4 6

❶▶MRP(Material Requirements Planning：資材所要量計画)………

MRPはコンピュータの使用を前提とした生産および在庫管理手法であり、1960年初頭に最初のシステムが開発されて以来、世界中にその考え方が急速に広まった。

1 MRPの定義

MRPとは、「MPS、BOM、生産計画情報及び在庫情報に基づいて、資材の必要量（所要量）及び必要時期を求める生産管理体系 JIS Z 8141-2101」と定義されている。**MRP**は最終製品が必要とする構成部品の必要量を決める基本的な計算をいう。具体的には「基準生産計画（どの製品をいつ何個作るか)」を入力すると、「資材所要量計画（どの資材を、いつ、どれだけ発注するか)」が出力されるプログラムのことである。

図表 [1−2−48] **MRPのイメージ**

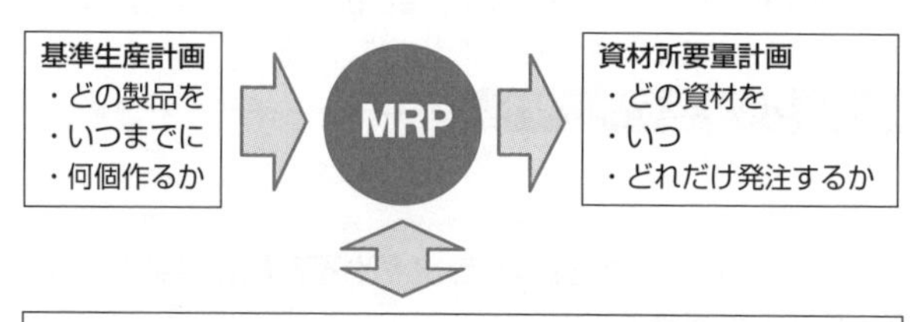

2 MRPの流れ

MRPの処理の流れは次のとおりである。

① 総所要量計算

基準生産計画に基づき、部品（構成）表を使って部品展開を行い、各工程で必要となる部品・資材の総所要量を算出する。

② 正味所要量計算（正味所要量＝総所要量－(手持在庫－引当量＋発注残))

算出された部品・資材ごとの総所要量に、在庫ファイルと発注残ファイルから在庫を引き当て、発注（あるいは製造）の必要量を算出する。

③ ロット編成計算

各部品・資材のロットサイズ情報（発注ルール）に基づき、ロット編成計算を行う。

④ 先行計算
最後に、各部品・資材の調達リードタイムを考慮してオーダーをとりまとめる。

図表 [1－2－49] **MRPの流れ**

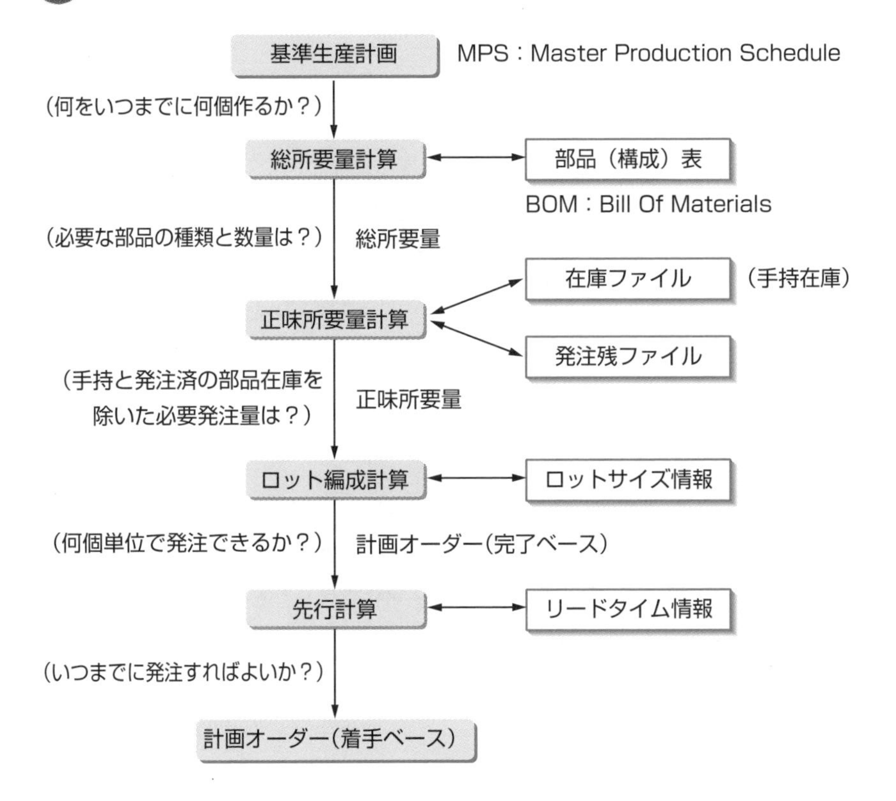

❷▶部品構成表（BOM：Bill Of Materials） R4 6

1 部品構成表の定義

部品構成表（BOM）とは、「製品又は親部品を生産するのに必要な子部品の、種類及び数量を示したもの JIS Z 8141-3307」で、製品を完成させるために必要な材料や部品の所要量をまとめたものである。表形式で示したサマリー型部品表と、部品の親子関係の連鎖からこれを木構造で表現したストラクチャ型部品表とがある。

また、使用場面から、設計部品表（E－BOM）や、製造部品表（M－BOM）などがある。

2 サマリー型部品表

部品の加工方法や製品の組み立て順序とは無関係に、ある部品（製品も含む）ごとにそれを生産するのに必要となる部品や材料とその所要量総計をまとめた部品表である。必要となる部品の所要量は簡単に算出できるが、最終製品の組み立て段階や構成部品との構造が示されないため、中間部品の構成を把握することはできない。

図表 [1－2－50] **サマリー型部品表**

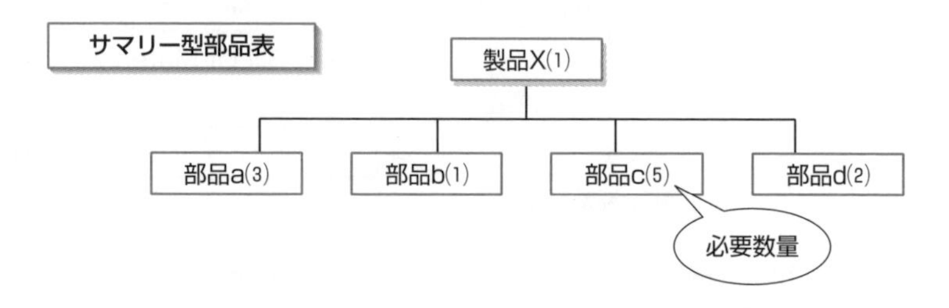

R6 5
R5 7
R3 9

3 ストラクチャ型部品表

部品の加工や製品の組み立て順序を考慮して、部品の親子の関連を保ちながら、製品構成と各段階での部品の所要量を木構造で表現した部品表である。ツリー状に親部品と子部品との関係を示すことで、中間部品の構成が把握でき、共通部品の必要量も明確になるので、きめ細かく管理できる。一方で、部品表の作成と管理には手間がかかる。

図表1－2－51では、中間部品３種類（α、β、γ）と、それぞれの必要部品まで展開されている。複雑な部品構成をもつ製品になると、階層（レベル）も相当な数になり複雑化する。

図表 [1－2－51] **ストラクチャ型部品表の例**

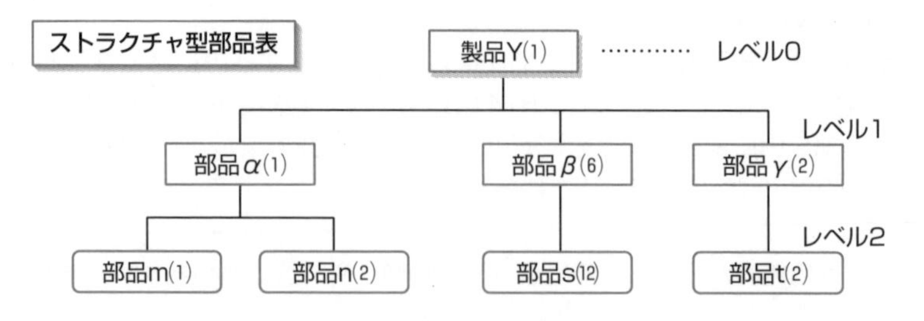

各部品のカッコ内の数値は、上位品目を１個生産するのに必要な数量を表す。たとえば、部品sの必要数量を確認する。製品Yを１個生産するのに部品βが６個必

要である。また、部品βを１個生産するのに部品sが12個必要である。したがって、製品Yを１個生産するのに必要な部品sは、６×12＝72個となる。

4 設計部品表（E－BOM）

製品を設計する際に作成する部品表であり、製品を構成する部品の種類と必要数量を表したものである。サマリー型で表す場合とストラクチャ型で表す場合があるが、一般的にサマリー型を用いる場合が多い。

5 製造部品表（M－BOM）

製品を製造する際に作成する部品表であり、製品を構成する部品の種類、親子関係と必要数量を表したものである。一般的にストラクチャ型で表される。

設　例

下図は、最終製品Ａの部品構成表であり、（　）内は親１個に対して必要な部品の個数である。製品Ａを２個生産するとき、必要部品数量に関する記述として、最も適切なものを下記の解答群から選べ。　[R元－7]

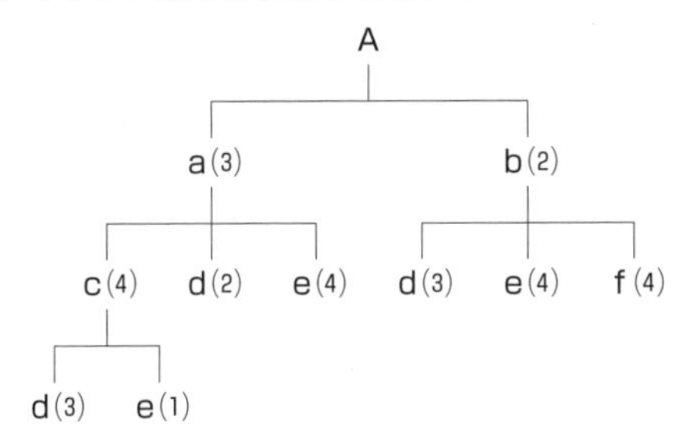

〔解答群〕

ア　部品ｃは12個必要である。
イ　部品ｄは36個必要である。
ウ　部品ｅは64個必要である。
エ　部品ｆは60個必要である。

解　答　**ウ**

部品ｅの必要個数＝(１×４×３×２)＋(４×３×２)＋(４×２×２)
＝64（個）

7 在庫管理・購買管理

1 在庫管理の概要

在庫管理は、「必要な資材を、必要なときに、必要な量を、必要な場所へ供給できるように、各種品目の**在庫を好ましい水準に維持**するための諸活動 注釈1 発注時期及び発注量の決定が含まれ、発注の方式は、定量発注方式と定期発注方式とに大別されるJIS Z 8141-7301」と定義され、在庫量の過少、過多が生じないように、適正状態に維持する活動である。

❶▶在庫が多すぎる場合の問題点

1）運転資金の固定化

在庫は資産（棚卸資産）ではあるが、キャッシュではない。そのため資金繰りの悪化につながる。

2）死蔵在庫増加

製品のライフサイクルが短縮しているなかで、在庫を抱えることは、陳腐化リスクに結びつくことになる。

3）在庫関連費用の増加

借入金の金利、保管料、管理（人件）費など、在庫を抱えるために発生する費用が増加する。

4）市場対応力・柔軟性の低下

旧型モデルが大量に在庫として存在する、あるいは古い材料や部品を抱えている場合、新製品への切り替えが遅れることになる。

5）保管スペースの増加

在庫を保管するため、倉庫などのスペースが増加する。

❷▶在庫が少なすぎる場合の問題点

1）品切れによる機会損失増加・信用度低下

在庫が少なければ、それだけ品切れ発生のリスクは増加する。さらに、品切れが発生すると信用度の低下を招く。

2）生産期間（納期）の長期化

調達リードタイムの長い資材や部品が在庫されていない場合、即生産期間の長期化につながる。

3）緊急調達増加によるコスト増加

在庫切れが発生した場合、通常の発注ではなく緊急発注するケースが増える。当然、緊急発注は通常の発注に比べ割高となる。

2 発注方式

ここでは、代表的な発注方式である定量発注方式と定期発注方式について説明する。

❶▶定量発注方式

R6 15 R6 33 R5 31 R4 31 R2 13 R2 34

在庫量が一定の量（発注点）まで減少した時点で、あらかじめ設定した一定量（経済的発注量）を発注する方式であり、「発注時期になるとあらかじめ定められた一定量を発注する在庫管理方式 注釈1 一般には、発注点方式を指す JIS Z 8141-7312」と定義されている。**発注間隔・時期はばらつくが、発注ごとの発注量はつねに同じ（定量）という方式**である。

図表 [1−2−52] **定量発注方式**

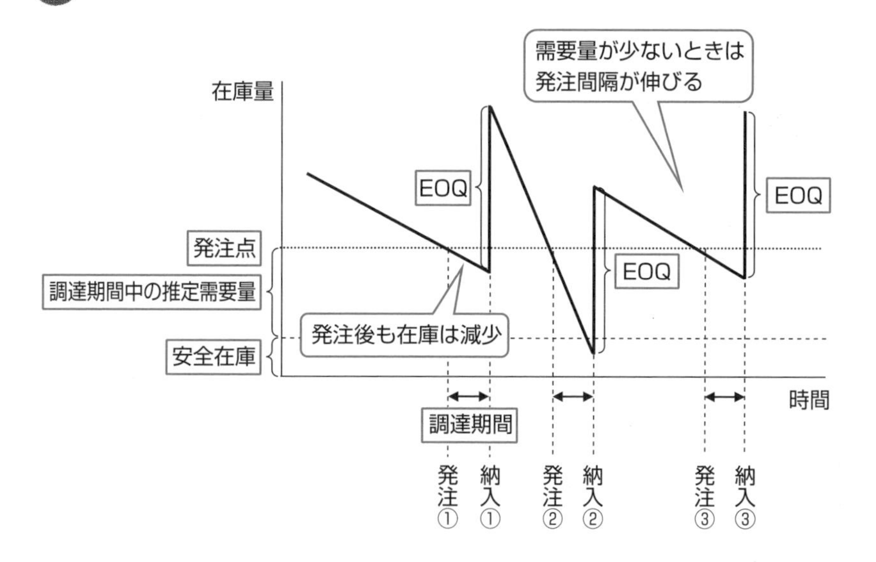

1 安全在庫

R6 33 R5 31 R4 10 R3 32 R2 34

安全在庫とは、「需要変動又は補充期間の不確実性を吸収するために必要とされる在庫 JIS Z 8141-7304」と定義されている。**事前に予測することが困難な在庫消費量の変動に伴う在庫切れに備えるために、多めに保有する在庫**のことである。安全在庫の量は、品切れ発生時の影響度や、調達期間の長さ、在庫消費量の変動の大きさ（標準偏差）によって決定される。

定量発注方式の安全在庫は、次のようにして求められる。

安全在庫量＝安全係数×$\sqrt{調達期間}$×需要量の標準偏差 安全係数：品切れ許容率によって決まる係数

なお、安全在庫と類似するが異なる在庫概念として、見越在庫がある。**見越在庫**とは、「季節変動などあらかじめ予測できる需要変動に対して、供給能力不足への備えとして先行して保有する在庫 JIS Z 8141-7305」のことである。

R6 15　R6 33　R5 31　R4 10　R3 12　R3 32　R2 34

2 発注点

発注点とは、「発注点方式において、発注を促す在庫水準 JIS Z 8141-7314」のことである。

定量発注方式における発注点は、1の安全在庫を使って、次のように求めることができる。

発注点＝調達期間中の推定需要量＋安全在庫量

設　例

次の条件のときの定量発注方式における発注点を求めよ。

・部品Aの１日の使用量　　100個
・部品Aの調達期間　　　　　7日
・部品Aの安全在庫　　　　500個

解　答

発注点＝調達期間×調達期間中の１日あたりの平均需要量＋安全在庫
＝7日×100個＋500個＝1,200個

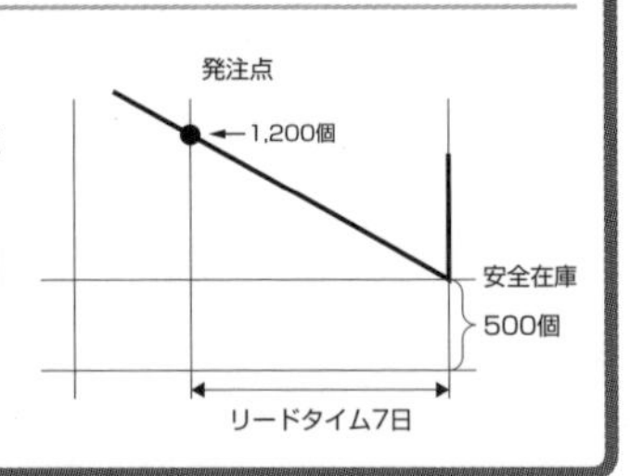

R5 11　R4 10　R3 12　R3 32

3 経済的発注量（EOQ：Economic Order Quantity）

一定期間の在庫関連費用を在庫保管費用と発注費用の和と考える。１回あたりの発注量を増やせば、発注回数が減るため、発注処理・受入れ処理にかかわるコストは減るが、在庫が増加するため在庫保管費用は増大する。逆に１回あたりの発注量を少なくすると、在庫保管費用は削減されるが、発注費用は増大する。このようなトレードオフの関係をふまえて、在庫関連費用を最も小さくする発注量を経済的発注量（EOQ）という。なお、EOQは「需要は既知であり、一定であり、継続的である」ことを前提とする。

❶　1期あたりの在庫保管費用

1期あたりの在庫保管費用は、平均在庫量と在庫1個1期あたりの在庫保管費用によって決まる。1回あたりの発注量をQとすると、1期あたりの在庫保管費用は次のように表すことができる。

> 1期あたりの在庫保管費用＝平均在庫量×1個1期あたりの在庫保管費用
>
> $$= \frac{Q}{2} \times (P \times i)$$
>
> P：在庫品の単価
> i：在庫保管費用率

［1－2－53］**発注量と平均在庫量**

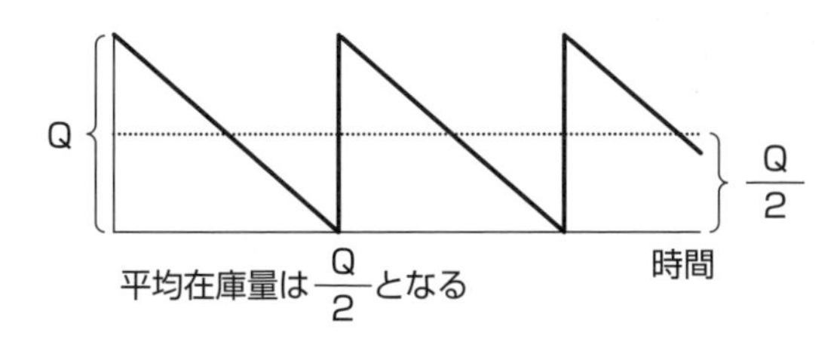

※　平均在庫量は、1回の発注量の2分の1であり、安全在庫は加算しない。定量発注方式では、経済的発注量を決定したあと、発注点を設定する際に安全在庫を考慮する。

❷　1期あたりの発注費用

1期あたりの発注費用は、1回の発注費用と発注回数によって決まる。発注回数は、1期あたりの推定所要量を1回あたりの発注量で除すことで求めることができる。1回あたりの発注量をQとすると、1期あたりの発注費用は次のように表すことができる。

> 1期あたりの発注費用＝1回の発注費用×発注回数
>
> $$= S \times \frac{R}{Q}$$
>
> S：1回の発注費用
> R：1期あたりの推定所要量

 [1−2−54]　**在庫関連費用と経済的発注量**

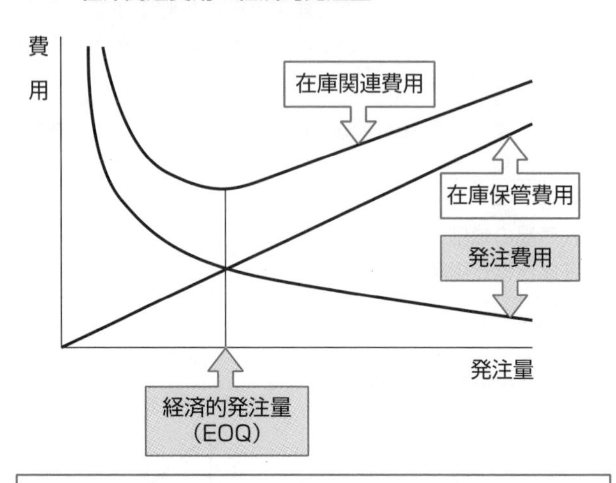

この図から、EOQは在庫保管費用線と発注費用線の交点であることは明らかである

つまり、次の式から求められるQが経済的発注量である。

$$\frac{Q}{2}Pi = S\frac{R}{Q}$$

経済的発注量(Q)

$$=\sqrt{\frac{2SR}{Pi}}=\sqrt{\frac{2\times 1\text{回の発注費用}\times 1\text{期あたりの推定所要量}}{1\text{個}1\text{期あたりの在庫保管費用}(=\text{在庫品の単価}\times\text{在庫保管費用率})}}$$

設　例

次の条件のときの経済的発注量を求めよ。

・１回の発注費用　500円
・在庫品の単価　10,000円
・推定所要量　10,000個
・保管費用率　10%

解　答

$$経済的発注量=\sqrt{\frac{2\times 1回の発注費用\times 1期あたりの推定所要量}{在庫品の単価\times 在庫保管費用率}}$$

$$=\sqrt{\frac{2\times 500円\times 10{,}000個}{10{,}000円\times 0.1}}=100個$$

定量発注方式のメリット・デメリット

メリット

● 運用・管理が容易
　一度発注量を決めてしまえば、その後は面倒な計算も必要なく、ただ、在庫量（発注点）だけを監視していればよい。

● 事務処理の効率化・自動化が容易
　自動発注への切り替えも可能であり、在庫管理関連の費用を抑えることができる。

デメリット

● 需要変動の激しいものには不向き（採用しない）
　毎回一定量の発注となるため、需要変動が激しいと在庫切れあるいは過剰在庫が発生する。

● 調達期間が長いものには不向き
　調達期間が長くなると、需要変動が発生しやすく、またその影響を受けやすいため一定量の発注では対応できない。

❷▶定期発注方式

R6 15　R6 33　R4 31　R2 13　R2 34

　一定の期間（月、旬、週）ごとに一定期間の需要量を予測し、それに基づいて発注する方式であり、在庫調査間隔をあらかじめ定めておき、定期的な在庫調査の都度、発注量を決めて発注する方式である。**発注量は毎回異なるが発注間隔は常に同じ（定期）という方式**である。

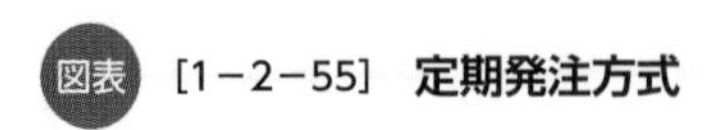
図表 [1－2－55] 定期発注方式

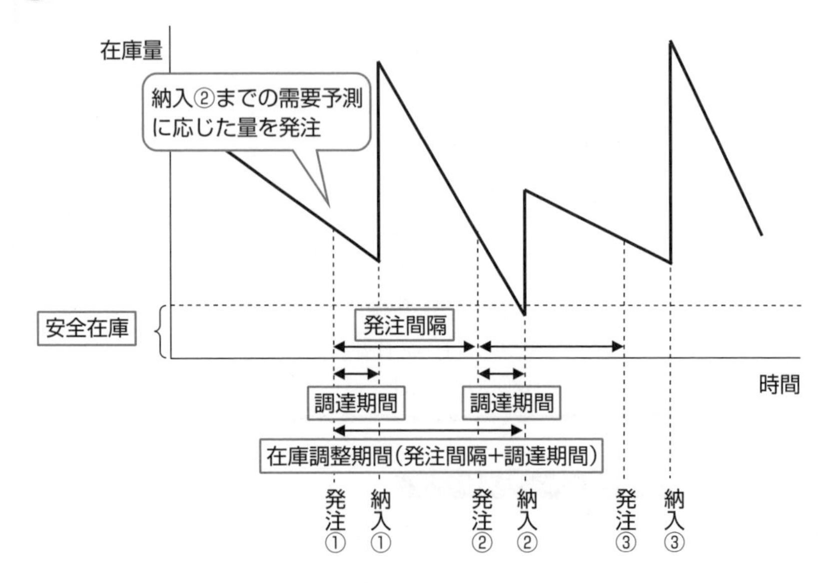

R6 33 R5 31 R4 12 R4 31 R3 12 R3 32 R2 34

1 発注量

定期発注方式では、発注のたびに発注量を決定する。そしてその発注量は、需要予測などに基づいて計算される。発注量は次のように表される。

> 発注量
> ＝（発注間隔＋調達期間）中の推定需要量－発注残─手持在庫量＋安全在庫量
> 　発注残：発注済みだがまだ手元に届いていない在庫量
> 　手持在庫量：現品が手元にある在庫量

定期発注方式における安全在庫は次の式で求める。

R5 31

> 安全在庫量＝安全係数×$\sqrt{\text{発注間隔＋調達期間}}$×需要量の標準偏差
> 　安全係数：品切れ許容率によって決まる係数

[在庫調整期間と発注量の考え方]

定期発注方式における発注量の考え方は、「**今回の発注量と現在の利用可能な在庫量との合計で、次回発注分が納品されるまでの期間をしのぐ**」というものである。

次回発注分が納品されるまでの期間は、次回の発注までの期間（発注間隔）と、次回の発注から納品までの期間（調達期間）を合わせたものであり、在庫調整期間とよばれる。

在庫調整期間の推定需要量から、発注残や手持在庫量を除き、需要変動に伴う在庫切れを防ぐための安全在庫を加えた量が発注量となる。

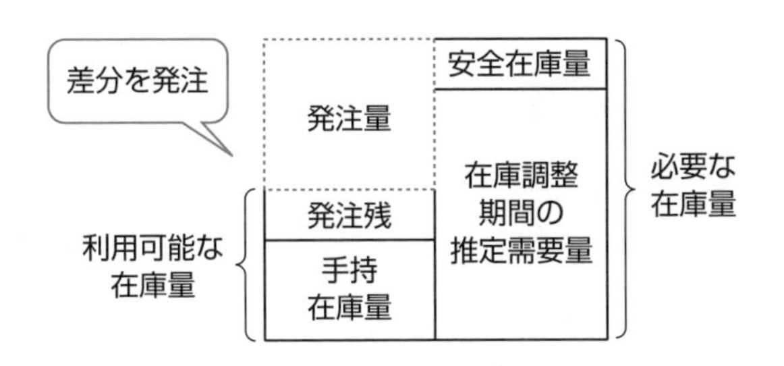

なお、現在の在庫に関する概念として、**有効在庫**という考え方がある。有効在庫とは、「手持在庫に加えて発注残及び引当済みの量（引当量）を考慮した、実質的に利用可能な在庫量　注釈１　有効在庫量は、次の式で表される。有効在庫＝手持在庫－引当量＋発注残 JIS Z 8141-7307」のことである。発注量を検討する際に、引当量（現在保有する在庫の中で、他の用途に使用することが決まっている在庫の量）がある場合には、手持在庫から控除することもある。　R4 31

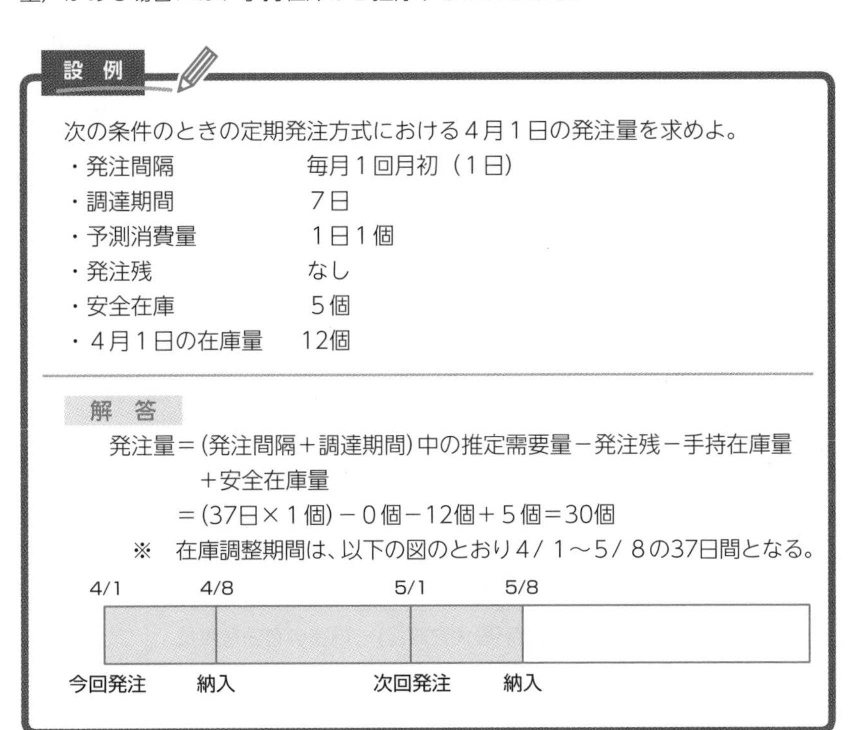

設 例

次の条件のときの定期発注方式における４月１日の発注量を求めよ。

- 発注間隔　毎月１回月初（１日）
- 調達期間　７日
- 予測消費量　１日１個
- 発注残　なし
- 安全在庫　５個
- ４月１日の在庫量　12個

解 答

発注量＝(発注間隔＋調達期間)中の推定需要量－発注残－手持在庫量＋安全在庫量

＝(37日×１個)－０個－12個＋５個＝30個

※　在庫調整期間は、以下の図のとおり４/１～５/８の37日間となる。

なお、発注間隔や調達期間を短くすることができれば、在庫調整期間が短くなり、期間内の需要予測精度が向上することで、適切な消費量や安全在庫の算出が可能となる。これによって、ムダな在庫を保有することなく在庫管理を行うことができる。

定期発注方式のメリット・デメリット

メリット

- 精度の高い在庫管理が可能
  定量発注に比べ、きめ細かな対応が可能であり、在庫量を抑えた管理が可能である。
- 需要変動が激しいものにも対応可能
  発注ごとに需要予測を行い、需要変動に対応させることができるため、需要変動が激しいものにも対応が可能である。

デメリット

- 管理が複雑で手間がかかる
  発注の都度、需要予測に基づく発注量を計算する必要があり、手間がかかる。
- 安全在庫が増加する可能性がある
  発注間隔や調達期間が長いと、安全在庫が多くなる。

R4 10
R3 12
R2 13

❸▶ダブルビン方式

ダブルビン方式は、「同容量の在庫が入った二つのビン（箱、容器）を用意しておき、一方のビンが空になり、他方の在庫を使用しはじめたときに一つのビンの容量を発注する方法 JIS Z 8141-7320」と定義されている。1つのビンの容量を発注点と発注量とする定量発注方式（発注点方式）の簡易版であり、在庫調査の負担が小さく、管理しやすいという利点がある。比較的使用量が多く、払出しが安定しており、品質変化が小さいもの、単価が安い小物類、後述のABC分析におけるC品目などに用いられる。

❹▶補充点方式

補充点方式とは、在庫量が減少したときに、減少した分を補充して在庫量を維持しようとする在庫管理方式である。また、**補充点**とは「発注する際の発注量を定めるために、あらかじめ定められた在庫量 JIS Z 8141-7317」と定義され、棚の容量などによって決定される**最大在庫量**に相当する。

補充点方式の発注量＝補充点（最大在庫量）－現在の有効在庫量

具体的な補充点方式には、以下のようなものがある。

R3 32

- **発注点補充点方式**：「有効在庫量が発注点に達するか下回ったときに、（補充点－有効在庫量）分を発注する方式 JIS Z 8141-7318」

- **定期補充点方式**：「在庫調査間隔及び補充点をあらかじめ定めておき、定期的な在庫調査の時点で（補充点－有効在庫量）分を発注する方式 JIS Z 8141-7322」
- **定期発注点補充点方式**：「在庫調査間隔、発注点、及び補充点をあらかじめ定めておき、定期的な在庫調査の結果、有効在庫量が発注点に達するか下回っている場合に、（補充点－有効在庫量）分を発注する方式 JIS Z 8141-7323」

設 例

発注方式における発注点あるいは発注量の決定に関する記述として、最も適切なものはどれか。　[R3－12]

ア　ダブルビン方式における発注量として、発注点の２倍を用いた。
イ　定量発注方式における発注点として、調達期間中の平均的な払い出し量を用いた。
ウ　定量発注方式における発注量として、経済発注量を用いた。
エ　定期発注方式における発注量として、（発注間隔＋調達期間）中の需要量の推定値に安全在庫を加えた量を用いた。

解 答　**ウ**

選択肢アについては、ダブルビン方式における発注量は、発注点と等しくなる。選択肢イについては、安全在庫の加算が考慮されていない。選択肢エについては、現在の在庫量と発注残の合計の減算が考慮されていない。

3 ABC分析

R6 15　R5 40　R4 36　R3 37

在庫管理を効率化する方法に、**重点管理**がある。ABC分析はその在庫の重点管理の最も代表的な方法である。**ABC分析**は、「多くの在庫品目を取り扱うときそれを品目の取扱い金額又は量の大きい順に並べて、管理の重要度が高い品目から順にA、B、Cの３種類に区分し、重要度に沿った管理の仕方を決めるための分析 注釈１ ABC分析を用いた管理の仕方をABC管理といい、横軸に金額・量の大きい順に品目を、縦軸に累積の金額・量（又はその割合）を示した曲線をABC曲線という。注釈２ 品目の代わりに欠点又は不良項目をとった重点管理の分析法を**パレート分析**という。JIS Z 8141-7302」と定義されている。

❶▶ABC分析の考え方

1 重点管理

ABC分析の基本的な考え方は、「全在庫品目に対して一律で同じ管理はしない」ということである。これは、一般に在庫金額の総額の80%が全在庫品目のうちの20%で占められているという状態を前提にした考え方である。在庫金額が多い品目を重点的に管理することで、効率的に最適な在庫量を実現することができる。

2 ABC分析図

ABC分析には、ABC曲線（パレート曲線）が利用される。

 [1−2−56] **ABC曲線**

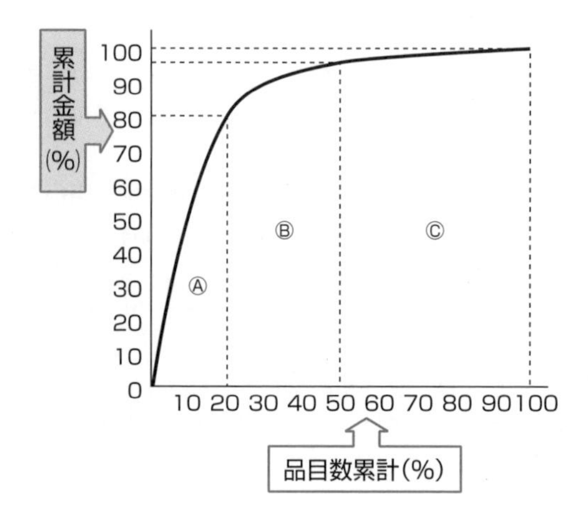

この例では、次のように在庫品目をグルーピングすることができる。

1）**A品目**

品目別在庫金額上位20%の品目。これらの品目で在庫金額全体の80%に達する。

2）**B品目**

品目別在庫金額上位20～50%に含まれる品目。在庫金額に占める割合は15%。

3）**C品目**

品目別在庫金額下位50%の品目であるが、在庫金額では全体の５%にしかならない。

※　それぞれの割合は状況によって異なるため覚える必要はない。

❷▶ABC分析結果の活用

それぞれのグループにどのような管理を行うのか説明する。

1 A品目の管理 R2 13

重点管理品目として取り扱う。欠品を避けるとともに、在庫水準が最小になるように管理する。発注方式は**定期発注方式**を採用する。

2 B品目の管理

A品目よりは管理レベルを下げる。一般には**定量発注方式**を採用するが、単価が高い品目については**定期発注方式**を用いる。

3 C品目の管理 R2 13

管理の効率化を最優先する。定量発注方式または**ダブルビン方式**を採用する。

4 購買管理の概要

❶▶購買管理の定義

1 購買管理

購買管理とは、「生産活動に当たって、外部から適正な品質の資材を必要量だけ、必要な時期までに経済的に調達するための手段の体系 JIS Z 8141-7206」と定義されている。

2 購買計画

購買計画とは、「購買方針、生産計画に基づいて、購入する品目、数量、納期、予算などを決める活動 JIS Z 8141-7207」である。

3 購買管理に関する用語

1）**分散発注**：「同一品目を２社以上に発注する方式 注釈１ 万一の事故又は災害による納期遅延のリスクを減らすとともに、発注先間の競争力強化努力が期待できる。 JIS Z 8141-7213」

2）**分納制度**：「多量の注文量を、発注者の要請に基づき数回に分割して納入する方式 注釈１ 生産の平準化と在庫低減のメリットがある。 JIS Z 8141-7215」

3）**定時納入方式**：「組立ラインなどの使用現場に毎日所定量を一定時刻に直納する方式 注釈１ 定時定量納入方式ともいう。 JIS Z 8141-7217」

定時納入方式の狙いは、発注者側の在庫を減らすことである（ただし納入物のQCDが保証され、無検査納入方式が導入されていることが条件）。通常は発注者と供給者の生産の安定化を図るために、発注者の生産計画をあらかじめ内示することが行われている。

4）**無検査納入方式**：「納入先の過去の実績と信頼関係に基づき、受入検査を省略した納入方式 JIS Z 8141-7218」

❷▶購買管理の5原則

有利な購買活動を実施するためには、次の購買活動の原則を確保（履行）することが望ましいとされている。

① 適正な取引先を選定し、確保すること。
② 適正な品質（Q）を確認し、確保すること。
③ 適正な数量（D）を把握し、確保すること。
④ 適正な納期（D）を設定し、確保すること。
⑤ 適正な価格（C）を決定し、履行すること。

❸▶購買方式

購買のタイミングや量により、いくつかの購買方式に分類される。

1）定量購買方式

2）定期購買方式

3）当用買方式

都度購入方式ともいう。文字どおり必要な都度購入する方式である。過剰在庫の防止や運転資金が少なくてすむメリットがある。入手が容易な資材・部品に限定される。

4）長期契約方式

年間購入量をサプライヤーに提示し、必要なタイミングに合わせて分納させる方式である。単価の引き下げや在庫量の削減が可能である。また納期も安定する。購入量の設定と変更の取り扱いが重要となる。

R6 14

5 外注管理

❶▶内外製（作）区分

内外製区分とは、「内作にするか、外注にするかを決める活動 JIS Z 8141-7105」である。**外注**（外作、外製）とは、「自社の業務の一部を他社に委託すること JIS Z 8141-1210」である。

なお、**外注**は、通常は発注者（委託）側の技術や仕様が加えられている部品を外部に発注することであり（製造委託）、市販品を調達する**購買**とは区別されている。

1 内外製（作）区分の決定ポイント

- **品質(Q)**：内製と外注でどちらが高品質か、自社内で技術蓄積が必要か、外注先へ技術流出しないか、などを基準に決定する。
- **価格(C)**：内製と外注のどちらが安いかを基準に決定する。
- **納期(D)**：内製と外注のどちらが早いかを基準に決定する。
- **数量(D)**：自社の生産能力を超えた場合は外注を利用する。
- **稼 働 率**：自社の工程に空きがあれば内製し、空きがなければ外注する。
- **生産設備**：自社の生産設備で生産できない場合は、設備を新たに導入するか否かの意思決定を行い、設備を導入しない場合は外注する。
- **専門技術**：自社にはない専門技術を要求される場合は、自社でその技術を新たに身につけることが困難な場合は外注する。
- **不確実性**：販売見通しの不確実性に伴うリスクが高い場合は外注を検討する。

❷▶外注管理

1 外注管理

外注管理とは、「生産活動に当たって、内外製の最適分担の下に、原材料、部品を安定的に外部から調達するための手段の体系 JIS Z 8141-7201」のことである。

外注した原材料や部品が、計画されたQCDどおりに生産されるかは、自社製品のQCDに大きな影響を与える。発注者側は外注先に生産過程を任せきりにせず、主体的に管理していくことが求められる。

2 外注依存度

「自社の製品に対する、原材料及び部品の加工を外部に依存する比率 JIS Z 8141-7205」のことである。通常は、生産金額に対する購入金額の割合で表される。

一般的に、外注依存度の低い企業は広範囲にわたって高い技術力をもつ企業である場合が多いが、広範囲の技術力を維持するための研究開発費や製造コストが高くなる傾向にある。一方、外注依存度が高い企業は、ビジネス環境の変化に応じて迅速かつ柔軟に対応でき、また、コアコンピタンスに注力することができる（後述のアウトソーシングやファブレスのメリット・デメリット参照）。

❸▶外注先の評価

外注先との取引開始や継続取引を判断する材料のひとつとして、外注先の評価がある。評価内容としては、主にQCDにかかわる生産面が中心となるが、経営面も含まれる。

経営面において、財務諸表から収益性（売上高営業利益率など）、安全性（流動比率など）や生産性（従業員１人あたりの年間加工高など）を分析し、企業としての基本的な力を評価する。そして、生産面においては、各生産機能の品質（Q）・コスト（C）・納期（D）、さらに技術力（保有の機械・設備、加工精度や特許など）、従業員のモチベーションや生産活動の取り組み（5S、多能工化、省人化、段取替え、標準作業、保全・安全など）について評価を行う。

その評価の結果により外注先の取り扱いを決める。取引の開始・継続、管理レベルや指導レベルなどについていくつかのランクを設け、その評価によりランクづけし外注先を適切に管理・指導していくことになる。

❹▶外部資源の活用

1 アウトソーシング

アウトソーシングとは、業務の一部について、外部の専門的な知識やノウハウ（外部資源）を有効的に活用することであり、その結果、自社の得意分野に経営資源を集中することが可能になる。

アウトソーシングのメリット・デメリット

メリット
- 外部の専門性を活用できる
- 自社の得意分野に経営資源を集中させることができる
- コスト削減が可能となる
- 固定費を変動費化できる
- 組織をスリム化できる

デメリット
- 製品等のノウハウや機密漏洩のリスクがある
- アウトソーシングした分野のノウハウが蓄積できない

2 ファブレス

ファブレスとは、製造設備をもたない製造業のことをいう。

ファブレス化のメリット・デメリット

メリット
- 多大な設備投資が不要となる（固定費が削減できる）
- 経営の柔軟性が確保できる
- 自社の生産設備にこだわらない研究・開発および生産活動が可能となる

デメリット
- 生産調整が困難である
- 一定量の発注が必要となる
- 製品等のノウハウや機密漏洩のリスクがある
- 自社での生産ノウハウが蓄積できない

R6 1

3 OEM（Original Equipment Manufacturer）

OEMとは、相手先ブランド製品を供給することである。つまり、自社で生産した製品に、相手先のブランドを付けて供給することであり、受託生産の一種である。OEMは、委託側と受託側の双方でメリットが享受でき、経営効率が高まる場合に採用される戦略的提携の一種である。

［1−2−57］ **OEMのメリット・デメリット**

	委託側	受託側
メリット	● 多大な設備投資が不要となる ● 経営の柔軟性を確保できる ● 供給側の優れた製品を自社の製品として販売できる	● 生産量の確保により生産設備の稼働率が向上する ● 規模の経済性や経験効果による生産コストの低減が見込める ● 安定した売上高が確保できる ● 量産に携わることで技術的経験が得られ、ノウハウが蓄積できる
デメリット	● 製造ノウハウが内部に蓄積されない ● 特急対応などの納期短縮や設計変更などに対する融通がききにくい	● 自社ブランドの構築・育成が困難である ● 特定顧客への依存度が高まると経営上のリスクが増大する ● エンドユーザーのニーズや市場情報が入りにくくなる

第3章

生産のオペレーション

Registered Management Consultant

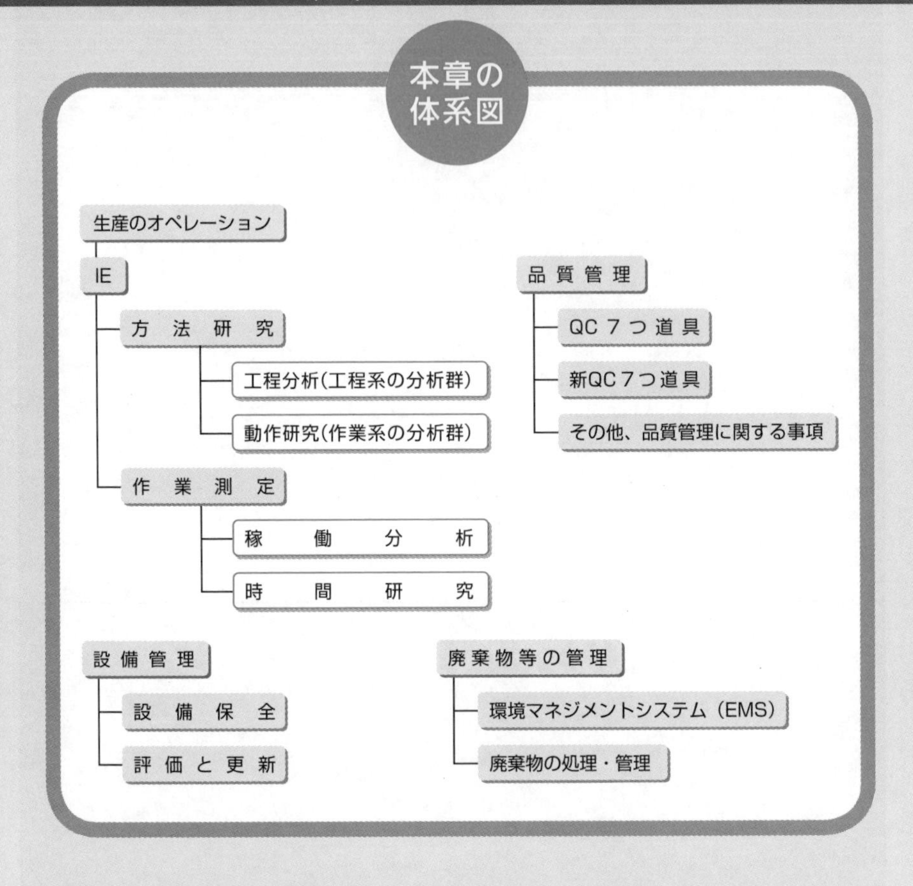

本章のポイント

◇ 作業研究の定義を理解する。
◇ 工程分析に用いられる各分析手法の名称と内容を覚える。
◇ 工程図記号の基本図記号を覚える。
◇ 活性示数を覚える。
◇ 動作経済の原則については、各原則が身体疲労を軽くし能率的に仕事を進めることにつながることを理解する。
◇ 最大作業域および正常作業域のそれぞれを覚える。
◇ 両手動作分析、微動作分析、連合作業分析の内容を理解する。
◇ 瞬間観測法および連続観測法の内容を対比して理解する。
◇ 稼働分析のための作業分類の考え方を理解する。
◇ 標準時間の定義および標準時間の設定方法を理解する。
◇ ストップウォッチ法にて標準時間を設定する過程を理解する。
◇ QC 7つ道具と新QC 7つ道具の各手法について、名称、内容、目的をあわせて覚える。
◇ 品質に関する用語を覚える。
◇ 生産保全の分類とバスタブ曲線をセットで理解する。
◇ TPMの定義と自主保全を理解する。
◇ 設備総合効率を理解する。
◇ 環境に関する用語を覚える。

1 IE（Industrial Engineering）

IEは「経営工学」と訳されており、「経営目的を定め、それを実現するために、環境（社会環境及び自然環境）との調和を図りながら、人、物（機械、設備、原材料、補助材料、エネルギーなど）、金、情報などを最適に計画し、運用し、統制する工学的な技術・技法の体系 JIS Z 8141-1103」と定義されている。

工場の生産活動を対象とした改善の技術としてのIEは、「作業研究」として発展してきている。それは、テイラーの時間研究（課業管理による科学的管理法）とギルブレスの動作研究（後述）が統合され、体系化されてきたものである。この作業研究の主な柱として、「方法研究」と「作業測定」がある。

〈作業研究の定義〉

作業研究は、「作業を分析して実現し得る最善の作業方法である標準作業の決定と、標準作業を行うときの所要時間から標準時間とを求めるための一連の手法体系 注釈1 作業研究は、方法工学ともいい、方法研究（method study）と作業測定（work measurement）とによって構成される。JIS Z 8141-5102」と定義されている。

IE全体の体系は、図表1－3－1の体系図で理解してほしい。本テキストにおいても、図表1－3－1の体系を基に構成している。

［1－3－1］ **IEの体系**

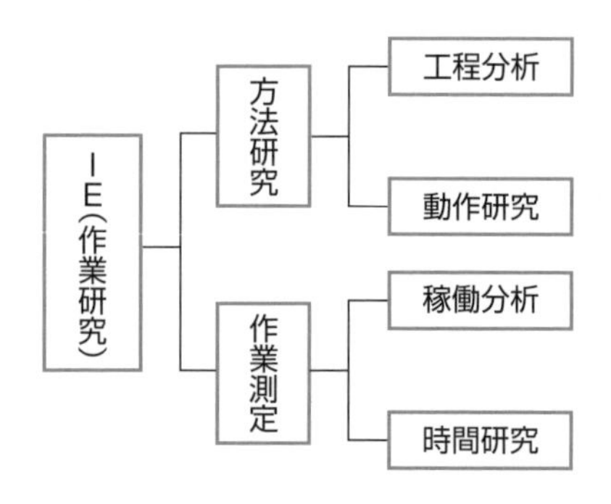

1 方法研究

方法研究とは、「作業又は製造方法を分析して、生産要素を有効に活用して目的を達成する作業方法又は製造工程を設定するための手法体系 JIS Z 8141-5103」のことである。そして、方法研究は主に工程（加工の実施単位）系と作業（生産や運搬などの活動）系に分類することができる。

図表 [1－3－2] **方法研究の体系**

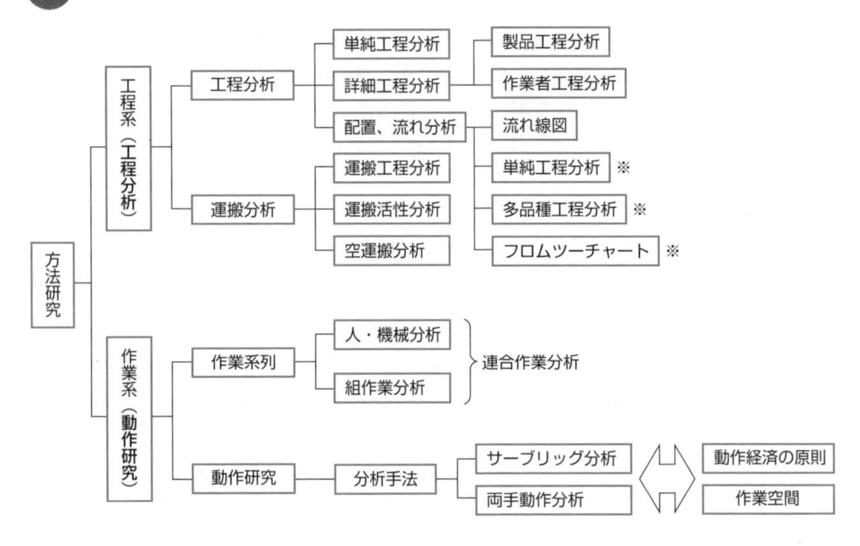

（注）※は第１編第２章第１節のSLPの「物の流れ分析」を参照。

❶▶工程分析（工程系の分析群）

工程分析とは、「生産対象物が製品になる過程、作業者の作業活動、及び運搬過程を、対象に適合した図記号で表して系統的に調査・分析する手法 JIS Z 8141-5201」である。作業を加工、運搬、検査、停滞の基本要素（工程）によって表現・把握し、その編成の合理化によって作業の改善を図る。

1 工程図記号

JIS Z 8206によって工程図記号が定められている。生産対象物に変化を与える過程をこの工程図記号で系統的に示した図を工程図という。

工程図記号は、基本図記号（図表1－3－3）と補助図記号などに分類されている。補助図記号には、「流れ線――」「区分〰〰」「省略═══」などがある。

[1−3−3] 基本図記号

R6 16
R5 16
R4 13
R2 7

要素工程	記号の名称	記 号	意 味
加 工	加 工	○	原料、材料、部品または製品の形状、性質に変化を与える過程を表す。
運 搬	運 搬	○	原料、材料、部品または製品の位置に変化を与える過程を表す。※運搬記号の直径は、加工記号の直径の1/2～1/3とする。 ○ のかわりに⇨を用いてもよい。
停 滞	貯 蔵	▽	原料、材料、部品または製品を**計画により貯えている**過程を表す。
	滞 留	D	原料、材料、部品または製品が**計画に反して滞っている**状態を表す。
検 査	数量検査	□	原料、材料、部品または**製品の量または個数を測って**、その結果を**基準と比較して差異を知る**過程を表す。
	品質検査	◇	原料、材料、部品または製品の**品質特性を試験**し、その結果を**基準と比較してロットの合格、不合格または個品の良、不良を判定する**過程を表す。

※ **付加価値を生むのは加工だけ**である。

２つの要素工程がもつ機能または状態が、１つの要素工程で同時にとられる場合には、それぞれの要素工程の記号を複合して図示することができる。

複合記号は、主となる要素工程の記号を外側に、従となる要素工程の記号を内側に示す。なお、複合記号においては、運搬記号は⇨を用いる。

R5 16
R4 13

[1−3−4] 複合記号の例

複合記号	意 味
	品質検査を主として行いながら数量検査もする。
	加工を主として行いながら運搬もする。

❷ 工程分析（プロセスチャート）

❶ 製品工程分析

R6 16
R4 20

製品工程分析とは、「原材料、部品などの生産対象物が製品化される過程を工程図記号で表して調査・分析する手法 JIS Z 8141-5202」である。材料、部品などが加工されながら完成品に変化する工程の流れを、加工、運搬、検査および停滞を表す工程図記号を用いて記述し（これを製品工程分析図という）、分析する方法である。製品工程分析の応用型として、工程配置図上に示した**流れ線図**がある。

 [1−3−5] **製品工程分析図表の例**

	工程内容	時間(秒)	距離(m)	工程			
				加工	運搬	貯蔵	検査
1	部品在庫	−	−	○	○	▽	□
2	プレス機へ	65	15	○	○	▽	□
3	U曲げ	25	−	○	○	▽	□
4	めっき場へ	27	3	○	○	▽	□
5	電気めっき	45	−	○	○	▽	□
6	検査	60	−	○	○	▽	□

※ 折れ線が左の「加工」に振れる率が高いほど生産性が高い。

R5 16 ❷ **作業者工程分析**

作業者工程分析とは、「作業者を中心に作業活動を系統的に工程図記号で表して調査・分析する手法 JIS Z 8141-5203」である。作業者工程分析は、作業者の行動を製品の流れと同様に考え、製品工程分析と同じ工程図記号を用いて記述する。分析は、工程図記号の加工、検査、運搬、停滞をそれぞれ**作業者の作業、検査、移動、手待ち**の記号として使用する。作業者工程分析は主に作業台のレイアウト、作業手順や作業動作などの改善を目的として行われることが多い。

設 例

以下の①〜④に示す事象に対して作業者工程分析を行った。「作業」に分類された事象の数として、最も適切なものを下記の解答群から選べ。

[H26−17]

① 対象物を左手から右手に持ち替える。
② 機械設備での対象物の加工を作業者が監視する。
③ 対象物を加工するための前準備や加工後の後始末をする。
④ 出荷のために対象物の数量を確認する。

〔解答群〕
ア 1個　イ 2個　ウ 3個　エ 4個

解 答 **イ**

作業者工程分析では、「作業者」が何を行っているのかに着目する。
① 対象物を左手から右手に持ち替えるのは、「作業」に該当する。
② 機械設備での対象物の加工を作業者が監視するのは、「手待ち」に該

当する。対象物は「加工」されているが、作業者は「作業」を行っているわけではないことに注意する。

③ 対象物を加工するための前準備や加工後の後始末は、「作業」に該当する。

④ 出荷のために対象物の数量を確認するのは「検査」に該当する。

以上より、「作業」に分類された事象の数は2個となる。

❸ 流れ線図（フローダイアグラム）

R5 16　R3 3

流れ線図とは、設備や建屋の配置図に工程図記号を記入したものをいい、各工程図記号の位置関係を示す。工程分析図では加工、運搬、検査、停滞の状態を把握できるが、職場の中を対象物がどのように動くかは把握しにくい。配置図に対象物や人の動きを工程図記号とそれを結ぶ流れ線図で書くと、物や人の流れ、逆行した流れ、無用な移動などが視覚的に把握できる。このように流れ線図を利用して人や物のムダな動きなどを分析する手法を**流れ分析**という。

図表 [1−3−6] **流れ線図の例**

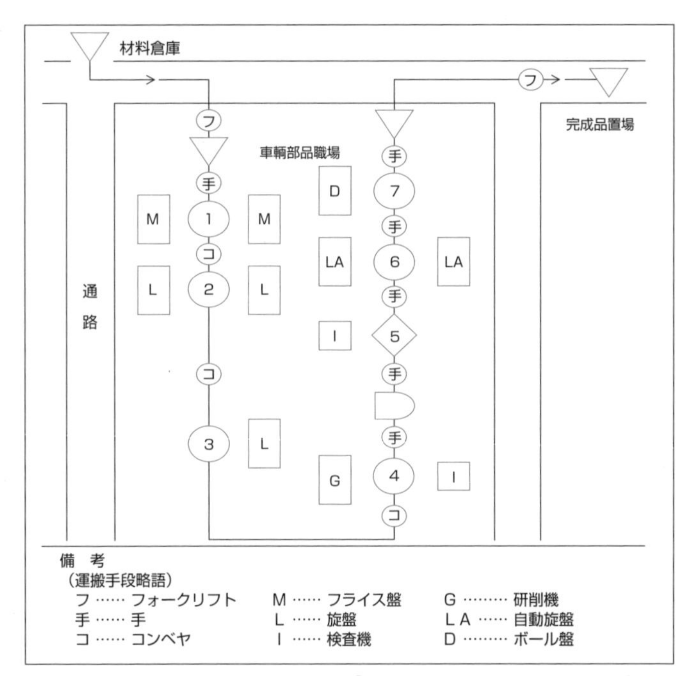

（日本経営工学会編『生産管理用語辞典』日本規格協会をもとに作成）

3 運搬分析

工場で物を作る際には、物の移動や運搬が必ず発生する。通常、運搬そのものは付加価値を生まないため、ロスのひとつとして取り上げられる。運搬ロスの少ないセルを構成したU字ライン生産方式や1人生産方式などであっても、セル間の移動や搬出の際の移動など、最小限の運搬は必要となる。つまり、運搬は付加価値を生まないが必要不可欠なだけに、いかに効率的な運搬の仕組みを作るかが課題となる。ここでは、3つの運搬分析を説明する。

❶ 運搬工程分析

運搬工程分析は、観測対象となる品物が加工され製品へと流れていく過程（工程系列）を系統的に調べ、「図表」や「運搬分析の基本記号」を用いて記録し、分析・検討する方法である。

運搬工程分析では、図表1－3－7・8のような分析記号が使用される。

- **基本記号**：品物の扱われ方による作業の区分を示すもので、工程分析と異なる点は、運搬が**移動**と**取扱い**に分かれる点である。

図表 [1－3－7] **運搬分析の基本記号**

記号	名称	説明	品物
U字形記号	移動	品物の位置の変化	動く
逆U字形記号	取扱い	品物の支持法の変化	
○	加工	品物の形状の変化と検査	動かない
▽	停滞	品物に対して変化が起こらない	

（実践経営研究会編『IE 7つ道具』日刊工業新聞社をもとに作成）

- **台記号**：品物の置かれた状態を示し、運び出しやすさを区分するものである。基本記号に付記して用いる。この記号によって、**運搬のしやすさを把握する**ことができる。

[1－3－8] 台記号

記　号	説　明	読み方
	床、台などにバラで置かれた状態	平（ひら）
	コンテナまたは束などにまとめられた状態	箱
	パレットにのせられた状態	枕
	車にのせられた状態	車
	コンベアやシュートで動かされている状態	コンベア

（実践経営研究会編『IE 7つ道具』日刊工業新聞社をもとに作成）

❷ 運搬活性分析

R6 17　R5 14

運搬活性とは、対象品の移動のしやすさであり、単に活性ともいう。運搬活性分析は、活性の維持という観点から、品物の置き方や荷姿について分析・検討する方法である。そして、活性を５段階に分けて、「**活性示数**」を使って運搬状況を分析するものである。なお、この「示数」の意味は、置かれている品物に対して、移動するための**４つの手間のうち、すでに省かれている手間の数**をいう。この手間の数は、少ないほどよいので、**活性示数は値が大きいほどよい**ことになる。

図表 [1－3－9] 活性示数

状　態	手間の説明	4つの手間の種類				活性示数
		まとめる	起こす	持ち上げる	持っていく	
床にバラ置き	まとめる→起こして→持ち上げて→持っていく	○	○	○	○	0
容器または束	起こして→持ち上げて→持っていく（まとめてある）	×	○	○	○	1
パレットまたはスキッド	持ち上げて→持っていく（起こしてある）	×	×	○	○	2
車	引いていく（持ち上げなくてよい）	×	×	×	○	3
動いているコンベア	不要（そのままいってしまう）	×	×	×	×	4

（実践経営研究会編『IE 7つ道具』日刊工業新聞社をもとに作成）

※　床にバラ置きが最も手間がかかり、動いているコンベアが最も手間が少ない。
※　「起こす」とは、モノを浮かしてもち上げやすくすることである。
※　図表1－3－10における「車に積む」は図表1－3－9における「車」（活性示数3）にあたり、「車上にある」と解釈する。図表1－3－10の「車で運ぶ」は図表1－3－9における「動いているコンベア」（活性示数4）にあたり、「車で移動している状態」と解釈する。

図表 [1－3－10]　**運搬活性分析図の例**

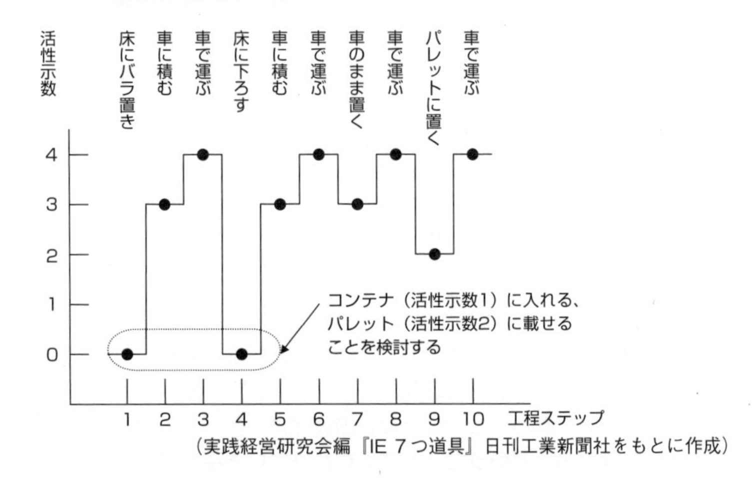

（実践経営研究会編『IE 7つ道具』日刊工業新聞社をもとに作成）

図表1－3－10を見ると、工程ごとの活性化の変化が一目でわかる。また、運搬活性分析図ができれば、これに基づき工程全体の「**平均活性示数**」を次の式により算出できる。

$$平均活性示数 = \frac{停滞状態にある活性示数の合計}{停滞状態の数}$$

上の運搬活性分析図の例では、
平均活性示数＝(0＋3＋4＋0＋3＋4＋3＋4＋2＋4)÷10＝2.7となる。
この示数の値が小さいほど品物の置き方が悪く、移動のために多くの手間を要するのである。
※　上式の停滞状態は、工程ステップと考える。

❸ 空(から)運搬分析

R6 17　**空運搬**とは、品物の移動を伴わずに、人や運搬機器のみ移動することをいう。「空運搬分析」では、運搬の状態を分析・検討して空運搬を減少させることを狙いとしている。分析では、品物の移動だけでなく、人や車の動きを調査することも重要である。空運搬の減少や運搬改善のために「空運搬係数」が利用されている。

$$\text{空運搬係数}=\frac{(\text{人の移動距離})-(\text{品物の移動距離})}{\text{品物の移動距離}}$$

$$=\frac{\text{空移動距離}}{\text{品物の移動距離}}$$

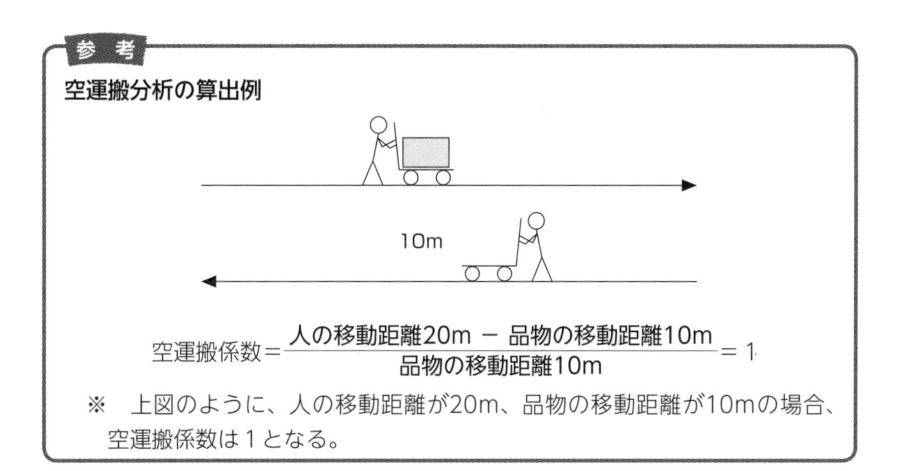

❹ マテハン（マテリアルハンドリング）

マテハンとは、物の移動、積み下ろし、取り付け、取り外し、納める、蓄える、取り出すなど、一貫した物品の取り扱いのことをいう。運搬管理の改善には、レイアウトの改善、運搬方法の改善、運搬制度の改善の３つの方向性がある。運搬の合理化に役立てるため、実践的な経験の蓄積や基礎的な考察から導かれた改善事項を集成したものを「**マテハンの原則（運搬の原則）**」といい、その一部には以下のようなものがある。

- **活性荷物の原則**

  品物を動かしやすい状態に保ち、品物の活性を維持し向上させようという原則である。これは、「取扱い」のムダを排除するためのもので、ユニットロードシステムやパレットシステムの活用等があてはまる。

- **直線化の原則**

  流れの原則ともよばれる。運搬経路は、逆行、屈曲を避けて、極力直線にするという考え方である。物理的な直線は無理としても、一定方向に物が流れるようにすることで直線化することを図る。

- **スペース活用の原則**

  バラ置きや、床へのじか置きを除去し床面積を活用するという考え方である。箱に入れるとか、パレットに載せて積み上げる等がこの原則の具体例となる。

- **つぎ目の原則**

  生産工程における移動の終点から次の移動の始点までの間で、積み替え、載せ替え、再取り扱い等のムダな手間をかけることを極力なくすという原則である。

- **自重軽減の原則**
  運搬具の自重を減らすことである。運搬具は運搬される品物のように片道ではなく往復運搬されるものであるため、その重量の影響は大きいとされる。

4 工程分析による改善（ECRSの原則による改善）

分析の基本は、**加工以外は付加価値を生まない工程であるため削減する**という考え方にある。もちろん、加工そのものも加工順序の見直し、機械・工具の改善などによる改善を行う。

① 運搬：経路短縮、運搬回数削減、自動化
② 検査：不要な検査廃止、方法改善、自動化
③ 停滞：適正在庫見直し、作業方法・保管方法改善

❷▶動作研究（作業系の分析群）

動作研究とは、「作業者が行う作業を構成する動作を分析して、最適な作業方法を求めるための手法の体系 JIS Z 8141-5206」である。作業する人間の身体動作、目の動きを分析し、非効率な動作の排除、動作の組替えなどで改善を図る。

作業動作の改善では、作業者の意識が非常に重要となる。「作業方法又は動作方法について、その問題点が判断でき、より能率的な方法を探求し続ける心構え JIS Z 8141-5304」のことを**モーションマインド**という。

動作研究は、次に示すような３つの領域に対して問題点の抽出を行い、それぞれ最適な方法へと改善するために行われるものである。最適な方法は、動作経済の原則に基づいて「もっと楽に効率を上げていく」ことを目的として設計される。

図表 [1−3−11] **動作研究の3つの領域**

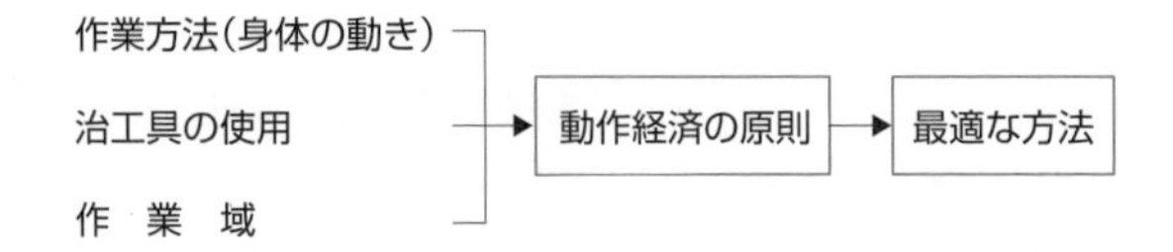

（実践経営研究会編『IE ７つ道具』日刊工業新聞社をもとに作成）

R4 20
R2 21

1 動作経済の原則

動作経済の原則は、動作のあり方についての法則であり、この原則に則った仕事は、経済的であるといえる。つまり、この原則に反した動作は、疲労を伴い、非能率で、効率が悪いことになる。作業動作についての検討・改善を行う場合は、この原則に沿ったかたちで進めるのが望ましい。

次に代表的な動作経済の原則を示す。

［1−3−12］ **動作経済の原則**

基本原則／ヒント／要素	（Ⅰ）動作の数を減らす	（Ⅱ）動作を同時に行なう	（Ⅲ）動作の距離を短くする	（Ⅳ）動作を楽にする
	さがす、選ぶ、用意するを必要以上に行っていないか	一方の手の手待ち、保持が発生していないか	不必要な大きい動きで行なっていないか	要素動作の数を減らせないか
1．動作方法の原則	① 不必要な動作をなくす ② 目の動きを少なくする ③ 2つ以上の動作を組み合わせる	① 両手は同時に動かしはじめ同時に終わる ② 両手は同時に反対、対称方向に動かす	① 動作は最適身体部位で行なう ② 動作は最短距離で行なう	① 動作は制限のない楽な動作に近づける ② 動作は重力や他の力を利用する ③ 動作は慣性力や反発力を利用する ④ 動作の方向やその変換は円滑にする
2．作業場所の原則	① 材料や工具は作業者の前方一定の場所に置く ② 材料や工具は作業順序に合わせて置く ③ 材料や工具は作業しやすい状態に置く	① 両手の同時動作ができる配置にする	① 作業域は支障のないかぎり狭くする	① 作業位置の高さは最適にする
3．治工具および機械の原則	① 材料や部品のとりやすい容器や器具を利用する ② 2つ以上の工具は1つに組み合わせる ③ 治具への締付けには動作数の少ない機構を利用する ④ 機械の操作は1動作で行なえる機構にする	① 対象物の長時間の保持には保持具を利用する ② 簡単な作業または力を要する作業には足（脚）を使う器具を利用する ③ 両手の同時動作ができる治具を考える	① 材料の取り出し・送り出しには重力や機械力を利用する ② 機械の操作位置は動作の最適身体部位で行なえるようにする	① 一定の運動経路を規制するために治具やガイドを利用する ② にぎり部はつかみやすい形にする ③ 見える位置で楽に位置合せできる治具にする ④ 機械の移動方向と操作方向を同じにする ⑤ 工具は軽く扱えるようにする

（『現場のIEテキスト（上）』石原勝吉 著　日科技連　p.239をもとに作成）

R3 18 **2 作業空間**

作業を遂行するときに、作業者が身体各部を動かすのに必要な作業範囲を**作業空間**（または**作業域**）という。作業空間には最大作業域と正常作業域がある。**最大作業域**とは、固定した肩を中心に、手を伸ばしたときの手の届く範囲を指す。これ以上の範囲になると肩を動かさなければならない。また、**正常作業域**とは、上腕を身体に近づけ、前腕を自然な状態で動かした範囲を指す。材料や工具は、できるだけ正常作業域の中に置くように心がけ、やむを得ない場合でも最大作業域を越えないようにすることが望ましい。

［1－3－13］ **正常作業域と最大作業域**

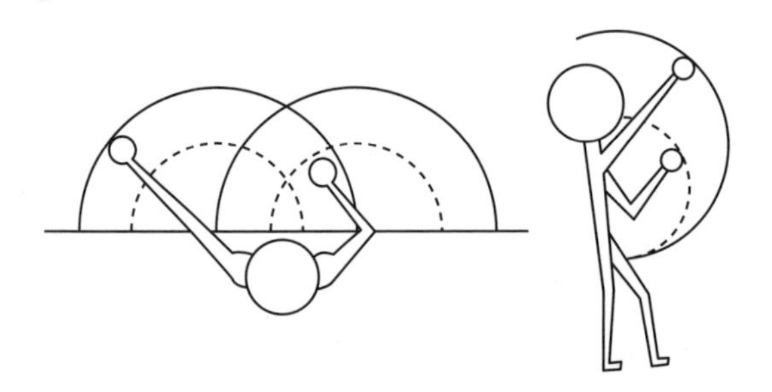

3 両手動作分析

動作研究には、動作レベルで分析する「**両手動作分析**」（サーブリッグ分析は動素レベル）がある。

作業を観察し、両手の動作の順序や仕方を両手と関連づけて把握し、**工程図記号**の基本図記号（図表1－3－3）または**サーブリッグ記号**（図表1－3－16）を用いて図表化する。動作の順序や方法の問題点、手待ち、ムリ・ムダな動作などを発見して改善するための手法である。

［1－3－14］ **両手動作分析における、工程図記号の使用例**

記号	名称	内容
○	作業	手が作業を行っている状態
⇨	移動	手を伸ばしたり、物を運んでいる状態
D	保持	作業のため、物を持っている状態
	手待	手が何もしていない状態

［1－3－15］ **両手動作分析の例**

左手の動作	工程図記号		右手の動作
	左	右	
加工品へ手を伸ばす	⇨	D	ハンドルを握っている
加工品をつかむ	○	↓	
加工品をテーブルへ運ぶ	⇨	↓	
加工品をドリルの下へきちっと入れる	○	○	ハンドルを降ろす
加工品を押さえている	D	○	穴をあける
加工品をつかみ直す	○	○	ハンドルを上げる
加工品を運ぶ	⇨	D	ハンドルを握っている
加工品を箱に入れる	○	↓	（以下繰り返し）
手を戻す	⇨	↓	

（日本経営工学会編『生産管理用語辞典』日本規格協会をもとに作成）

参考

作業の区分

R2 18

第１段階 が最も小さなレベルで**「動素」**である。これは**サーブリッグ記号**に相当するレベルで「つかむ」「運ぶ」「持つ」「伸ばす」などにあてはまる。

第２段階 は**「動作」**で、いくつかの動素の集合体である。「材料を置く」「位置を決める」などがあてはまる。

第３段階 は**「要素作業」**である。動作の集合体で、「部品を機械に取り付ける」「部品を作業台に置く」などがあてはまる。

第４段階 は**「単位作業」**である。たとえば、溶接作業であれば「材料点検」「部品付け溶接」「調整および点検」「次工程への運搬」があてはまる。

第５段階 は**「工程」**である。単位作業の集合体で、「加工」「溶接」「塗装」「組立」「検査」などがあてはまる。

第６段階 は「製品」や「半完成品」の段階となる。

4 サーブリッグ分析（微動作分析）

R3 18

ギルブレス（F.B.Gilbreth）が考案した方法で、微動作分析ともよばれる。あらゆる作業に共通する基本動作を18種類の動素（サーブリッグ）に分解して分析する。サーブリッグ記号は、要素動作を分析するためにギルブレスが考案した分析記号である。

[1−3−16] サーブリッグ記号

分類	名称		略字	記号	意味
第1類	手を伸ばす	transport empty	TE		身体部位をある位置からある位置へ移動させる動作
	つかむ	grasp	G		対象物を身体部位で制御する動作
	運ぶ	transport loaded	TL		対象物を身体部位により移動させる動作
	組み合わす	assemble	A		対象物を重ねたり挿入したりする動作
	分解する	disassemble	DA		対象物を取り外したり抜いたりする動作
	使う	use	U		身体部位を使って、工具や機械などを使う動作
	放す	release load	RL		対象物を身体部位の制御から解除する動作
	調べる	inspect	I		対象物を測定し、判断する動作
第2類	位置決め	position	P		身体部位を使って対象部位を定められた状態にする動作
	探す	search	SH		対象物がどこにあるかわからないときに発生する動作
	見出す	find	F		"探す"直後に発生する動作
	選ぶ	select	ST		いくつかある対象物から目的物を選ぶ動作
	考える	plan	PN		何かを計画し、理解するための心理的な動作 ※明確にわかるときのみ該当
	前置き	pre-position	PP		次の動作のため、対象物の位置を調整する動作
第3類	保持	hold	H		対象物を身体部位で支える動作
	休む	rest	R		作業による疲労回復の動作
	避けられない遅れ	unavoidable delay	UD		作業者に責任のない遅れ
	避けられる遅れ	avoidable delay	AD		作業者の責任による遅れ

（日本経営工学会編『生産管理用語辞典』日本規格協会をもとに作成）

サーブリッグ記号は、有用度により**第１類「仕事を行ううえで必要な要素」**、**第２類「第１類の作業の実行を妨げる要素」**、**第３類「作業を行わない要素」**に分類される。

第１類：動作の基本となるもので、**仕事そのもの**と**物の取り扱い**からなる。このなかで、価値を生む要素は「**組み合わす**」「**分解する**」「**使う**」のみである。

第２類：第１類の動作を遅れさせる要素で、治工具の置き方・使い方や材料の置き方に問題がある場合に発生する。

第３類：仕事が進んでいない状態であり、作業動作の不均衡（特に両手）や前後工程とのつながりの悪さなどが原因で発生する。

上記の**第１類の価値を生む仕事そのものの３つの動素を除くと、その他はすべて改善すべき**ものといえる。そのため、それらはまず排除が検討されるべきである。

5 連合作業分析

R3 17

連合作業分析とは「人と機械、又は二人以上の人が協同して作業を行うとき、その協同作業の効率を高めるための分析手法 JIS Z 8141-5212」である。１人の人が機械を用いずに行う単独作業と比較して、人と機械、または、人と人が協同作業を行う場合には、相手の作業終了を待つなどのロスが発生しやすい。両者の作業を時系列で分析し、ロスの少ない作業方法へ組み替える改善を行う。この分析で用いられるのが「**連合作業分析図表**」であり、これには「**組作業（人一人）分析図**」「**人一機械分析図**」（マンマシンチャート）などがある。

❶ 連合作業分析の目的

人や機械の手待ちロス、停止ロス（**機械干渉**）を明確にして、改善の原則（**ECRSの原則**）などを適用して、そのロスを減少させながら、作業周期の時間短縮、人や機械の稼働率向上、担当機械台数の適正化、配置人員の削減を図ることが目的となる。

図表 [1−3−17] 連合作業分析図表（人―機械分析、マンマシンチャート）の例

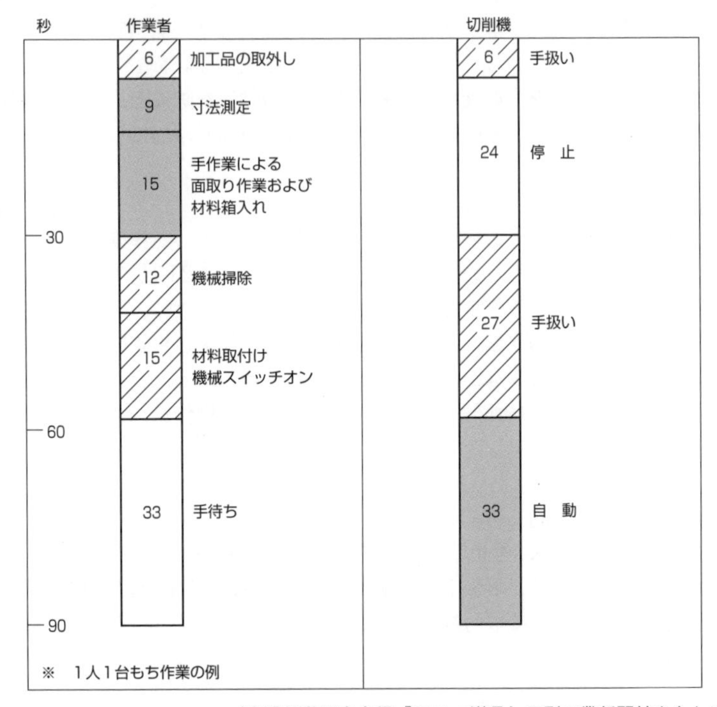

（実践経営研究会編『IE 7つ道具』日刊工業新聞社をもとに作成）

※　改善ポイントは、①手待ちや停止などの非稼働に着目し、これを短縮する、②そのために非稼働の相手側の作業を改善（ECRSなど）するなどである。

図表 [1−3−18] 連合作業分析図表の記号の説明

〈上記の連合作業分析図表（人―機械分析）の色分け・名称は、次の内容を基準としている〉

作業者			機械（切削機）		
（灰色）	単独作業	機械とは時間的に無関係な作業	（灰色）	自動運転	作業者とは無関係な自動による機械運転
（斜線）	連合作業	機械と一緒に作業し、どちらかが時間を制約されている作業	（斜線）	手扱い	段取、取付け・取外しなどの作業者によって時間の制約を受ける作業
（白）	手待ち	機械が作業しているために生じる手待ち	（白）	停止	作業者が作業しているために生じる機械の停止、空転

（実践経営研究会編『IE 7つ道具』日刊工業新聞社をもとに作成）

❷ 組作業分析

複数の作業者が協同（連合）して行う作業を**組作業**という。組作業分析は連合作業分析の一種で、組作業が行われているとき、その協同作業の効率を高めるための分析手法である。作業者相互の稼働関係を記録・分析し、作業方法や人の配置などの改善を図り、受け持ち仕事量の不均衡や手待ちの是正、人員削減を実施する。

2 作業測定

作業測定とは、「作業又は製造方法の、実施効率の評価及び標準時間を設定するための手法 JIS Z 8141-5104」である。

作業測定はテイラーが確立した**時間研究**をベースに発展したものと、ワークサンプリングなどによる**稼働分析**から構成される。作業測定には次のような目的がある。

- 標準時間の設定
- 作業方法の改善および標準化
- 適正なライン編成（適正な作業配分）
- 生産効率の測定

図表 [1−3−19] **作業測定の体系**

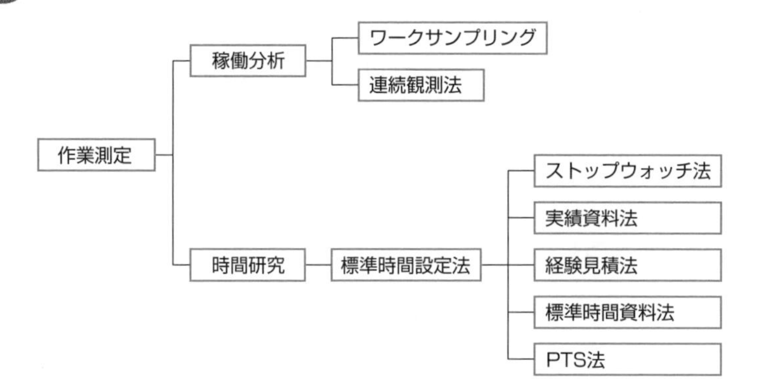

❶▶稼働分析

稼働分析とは、「作業者又は機械設備の稼働率若しくは稼働内容の時間構成比率を求める手法 JIS Z 8141-5209」である。稼働分析の手法としては、ワークサンプリング（瞬間観測法）と連続観測法がある。

稼働分析の目的は、稼働率を把握するとともに「非稼働」を分析し、その要因を排除し稼働率を上げることにある。

1 ワークサンプリング（瞬間観測法）

ワークサンプリングとは、瞬間的に作業者や機械が「何をしているか」を観察して記録・集計し（サンプルを収集し）、そのデータに基づいて作業状態の発生の割合を統計的な考え方により分析するもので、**繰り返し作業に適した手法**である。

ワークサンプリングの主な目的は、

① 生産を阻害する要因を把握して作業の改善に役立てること
② 人や機械設備の稼働率を調査し、非稼働要因を発見し改善すること
③ 標準時間を設定するための**余裕率**（後述）**を求める**こと

などである。

ワークサンプリングのメリット・デメリット

メリット

- 観測が容易（1人の観測者で多数の分析が可能。低コスト）
- データの整理が容易
- 観測されることを意識しないためデータの信頼性が高い（ランダム時刻表を用いるなど観測対象者に観測時刻を知られないように留意する）

デメリット

- 深い分析には不向き
- サンプル数が少ないと誤差が大きくなる

2 ワークサンプリング法による、稼働分析のための作業分類

ワークサンプリング法による観測項目は、観測目的によって異なるが、作業改善点の発見、余裕率の設定などについては、図表1－3－20・21のように作業を分類して、それぞれの度数（出現率）を算定して分析する。なお、観測者には、瞬時に観測した結果を項目別に分類することができるスキルが必要となるが、そのスキルはそれほど高いものではない。

図表 ［1－3－20］ ワークサンプリング法による、作業分類の体系図 R6 6

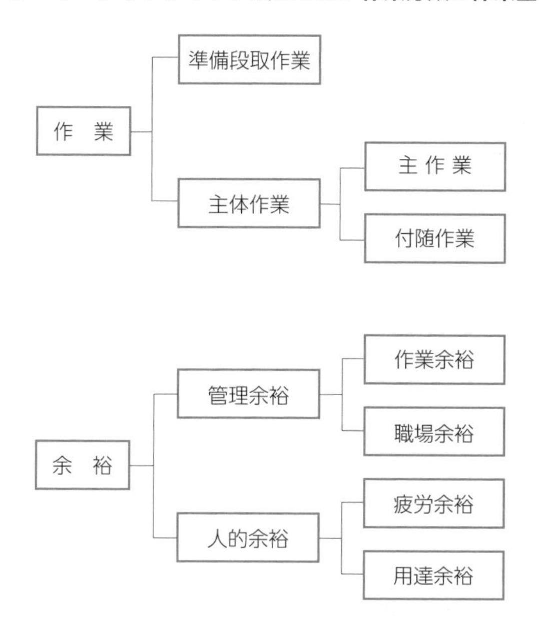

図表 ［1－3－21］ 各作業分類の内容

作業の分類			性　質	例
作業	準備段取作業		**1ロットまたは1日に1回行われる**準備作業	材料の準備、治工具や固定具の段取など
作業	主体作業	主作業	実際の生産に直結する作業	切削、穴あけ、組立てなどの実質的作業
作業	主体作業	付随作業	**主作業に付随して規則的に発生するが**、仕事の目的に対し**間接的に寄与する作業**	材料や工具の取付け、取外しなど
余裕	管理余裕	作業余裕	**主作業を行うなかで不規則・偶発的に発生する**作業や状況	機械の調整、掃除、注油、図面読みなど
余裕	管理余裕	職場余裕	**職場環境により不規則・偶発的に発生する**作業や状況	打合せ、材料待ち、作業指導など
余裕	人的余裕	疲労余裕	疲労を回復するための遅れ	休憩など
余裕	人的余裕	用達余裕	人間として普通に発生する生理的欲求	トイレ、水飲み、汗ふきなど
非作業			個人的理由による非作業。業務としては本来存在しないもの	遅刻、雑談、手休め、作業中の喫煙など

※　**管理余裕**は、管理のため、または管理が悪いために発生するなど、主として工場の管理方法に起因して生じる遅れをカバーする余裕である。

※　**人的余裕**は、作業中に発生する作業者の生理的欲求や疲労によるペースダウンを

カバーするための余裕である。
※　作業、余裕については、「時間研究」でも取り上げる。

設例

機械設備を利用した金属加工職場で作業研究を実施した。発生事象の分類の仕方として、最も不適切なものはどれか。　[H25－16]

ア　運搬作業者が金属材料を運搬する作業を「主作業」に分類した。
イ　機械設備の金型交換を行う段取作業を「付随作業」に分類した。
ウ　機械設備への注油や工具の交換を「作業余裕」に分類した。
エ　供給業者からの部品待ちや突発的な設備停止を「職場余裕」に分類した。

解答　**イ**

機械設備の金型交換を行う段取作業は、ロットごと、始業の直後および終業の直前に発生する、主体作業を行うために必要な準備や段取作業に該当し、「準備段取作業」に分類される。

3 連続観測法

連続観測法は、観測対象の作業内容や稼働状態を継続的に観測する分析手法で、**非繰り返し作業やサイクルの長い作業に適している。**きめ細かい問題点が抽出できる利点がある一方、作業者が観測者の目を意識して、不正確なデータとなるおそれや労力（コスト）がかかるという欠点がある。

❷▶時間研究

時間研究とは、「作業を要素作業又は単位作業に分割し、その分割した作業を遂行するのに要する時間を測定する手法 JIS Z 8141-5204」である。時間研究の目的は、**作業の効率化**と**標準時間の設定**にある。

1 標準時間

作業見積りや割当てを行うためには、その基準となる時間が必要となる。つまり、標準時間が必要となる。

R5 10　R2 17

標準時間とは、「**その仕事に適性をもち、習熟した作業者**が、**所定の作業条件**の下で、**必要な余裕**をもち、**正常な作業ペース**によって仕事を遂行するために必要とされる時間 JIS Z 8141-5502」である。

〈**標準時間の定義の用語について**〉

- **その仕事に適性をもった習熟した作業者**：標準的な作業者をはるかに上回る熟練度をもった作業者の作業時間は短すぎ、未熟練者の作業時間は長すぎるため、標準時間として適当ではない。
- **所定の作業条件**：決められた設備・治工具、適切な作業台などを用いて、決められた作業方法で作業を行うことである。さらに、照明や温度、湿度、騒音などの作業の環境条件も含まれる。
- **必要な余裕**：標準時間には作業時間（正味時間）だけでなく、必要な余裕を含める。
- **正常な作業ペース**：一般に、正常の作業ペースとして次のような例が示されている。
  ① 荷物を持たないで、平坦な道を真っ直ぐに、時速5km弱で歩く人の足の動作の速さ（歩幅約70cm）。
  ② 52枚のトランプを、約30㎝四方の4隅に、１枚ずつ30秒で配り終える手の速さ。

このような正常ペースの手や足の動きを知っていると、作業者が行っている作業が正常ペースと比べて速いのか遅いのかを判断できるようになる。このような判断を行い、**観測時間の代表値を正味時間に修正する一連の手続きのことをレイティング**（後述）とよんでいる。

標準時間は準備段取作業時間と主体作業時間に分類され、いずれの時間も正味時間と余裕時間から構成される。

図表［1－3－22］ **標準時間の構成** R3 15

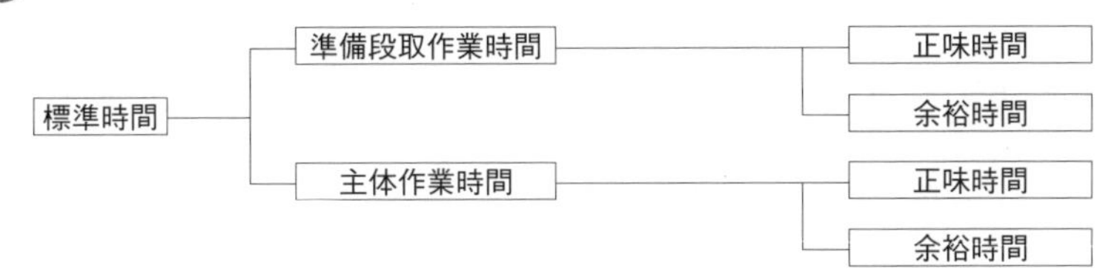

1）正味時間 R3 15

「主体作業、及び準備段取作業を遂行するために直接必要な時間 JIS Z 8141-5503」である。**規則的、周期的に繰り返される作業時間**で、下記の**余裕時間は含まない**。

2）余裕時間 R3 15

対象業務において**不規則・偶発的に発生**し、「作業を遂行するために必要と認められる遅れの時間 JIS Z 8141-5504」のことである。余裕時間は、**管理** R2 17

余裕時間と**人的余裕時間**に分けることができる。

R5 15 R4 16 R2 17

❷ ストップウォッチ法による標準時間の設定方法

ストップウォッチ法の手順は次のとおりである。

① 作業を複数の要素作業に分解し、要素作業ごとに**ストップウォッチで作業時間を観測**する（＝**観測時間**）。

② 観測時間には作業者の個人差があるので、**レイティング処理を行い個人差の修正**を行う（＝**正味時間**）。

③ ワークサンプリング法により余裕率を算出し、**正味時間に余裕時間を加える**（＝**標準時間**）。

図表 [1－3－23] **ストップウォッチ法による標準時間設定の流れ**

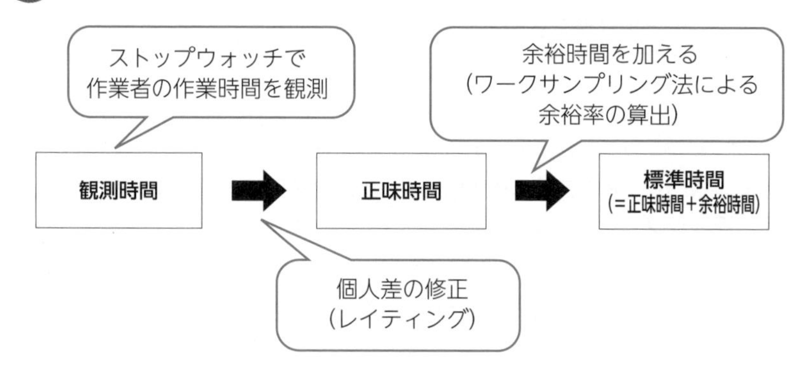

R5 15 R4 16 R2 17

1）レイティング

「時間観測時の作業速度を基準とする作業速度と比較・評価し、レイティング係数によって観測時間の代表値を正味時間に修正する一連の手続 JIS Z 8141-5508」のことである。観測によって得られた時間を、正常な作業者が正常な速度で行うのに要する時間に修正することであり、正味時間はレイティング係数を用いて次の式で表される。

正味時間＝観測時間の代表値×レイティング係数÷100

たとえば、観測された作業速度が正常なペースより25％速いときは、観測時間に1.25（＝レイティング係数125÷100）を乗じて正味時間を導出する。観測された作業速度が正常なペースより20％遅いときは、観測時間に0.8（＝レイティング係数80÷100）を乗じて正味時間を導出する。

図表 ［1－3－24］ **レイティングの例**

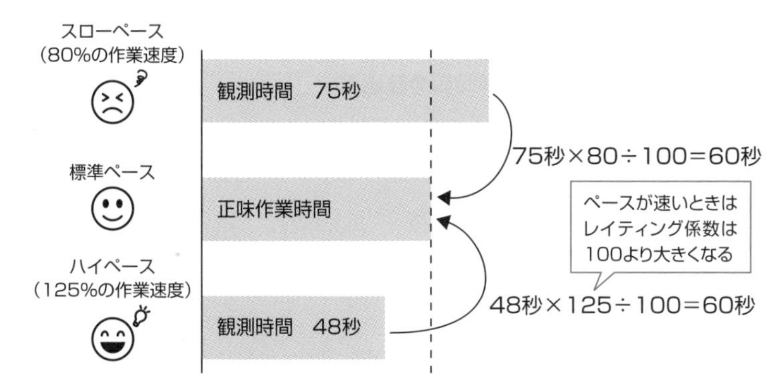

2）余裕率

R5 15
R4 16
R2 17

余裕率は「標準時間に占める余裕時間の割合を余裕率という。一単位の作業に対する余裕時間を個別に直接求めることはできないので、標準時間を求める際には、余裕率として与える。JIS Z 8141-5504 注釈1」と定義されている。標準時間の定義で確認したとおり、標準時間は作業者に「必要な余裕」を持たせた、仕事の遂行時間でなければならない。したがって、標準時間の算定には、レイティングにより得られた正味時間に対し、余裕時間を加える必要がある。しかし、余裕時間は不規則・偶発的に発生し、直接の観測によって求めることが困難であるため、稼働分析（ワークサンプリング等）により余裕率を求めて間接的に設定し、標準時間を算定する。以下の図は、観測およびレイティングにより得られた正味時間を60秒としたときの例である。

図表 ［1－3－25］ **標準時間の算出例（内掛け法）**

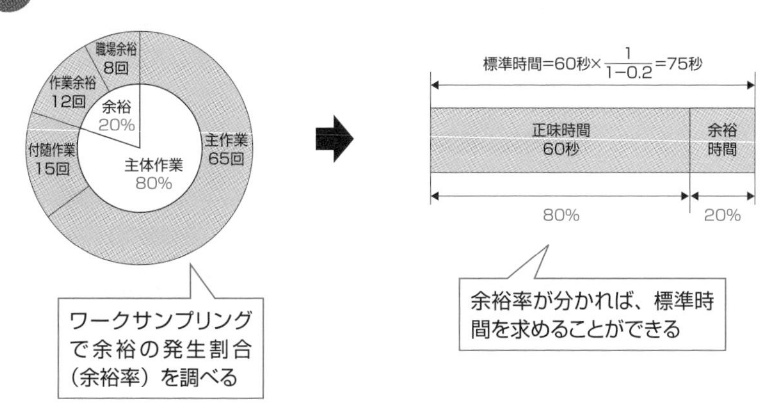

余裕率の算出法は２つあり、どちらの方法を使用しているか明示する必要がある。

図表 ［1－3－26］ 余裕率と標準時間の算出法

方　法	余裕率	標準時間
内掛け法	$\frac{余裕時間}{余裕時間＋正味時間}$	正味時間×$\frac{1}{1－余裕率}$
外掛け法	$\frac{余裕時間}{正味時間}$	正味時間×（１＋余裕率）

内掛け法と外掛け法の余裕率の算出法の違いは、分母に余裕時間を含めるか含めないかの違いである。内掛け法の分母は、余裕時間を（内に）含める。外掛け法の分母は余裕時間を含めず（外に出し）、正味時間のみとする。

※　１つのワークサンプリングの結果に対して、余裕率は内掛け法を用いても、外掛け法を用いても、同じ標準時間となる。

〈ストップウォッチ法による標準時間の設定例〉

ある部品を組み立てる作業を「作業Ａ」とする。この作業Ａを作業者Ｘに実際に作業してもらい、ストップウォッチ法により時間を計測した。観測時間の代表値は60秒であった。しかし観測者によると、作業者Ｘは、正常な作業ペースよりも20％早いペース（レイティング係数は120％）で作業しているという。以上から、正味時間は60秒×120％＝72秒となる。

ただし、余裕率を算出しなければならないため、ワークサンプリング法により観測をした。余裕率（外掛け法）は10％であった。よって、作業Ａの標準時間は、72秒×1.1＝79.2秒となった。

なお、上記の例は、準備段取作業を考慮していないケースであり、主体作業時間の標準時間のみを算出したものである。作業によっては準備段取時間においても同様の算出を行い、それぞれの合計値を標準時間とする方法で算出する。

図表 ［1－3－27］ 標準時間の設定例

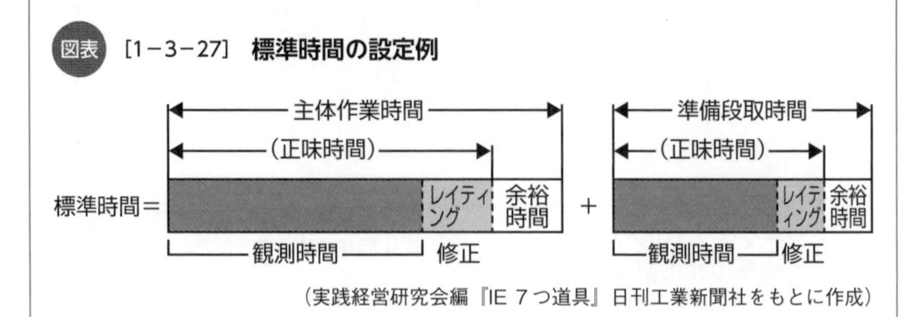

（実践経営研究会編『IE ７つ道具』日刊工業新聞社をもとに作成）

設 例

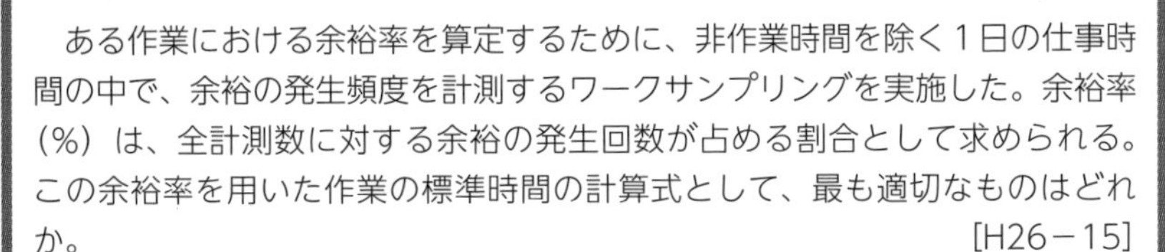

ある作業における余裕率を算定するために、非作業時間を除く１日の仕事時間の中で、余裕の発生頻度を計測するワークサンプリングを実施した。余裕率（%）は、全計測数に対する余裕の発生回数が占める割合として求められる。この余裕率を用いた作業の標準時間の計算式として、最も適切なものはどれか。 [H26－15]

ア　$\text{正味時間}\times\left(1+\dfrac{\text{余裕率}}{100}\right)$　　イ　$\text{正味時間}\times\left(\dfrac{1+\text{余裕率}}{100}\right)$

ウ　$\text{正味時間}\times\left(\dfrac{1}{1-\dfrac{\text{余裕率}}{100}}\right)$　　エ　$\text{正味時間}\times\left(1-\dfrac{1}{\dfrac{\text{余裕率}}{100}}\right)$

解 答　**ウ**

本問では、余裕率の算定にワークサンプリングを実施し、「余裕率（%）は、全計測数に対する余裕の発生回数が占める割合として求められる」としているため、余裕率は内掛け法で算出されたとみなすことができる。外掛け法であれば、「余裕率（%）は、主体作業に対する余裕の発生回数が占める割合として求められる」などと表現される。

3 その他の標準時間の設定方法

❶ 実績資料法

R6 6

「作業の実績記録を基にした時間資料を用い、作業の類似性を考慮して作業時間を見積もる方法。JIS Z 8141-5505 注釈１」と定義されている。**個別生産で繰り返しの少ない作業に適している。**標準時間を求めるための手間や費用は少ないが、**精度が低い**という欠点がある。

❷ 経験見積り法

R6 6

「現場経験の豊富な管理者が作業時間を見積もる方法。JIS Z 8141-5505 注釈１」と定義されている。**個別生産で繰り返しの少ない作業に適している。主観的**であり見積り者のくせが出る、判断基準が変化するなどの欠点がある。

❸ 標準時間資料法

R6 6
R3 17

「作業時間のデータを分類・整理して、時間と変動要因との関係を数式、図、表などにまとめたものを用いて標準時間を設定する方法 JIS Z 8141-5506」と定義されている。同一の企業の製造工程では、仕事が異なっても共通する要素作業は多い。たとえば、機械の始動や停止の作業にかかる時間は、つねに同一と考えられ、また、加工時間についても材料の素材や重量、厚みなどと作業時間には一定の関係を見ることができる。これらの要素作業ごとの所要時間を資料化し、仕事ごとに各要素作業時間を合計することで標準時間を算出することができる。**作業時間を観測する手間は省くことができる**が、**標準時間資料をまとめる手間がかかる。**

R6 6　R3 17　R2 17

❹ PTS法（Predetermined Time Standard System：既定時間法）

「人間の作業を、それを構成する**基本動作**にまで分解し、その基本動作の性質と条件とに応じて、あらかじめ決められた基本となる時間値から、その作業時間を見積もる方法 JIS Z 8141-5205」である。基本動作レベルでは作業者の個人差がなく、一定の時間値が求められるという考え方に基づいているため、**実作業の測定やレイティングを必要とせず、個人的判断によらない正確かつ公平な時間値を設定することが可能**である。しかし、微細な分析を行うため、**専門的なスキルを要する。**

PTS法の代表的なものには、**WF法**（Work Factor）と、**MTM法**（Methods Time Measurement）がある。

R3 17

 [1－3－28]　**標準時間の設定方法のまとめ**

手　法	適する作業	精度	レイティング修正
ストップウォッチ法	サイクル作業	良い	必要
実績資料法	個別生産で繰り返しの少ない作業	悪い	不要
経験見積り法	個別生産で繰り返しの少ない作業	悪い	
標準時間資料法	仕事自体は異なるが、同じ要素作業の発生が多い作業	良い	
PTS法	短サイクル作業、繰り返しの多い作業	良い	

（日本経営工学会編『生産管理用語辞典』日本規格協会をもとに作成）

なお、繰り返し作業（サイクル作業）とは、類似製品を継続的に生産するために同じ作業を繰り返し行うことを指す。

2 品質管理

1 QC 7つ道具

品質管理で活用されている代表的な手法にQC 7つ道具がある。QC 7つ道具とは、**グラフ**、**パレート図**、**チェックシート**、**ヒストグラム**、**散布図**、**管理図**、**特性要因図**のことである。また、QC 7つ道具を活用する前提としての考え方に、もともとはQC 7つ道具に含まれていた**層別**というものがある。

❶▶グラフ

グラフは、データの大きさを図形で表し、視覚に訴えたり、データの大きさの変化を示したりして理解しやすくした図である。

グラフには、数多くの種類がある。代表的なグラフには、使用目的別に次の例がある。

- 内訳を表す：円グラフ、帯グラフ
- 大小比較を表す：棒グラフ
- 推移を表す：折れ線グラフ、レーダーチャート、Zグラフ、ガントチャート

❷▶パレート図

R4 11

パレート図とは、**項目別に層別**して、出現頻度の**大きさの順**（降順）に並べるとともに、累積和を示し、累積比率を折れ線グラフで示した図である。たとえば、不適合品を不適合の内容別に分類し、不適合品数の順に並べてパレート図を作ると不適合の重点順位がわかる。最も重要な問題点に的を絞って問題解決にあたる重点指向の考え方を実践するための手法である。このパレート図を利用すると、次のような点が把握でき、改善の適切な方向性がつかみやすい。

1）不良品や間違いなどが、全体の中でどれくらい占めているかがわかる。
2）全体の不良品の割合を減少させるために、どの不良品を改善すべきかがわかる。
3）最も多い不良品や不良品の順番がわかる。

図表 [1−3−29] **パレート図の例**

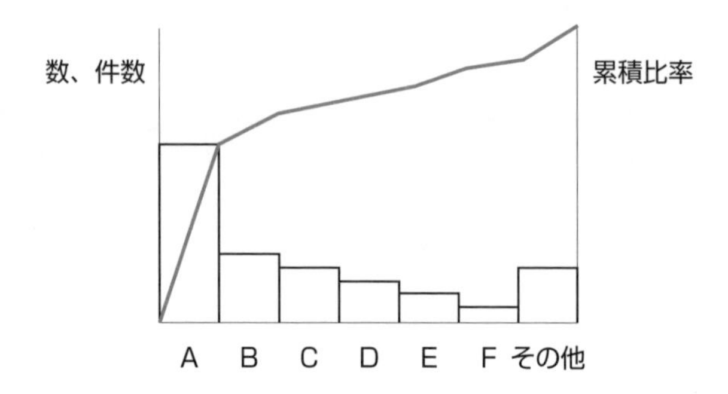

❸▶チェックシート

チェックシートは、事実を区分してチェックする、詳しく定量的にチェックする、問題の本質を明らかにする、などのためにデータをまとめグラフ化する手法である。データ収集に利用する記録用チェックシートと、点検用チェックシートの2種類がある。簡単に記録できるなど手軽に使えるという長所がある。また、データを層別するのに役立ち、パレート図やヒストグラムなどのグラフ作成に活用できる。

図表 [1−3−30] **チェックシートの例**

カテゴリー	チェック欄	度数
A	////	4
B	/	1
C	卌 卌 ////	14
D	卌 //	7
E	///	3

R4 11
R2 6

❹▶ヒストグラム

ヒストグラムとは、データの**分布状態を把握**するために用いる図で、データの範囲を適当な間隔に分割し、データを集計した度数分布表を**棒グラフ**化したものである。ヒストグラムは、バラツキをもった個々のデータの集団が、どんな姿をしているかが一目でわかる。左右対称の釣鐘を伏せた形なら安定した正常な姿といえ、逆に山型の裾野が横に広がる場合は、バラツキが大きいということになる。

図表 [1−3−31] ヒストグラムの例

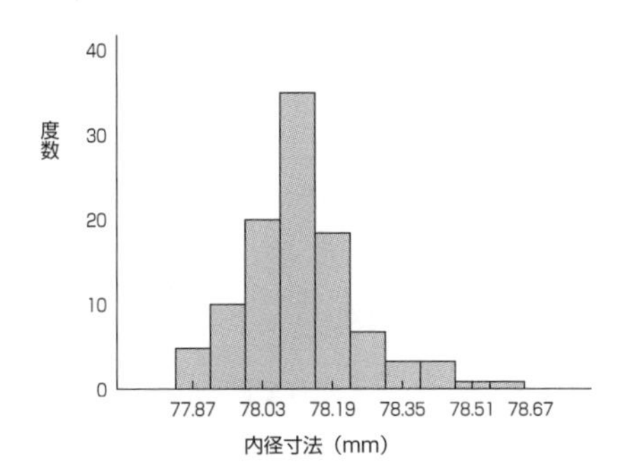

❺▶散布図

R5 12　R4 11　R4 40

散布図は、**2つの特性を横軸と縦軸**とし、観測値を打点してつくるグラフ表示である。2つの特性の相関を解析する場合に利用される。原因系の特性と結果系の特性を作成する場合は、原因系を横軸に結果系を縦軸にとってグラフにプロットする。散布図上の点の散らばり方によって、相関関係の有無を把握することができる。

散布図は、主に次の4点についてチェックを行う。

❶ 相関関係はないか

対応のある2種類以上の要因や特性の間に直線的な関係があるときには、「相関がある」というが、散布図上の点の散らばり方によって、相関の有無や強さの度合いを調べることができる。

図表 [1−3−32] 散布図の例

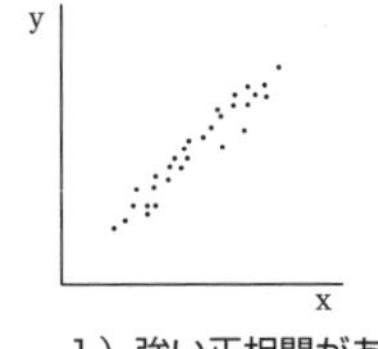

1）強い正相関がある場合

2）弱い正相関がある場合

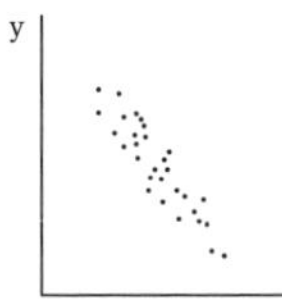

3）強い負相関がある場合

4）弱い負相関がある場合

5）相関がない場合

6）直線的でない関係がある場合

❷ 異常点はないか

散布図上にプロットされた点の中で、多くの点の集まりから飛び離れている、異常と思われる点がないか確かめる。

異常点は、多くの場合、作業者や材料が変わるというような作業条件の変更とか、測定の誤りとかの特別な原因に基づいていることが多い。したがって、「異常点」があれば原因を徹底的に究明する必要がある。

［1－3－33］ **異常点のある散布図**

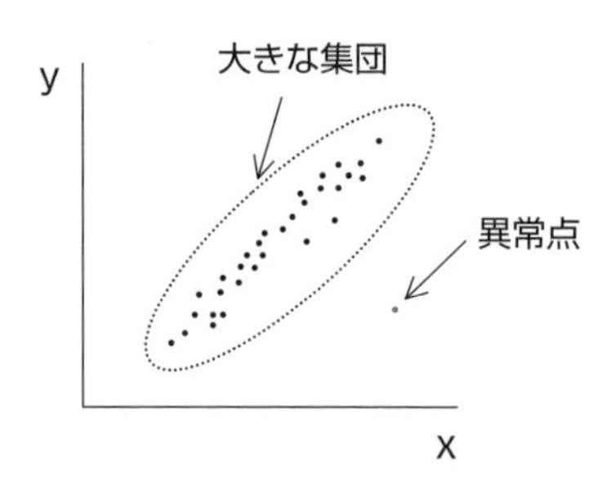

❸ 層別する必要はないか

ヒストグラムや管理図と同様に、散布図でも原材料別、装置別、季節別などに分けて点を打つと、層別した要因によってｘとｙとの関係が異なるなど有効な情報が得られる。

❹ 偽相関ではないか

「風が吹けば桶屋が儲かる」ということわざがあるが、これと同じように、製造において技術的な相関関係がないと思われるのに、散布図上では「**相関がある**」という状態を示す場合がある。こういったことを「**偽相関がある**」という。

散布図からその結果をそのまま信用するのではなく、２つのデータの関係に技術的な考察を加えて、本当にそのような関係が成り立ち得るのかどうかを検討するべきである。

参 考

例として、データ上では 温度↑ ⇒ 収率↓ ⇒ 純度↑ となり、収率と純度は負の相関関係になっているように見える。しかし、技術的な因果関係はなく、実は温度と純度に技術的な因果関係があるという場合がある。これを偽相関という。

❻▶管理図

管理図とは、連続した量や数値として測定できるデータを**時系列的**に並べ**折れ線グラフ**で表し、これが異常かどうかの判断基準となる管理限界線を記入した管理図表である。工程が安定した状態にあるかどうかを調べるためや、工程を安定した状態に保持するために用いる。データが管理限界内に入っているかどうかによって、避けられない偶然の変動と対応が必要な異常値を判別する。図表1－3－34のAのように、限界線に近づきつつある場合は、限界線を越える前に対策を講ずることが重要である。

 ［1－3－34］ **管理図の例**

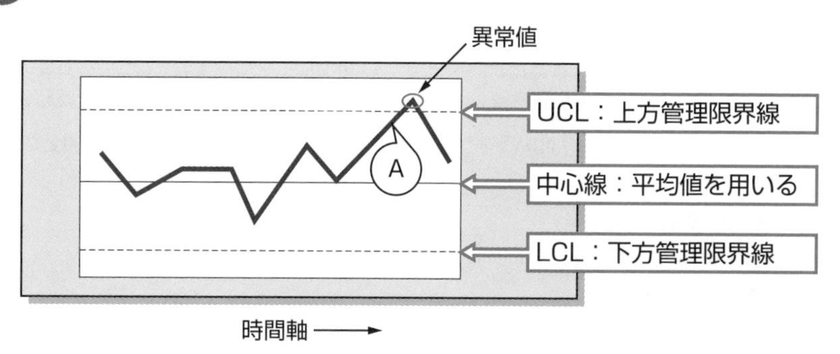

■ 管理図の見方

一般に正常なデータ（点）はランダムな挙動を示すものであり、管理限界内にあっても点にくせがある場合は、工程は正常とはいえない場合が多い。このような場合は、原因の追究を行い不良の発生を未然に防ぐ方策を講ずるべきである。管理図から工程が管理状態にあるか否かを判定する際には、次の２点によって判断される。

1）点が管理限界外にないこと
2）点の並び方、散らばり方にくせのないこと。「くせ」とは図表1－3－35のような場合である

[1−3−35] 突き止められる原因による変動の判定ルールの例

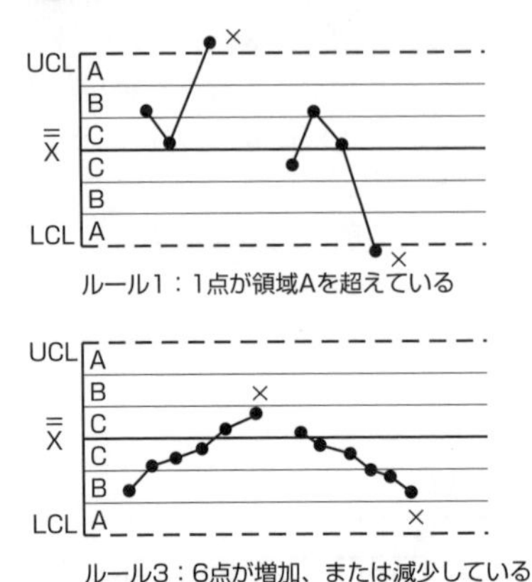

ルール1：1点が領域Aを超えている

ルール3：6点が増加、または減少している

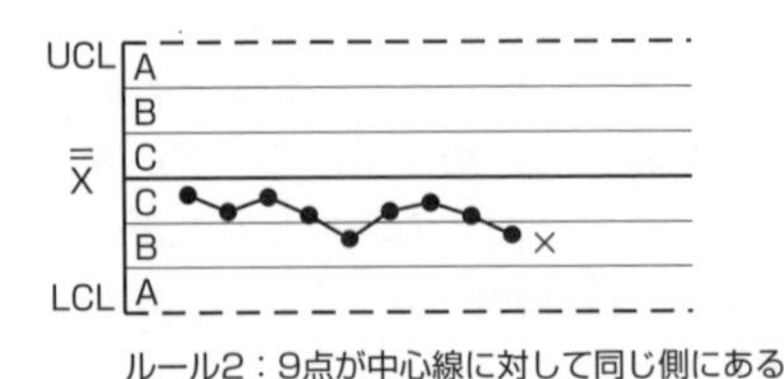

ルール2：9点が中心線に対して同じ側にある

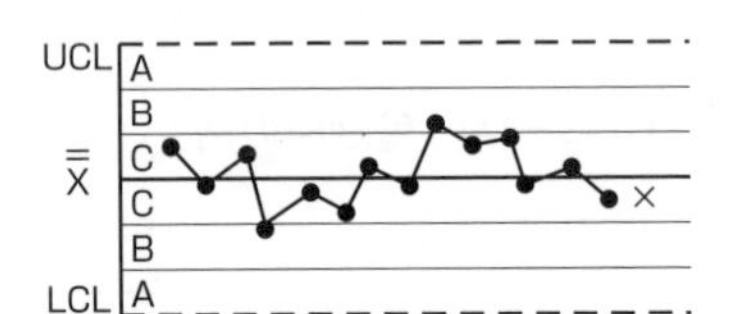

ルール4：14の点が交互に増減している

（『JISハンドブック2015品質管理』日本規格協会 p.302をもとに作成）

2 管理図の種類

❶ 使用目的による分類

R5 18

1）解析用管理図

解析用管理図は、既に集められた観測値によって、工程が統計的管理状態であるかどうかを**評価**するための管理図である。解析用管理図は、対象となる工程の状況を調べるための管理図であり、工程の最近のデータを集め、管理線を求めて工程が安定しているかを調べる。

工程が安定状態になったときは、管理用管理図に移行する。

2）管理用管理図

管理用管理図は、工程を管理状態に**保持**するための管理図である。解析用管理図を用いて、工程が安定していることが確認できたら管理線を延長して工程管理を行う。

❷ 管理対象の違いによる管理図の分類

［1−3−36］ **管理対象の違いによる管理図の分類**

データ	管理図の種類	管理の対象
計量値	**$\bar{X}$−R管理図** $\bar{X}$：標本平均 Range：範囲	群の**平均値**と**範囲**を用いて工程を評価
	x管理図	サンプルの**個々の観測値**を用いて工程を評価
	s管理図 standard deviation：標準偏差	群の**標準偏差**を用いて変動を評価
計数値	**np管理図** number：総数 proportion：割合（不適合品率） 総数×不適合品率＝不適合品数	**不適合品数**を評価
	p管理図 proportion：割合（不適合品率）	**不適合品率**を評価
	c管理図 count：数を数える	**不適合数**を評価
	u管理図 unit：単位	**単位あたりの不適合数**を評価

- **計量値**：長さ、重さなど連続的な値をとるもの
- **計数値**：不良数、欠点数など非連続な値をとるもの

❼ ▶ 特性要因図 …… R4 11

特性要因図とは、ある結果（特性）をもたらす一連の原因（要因）を**階層的**に整理するもので、矢印の先に結果を記入して、多くの原因が、結果に対してどのような**因果関係**になっているのかを視覚的に図示する手法である。形状から**魚の骨**ともよばれる。

 [1－3－37] **特性要因図の例**

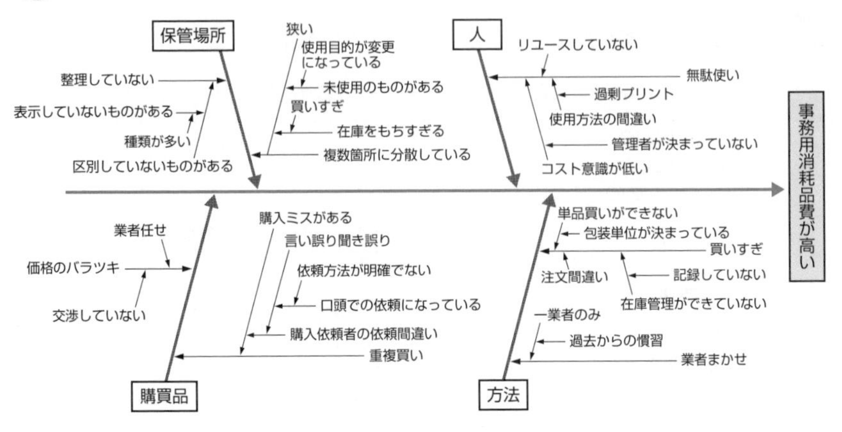

❽▶層　別

層別とは、「母集団を層に分ける分割。JIS Z 8101-2-1.2.30」であり、例として男女別、原料ロット別、生産地別などがあげられる。

たとえば、3人の作業員で同種の製品を製作している場合、その製品を作業員別に区分するとすれば、A作業員の作った製品群、B作業員の作った製品群、C作業員の作った製品群はそれぞれ層をなすという。この場合の特徴は作業員である。

特徴を異にする製品集団のある場合、同じ特徴を有する製品を集めて、いくつかの層に分けることを層別という。

品質管理にあたって、いくつかの特徴を有する製品群を混合して管理しようとしてうまくいかない場合、それを層別して調べると重要資料が得られ、管理が容易になることがある。たとえば、3つの層の製品集団を混合すると、図表1－3－38(a)のように全集団のバラツキが大きくなるが、これを同図(b)のように層別にすれば、各層のバラツキは小さくなり、各層の中心値に差があることがわかる。

図表 [1－3－38] **層別のバラツキ**

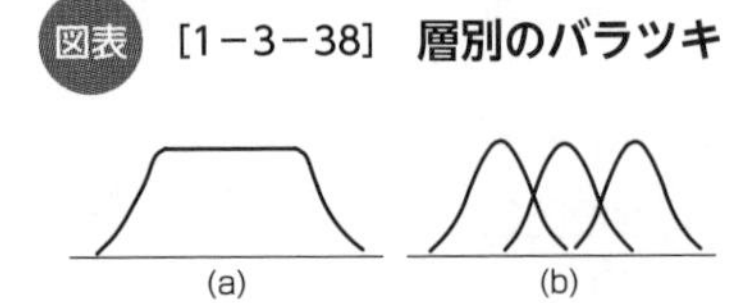

（都崎雅之助/大村實『経営工学概論第２版』森北出版をもとに作成）

したがって、品質のバラツキの幅の大きい製品集団については、まず、その集団中に特徴を異にする部分集団があるかないかを調べ、もしあれば層別して、その影響を小さくするような手段を講ずることが必要である。

設 例

QC７つ道具に関する記述として、最も適切なものはどれか。　[R元－11]

ア　管理図は、２つの対になったデータをＸＹ軸上に表した図である。
イ　特性要因図は、原因と結果の関係を魚の骨のように表した図である。
ウ　パレート図は、不適合の原因を発生件数の昇順に並べた図である。
エ　ヒストグラムは、時系列データを折れ線グラフで表した図である。

解 答　**イ**

選択肢アは、散布図の説明である。選択肢ウは、パレート図は不適合の原因を発生件数の降順に並べた図である。選択肢エは、管理図の説明である。

設 例

群の大きさが一定の状況下で、サンプルに生起した不適合数を用いて工程を評価する場合にはｃ管理図を利用する。
H29－17　ウ　(**○**)

2 新QC７つ道具

QC７つ道具は、発生した不良の原因を追究し、その原因を除去することで工程の改善を図っていく解析アプローチである。それに対して、**新QC７つ道具**は、複雑にからみ合った要因を、あらかじめ予測して因果関係を整理する設計的アプローチである。

❶▶親和図法　R5 12

多数の散乱した情報から、言葉の意味合いを**整理**して問題を確定する手法である。思いつくデータを並べて、親和傾向のある（似たような分類ができる）データをグループ化し、共通点を導き出したり、新しい発想を考えたりする。

図表 [1−3−39] **親和図法の展開例**

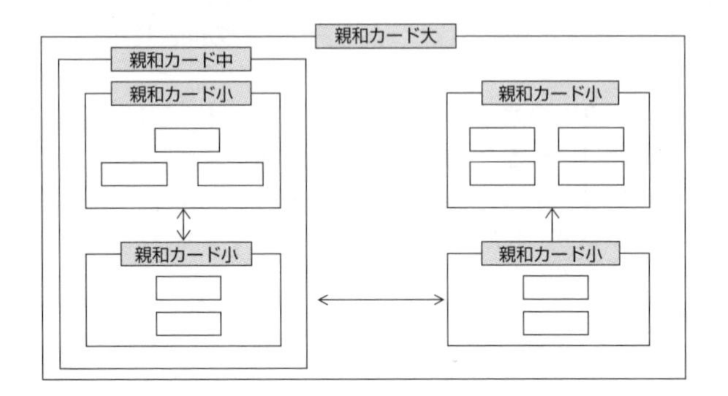

R5 12
R4 11

❷▶連関図法

解決すべき問題の原因を探る手法である。問題の**発生原因が複雑にからみ合っているとき**に、その**因果関係**を明確にすることで原因を特定する。問題の原因がわかったら、その原因の原因を探り、さらにその原因を探るということで、最も影響が大きい原因を特定する手法である。

図表 [1−3−40] **連関図法の展開例**

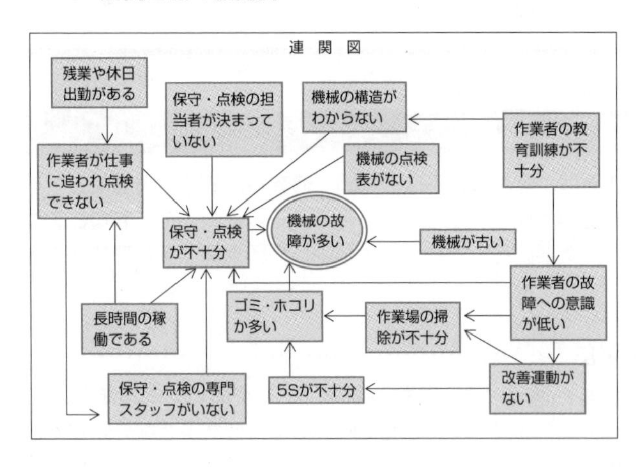

解決したい問題を中心に置く（二重枠や二重丸で囲む）。その問題を引き起こす要因、さらに、その要因を引き起こす要因を記載しながら要因相互の因果関係をとらえ、線で結んでいき、最終的に最も影響の大きい要因を特定する。

R5 12

❸▶系統図法

目的と手段を多段階に展開する手法である。たとえば、問題解決というある目的に対して手段を列挙し、その手段のための手段をさらに列挙する。このように手段・方策をツリー状に展開し、最適手段を系統的に定める手法である。

 [1−3−41] **系統図法の展開例**

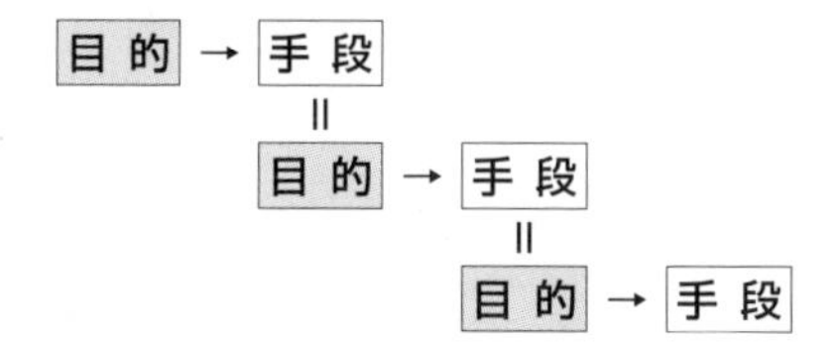

図表1−3−40の連関図法の最も影響の大きい要因が「保守・点検が不十分」だとする例を考える。その場合、まず先頭の目的に「保守・点検を定期に行う」を記入する。次にその目的を達成するための手段として「保守・点検の専門スタッフを選任する」を記入する。そして、その手段は次に目的となるので、それを達成するための手段として「専門スタッフに保守・点検の教育を行う」を記入する。このように目的と手段を多段階で展開させ最終的に有効な実施策を選定していく。

❹▶アローダイアグラム法

アローダイアグラムはPERTで用いられる表記法のことである。クリティカルパス上の工程を重点的に管理し、進捗を効率よく管理することで計画推進のための最適日程を決める方法である。

❺▶PDPC法（Process Decision Program Chart） R5 12

過程計画決定図とよばれ、**問題や不測の事態が生じた場合の対応策**をあらかじめ検討しておき、それに沿って行動または新しい方法を考えることである。

PDPC法の概念図の作り方は、まずテーマを決めて、出発点とゴールを決め、ゴールに至るまでの成功できる楽観ルートを作る。次に楽観ルートに対し悲観的な事態を予想し、楽観ルートに戻る対策を立案し図に記入していく。対策が思いつかない場合は「？」にしておき、進展過程で対策が浮かんだら、書き込む。

図表 [1－3－42] PDPC法の例

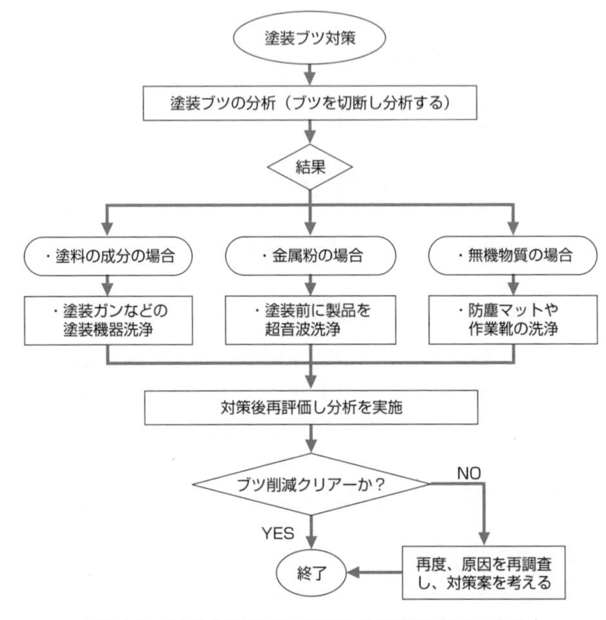

（ブツとは、異物や塗料の固まりが付着し表面が膨らむことである。）

（鈴木宣二編著『よくわかる「新QC七つ道具」の本』 日刊工業新聞社をもとに作成）

R5 12 ❻▶マトリックス図法

多くの目的や現象と、多くの手段や要因のそれぞれの対応関係を多元的思考により問題点を整理して**行列形式**で並べ、相互の関連の程度を整理する手法である。不良現象と不良原因の結び付きや素材と製品の品質展開などが、組み合わせる事象（XとY）となる。

[1−3−43] **マトリックス図法の展開例**

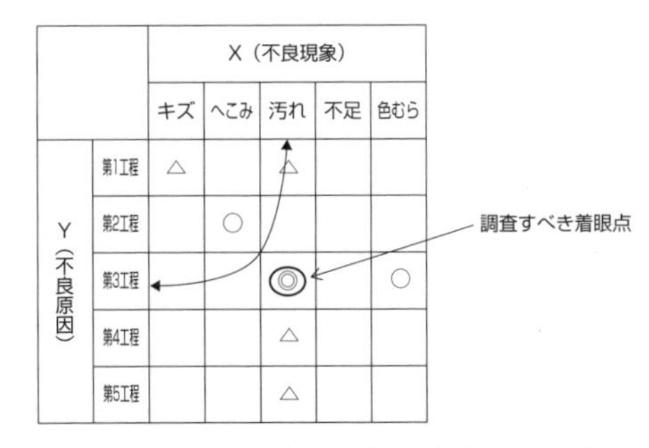

※ この例でいうと、現象と原因の関連の有無や度合いを交点に表示し、問題解決のための着眼点を得る。

❼▶マトリックスデータ解析法

複雑にからみ合った問題の構造を解明するため、問題に関係する特性値間の相関関係を手がかりに少数個の総合特性を見つけ、個体間の違いを明確にする手法である。

新QC 7つ道具は言語データ（質的データ）を扱うツール集であるが、このマトリックスデータ解析法のみは、数値データ（量的データ）を扱うことに特徴がある。通常は、マトリックス（行列）にまとめた多くの数値データを2次元平面状(X−Y平面図のようなもの）に展開し、主要な問題や原因をわかりやすく定める方法である。

[1−3−44] **マトリックスデータ解析法の展開例**

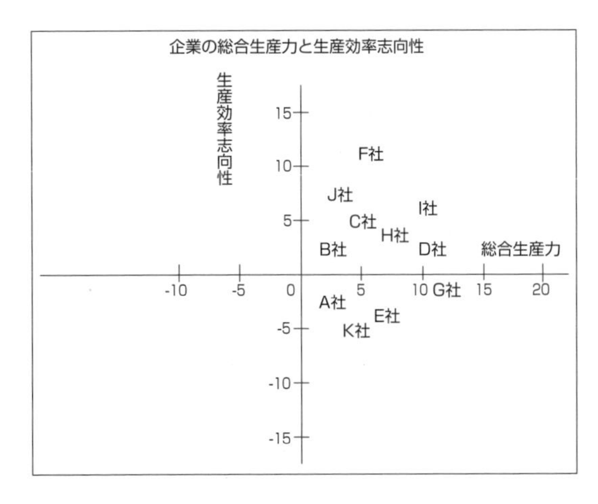

3 その他、品質管理に関する事項

❶▶品質に関する用語

製品の品質（総合品質）は、設計品質と製造品質から構成される。

1）設計品質（ねらいの品質）

製造の目標として狙った品質

2）製造品質（できばえの品質、適合の品質）

設計品質を狙って製造した製品の実際の品質

たとえば、「10年間使用可能な腕時計」という設計品質を設定した場合、製造品質は「10年間使用可能」を目指すことになる。この場合、５年しか使用できない製品は製造品質として要求を満たさないが、30年使用可能な製品を作ってしまうことも、同様に設計品質に適合しないということになる。

図表 [1−3−45] **設計品質と製造品質**

設計品質	定義	製品・サービスの製造・提供の**目標としてねらった**品質
	別称	ねらいの品質
	測り方	企画・設計に対する顧客・使用者の満足度
製造品質	定義	設計品質をねらって製造・提供した製品・サービスの**実際の**品質
	別称	できばえの品質、適合の品質
	測り方	合格率・不良率、工程能力指数など

❷▶検　査

1 検査の機能、目的

品質管理において、特に品物に対して要求される検査の機能、目的として、次のような事項が含まれている。

1）不良品や不良ロットを次工程や顧客に引き渡さないようにすること。
2）品質情報を関係部門や上層部に提供し、不良品や不良ロットの発生の予防に役立てること。
3）納入者（前工程）に良い品物を提供しようとする意欲をもたせること。

2 検査の種類

1）検査の時期による分類

受入検査、購入検査、工程間検査、完成品検査、出荷検査などがある。

2）検査対象による分類

① **全数検査**

製品のすべてのアイテムに対して行う検査である。不良品を確実に発見し、排除することで不良品の出荷をほぼゼロにすることができるが、手間とコストがかかる。

② **抜取検査**

製品のサンプルを用いる検査で、たとえば、10,000個というロットの製品があったとすると、そのうち100個を抜き取って検査をする方法である。全数検査に比べて手間とコストは大幅に削減できるが、ロットの中に不良品が混入するリスクがある。

それぞれの検査方法の長短を加味しながら、不良品が混入することによって生じる損失と、検査費用を削減することによる利益との比較によって、検査の方法を決定するのが一般的である。

参　考

ロット単位の抜取検査のリスク

１ロット2,000個の製品について抜取検査を行うケースを想定し、ロット単位の検査基準を以下のように取り決めたとする。

〈検査基準〉

○2,000個のロットのうち、100個をサンプル抽出する。

○サンプル100個のうち、不良品が２個（不良率２％）までであればロット全数を合格とする。
（しかし、実際にはサンプル100個とロット全数2,000個の不良率は異なる場合がある）

〈ケース１：生産者危険〉

○サンプル100個のうち、不良品が４個（不良率４％）発見される→ロット全数不合格。

○しかし、実際には2,000個のロットのうち、不良品は20個のみであったとする（不良率１％）。

⇒　実際は合格水準を上回っているのに、ロット全数が不合格とみなされ納品できない。

⇒　生産者が損をする。

この状態を、**生産者危険**（または**第１種の誤り**）とよぶ。

〈ケース２：消費者危険〉

○サンプル100個のうち、不良品が１個（不良率１％）発見される→ロット全数合格。

○しかし、実際には2,000個のロットのうち、不良品は60個存在したとする（不良率３％）。

⇒　実際は合格水準を下回っているのに、ロット全数が合格とみなされ納品されてしまう。

⇒　消費者が損をする。

この状態を、**消費者危険**（または**第２種の誤り**）とよぶ。

〈用語の定義〉

- **第1種の誤り**は、「帰無仮説が正しいとき、帰無仮説を放棄する誤り。あわてものの誤りともいう JIS Z 8101-1-2.51」と定義される。また、抜取検査では生産者危険のことをいう。
- **第2種の誤り**は、「帰無仮説が正しくないとき、帰無仮説を放棄しない誤り。ぼんやりものの誤りともいう JIS Z 8101-1-2.52」と定義される。また、抜取検査では消費者危険のことをいう。

※ 帰無仮説：差がない、効果がないというような形の仮説で、ゼロ仮説ともいう。

❸▶ISOマネジメントシステム規格

1 ISO

ISO（International Organization for Standardization：国際標準化機構）は、〝製品やサービスの国際交易を容易にし、知識・科学・技術・経済の分野での国際協力の進展を支援する、および規格の標準化の促進に資するため〟に設立されている。

2 ISO9000シリーズ

ISO9000シリーズ（ファミリー規格）は、組織が顧客の要求事項および法的・公的規制要求事項を満足する製品・サービスを継続的に供給し、顧客満足の向上を目指すために、必要な**品質マネジメントシステム**を備えており、かつ、その実施状況が適切であるか否かをチェックするための、いわば物差しの役割を果たすものである。ISO9001は製品の品質保証と、顧客満足および改善を含む組織の管理まで踏み込んだ、品質マネジメントシステムの要求事項を規定した国際規格である。ISO9001の認証取得は、取得時点での品質が保証されるということではなく、継続的に品質の維持・向上を図ることが可能なマネジメントシステムが確立されていることを意味する。

- 品質マネジメントシステムの確立、文書化、実施、維持
- 品質の維持・向上を持続的に行う仕組み

〈ISO9001認証の取得による期待効果〉

① 取引関係者からの信用の向上
② 新たな取引の開始
③ 品質向上によりクレーム数の低下
④ 従業員の啓発、教育
⑤ 従業員のモチベーションアップ
⑥ 経営者の考えの全社的な浸透

3 ISO22000

食品安全を目的とした初めてのISOマネジメント規格で、2005年9月1日に発行された（CODEX－HACCPをベースとしたマネジメント規格）。食品に関連する企業の持続的発展に寄与する、リスクマネジメントやコンプライアンスといった要素を組み込んだマネジメントシステムとなっている。

CODEX（コーデックス）は、国連の国連食糧農業機関（FAO）と世界保健機関（WHO）の合同機関である食品規格（CODEX）委員会のことである。

❹▶HACCP

R5 39　R3 40

HACCP（ハサップ）（Hazard Analysis and Critical Control Point）とは、食品等事業者自らが食中毒菌汚染や異物混入等の危害要因（ハザード）を把握したうえで、原材料の入荷から製品の出荷に至る全工程の中で、それらの危害要因を除去または低減させるために特に重要な工程を管理し、製品の安全性を確保しようとする衛生管理の手法である。従来の抜取検査による衛生管理に比べ、より効果的に問題のある製品の出荷を未然に防ぐことが可能となるとともに、原因の追及を容易にすることが可能となる。試験対策上、重要な用語は以下のとおりである。

❶　危害要因分析（HA、Hazard Analysis）

一連の工程に潜んでいる危害要因を列挙し、それらに対する管理手段を一つずつ分析すること。（図手順6）

❷　重要管理点（CCP、Critical Control Point）

食品の安全性に対する危害要因を防止または排除、もしくは許容できるレベルにまで低減するために管理が適用されかつ必須であるステップのこと。（図手順7）

❸　管理基準（CL、Critical Limit）

CCPのコントロールで、逸脱すると製品の安全性が確保できなくなる値（パラメーター）の基準のこと。（図手順8）

HACCPの７原則12手順

手順１	HACCPのチーム編成	製品を作るために必要な情報を集められるよう、各部門から担当者を集める。
手順２	製品説明書の作成	製品の安全について特徴を示す。原材料や特性等をまとめておき、危害要因分析の基礎資料とする。
手順３	意図する用途及び対象となる消費者の確認	用途は製品の使用方法（加熱の有無等）を、対象は製品を提供する消費者を確認する。
手順４	製造工程一覧図の作成	受入れから製品の出荷もしくは食事提供までの流れを工程ごとに書き出す。
手順５	製造工程一覧図の現場確認	製造工程一覧図ができたら、現場での人の動き、モノの動きを確認して必要に応じて工程図を修正する。
手順６（原則１）	危害要因分析（HA）の実施	工程ごとに原材料由来や工程中に発生しうる危害要因を列挙し、管理手段をあげていく。
手順７（原則２）	重要管理点(CCP)の決定	危害要因を除去・低減すべき特に重要な工程を決定する。
手順８（原則３）	管理基準（CL）の設定	危害要因分析で特定したCCPを適切に管理するための基準を設定する。
手順９（原則４）	モニタリング方法の設定	CCPが正しく管理されているかを適切な頻度で確認し、記録する。
手順10（原則５）	改善措置の設定	モニタリングの結果、CLが逸脱していた時に講ずるべき措置を設定する。
手順11（原則６）	検証方法の設定	HACCPプランに従って管理が行われているか、修正が必要かどうか検討する。
手順12（原則７）	記録と保存方法の設定	記録はHACCPを実施した証拠であると同時に、問題が生じた際には工程ごとに管理状況を遡り、原因追求の助けとなる。

（出所：（公社）日本食品衛生協会 https://www.n-shokuei.jp/eisei/haccp_sec05.html をもとに作成）

3 設備管理

設備の高度化により、設備管理の役割は重要性を増している。ここでは、設備保全と評価・更新について学習する。

1 設備保全

R2 19

❶▶設備保全

設備保全は「設備性能を維持するために、設備の劣化防止、劣化測定及び劣化回復の諸機能を担う、日常的又は定期的な計画、点検、検査、調整、整備、修理、取替えなどの諸活動の総称 JIS Z 8141-6201」と定義されている。設備の技術的な性能を完全な状態に維持し、正常な生産に寄与するための活動を総称して設備保全とよんでいる。

R6 8

故障は、「設備が次のいずれかの状態になる変化a）規定の機能を失う。b）規定の性能を満たせなくなる。c）設備による産出物又は作用が規定の品質レベルに達しなくなる。JIS Z 8141-6108」と定義されている。重大な故障または停止が長期間に渡り企業活動に決定的な影響を与える故障を大故障（**ドカ停**）、短時間に回復できる故障を小故障（**チョコ停**）という。設備保全を実施するうえで、故障を未然に防ぐことを重要視するあまり、保全コストがかかりすぎるという現象が生じることがある。これに対し、生産保全の考え方が導入された。**生産保全**は、「生産目的に合致した保全を経営的視点から実施する、設備の性能を最大に発揮させるための最も経済的な保全方式 JIS Z 8141-6203」と定義されている。生産保全の目的は、設備の計画、設計・製作から運用・保全をへて廃棄、再利用に至る過程で発生するライフサイクルコストを最小にすることによって経営に貢献することである。

R4 20
R2 20

生産保全を分類すると次のようになり、設計時の技術的性能を維持するための**維持活動**と、性能劣化を修復・改善する**改善活動**に大別される。

図表 [1−3−46] **生産保全の分類**

R6 8

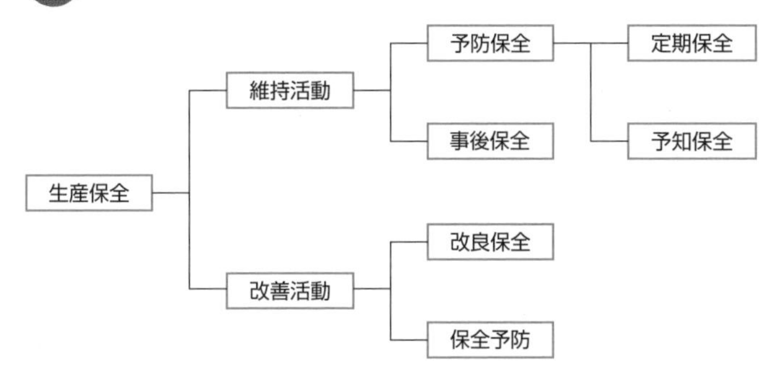

R6 8 R4 17

1）**予防保全**

「アイテムの劣化の影響を緩和し、かつ、故障の発生確率を低減するために行う保全 JIS Z 8141-6205」。設備の故障を未然に防止するために、前もって実行する保全である。

2）**定期保全**

「予定の時間間隔で行う予防保全 JIS Z 8141-6208」。予知保全の対語である。**時間計画保全**ともいう。

R4 17

3）**予知保全**

「設備の劣化傾向を設備診断技術などによって管理し、故障に至る前の最適な時期に最善の対策を行う予防保全の方法 JIS Z 8141-6209」。定期保全の対語である。**状態監視保全**または**状態基準保全**ともいう。設備診断では、電力、潤滑油、振動、音、温度、圧力などを調べる。

R6 8 R4 17

4）**事後保全**

「フォールト検出後、アイテムを要求どおりの実行状態に修復させるために行う保全 JIS Z 8141-6204」。一般に、設備が故障してから行う保全である。

R6 8 R4 17

5）**改良保全**

「故障が起りにくい設備への改善、又は性能向上を目的とした保全活動 JIS Z 8141-6206」。設備の構成要素・部品の材質や使用の改善、構造の設計変更などが含まれる。具体的な効果として、稼働条件の改善によるサイクルタイムの短縮、生産効率の向上、工具の寿命延長などがあげられる。

R6 8

6）**保全予防**

「設備、系、ユニット、アッセンブリ、部品などについて、計画・設計段階から過去の保全実績又は情報を用いて不良及び故障に関する事項を予知・予測し、これらを排除するための対策を織り込む活動 JIS Z 8141-6207」。故障しにくい設備を設計する活動ということができる。

7）**その他の保全に関する用語**

① **集中保全**

「設備保全の業務を専門とする保全部門を置き、集中して設備保全の活動を実施する活動 注釈１ 設備保全の業務の中で高度な専門技術を必要とする業務を保全部門へ集中することが、技術水準の維持向上に有利である。JIS Z 8141-6211」

R4 19

② **部門保全**

「設備保全の業務を、設備の運転部門（主として製造部門）が部門別に分散して実施する活動 注釈１ 設備の運転部門は地理的に分散していることが多いので地域保全ともいう。 JIS Z 8141-6212」

❷▶バスタブ曲線（寿命特性曲線、故障率曲線）

一般的な機械設備の故障発生と使用時間との関係を表す曲線である。縦軸は故障率、横軸は使用期間であり、描かれた曲線により、機械設備の導入初期および一定期間を経過した機械設備に故障が多く、中間の期間には故障が少ないことがわかる。

 [1−3−47] **バスタブ曲線**

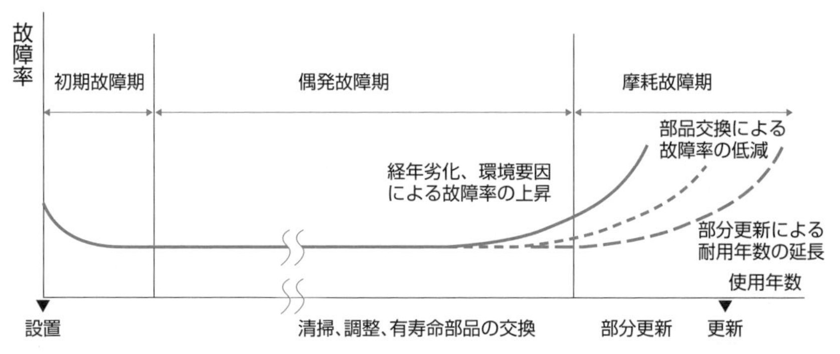

(出所：厚生労働省「職場のあんぜんサイト」https://anzeninfo.mhlw.go.jp/yougo/yougo59_1.html をもとに作成)

1）初期故障期

新設備の運転初期や旧設備の修理・改善直後に故障率が高まる時期。原因としては、設計・製造による不具合・粗雑運転などがあげられる。

2）偶発故障期

R5 21

設備や設備に使用する部品の寿命に達する以前の安定期。この時期は、日常的な保全に努める。

3）摩耗故障期

機械的な摩耗や老朽化によって故障が集中的に発生する時期。

バスタブ曲線の各期間によって適切な保全活動は異なってくる。各期間と主な保全活動のポイントをまとめると以下の表のようになる。

 [1−3−48] **バスタブ曲線と主な保全活動のポイント**

故障期	特 徴	主な保全活動のポイント
初期故障期	設計ミスや潜在的な欠陥による故障が発生する可能性が高い	・故障を未然に防ぐ「予防保全（予知保全）」 ・設備を改良し機能向上を図る「改良保全」 ・設計ミスなどが生じないような「保全予防」
偶発故障期	故障が少なく、いつ故障が発生するか分かりにくい時期	・通常は「事後保全」
摩耗故障期	設備や部品の摩耗による故障が発生しやすい	・故障時期を踏まえた「予知保全」

❸ ▶ TPM

R5 19
R4 19

TPM（Total Productive Maintenance）とは、全員参加の生産保全（PM: Productive Maintenance）のことであり、以下のとおり定義されている。

① 生産システム効率化の極限追及（総合的効率化）をする企業体質づくりを目標にして、
② 生産システムのライフサイクル全体を対象とした「災害ゼロ・不良ゼロ・故障ゼロ」などあらゆるロスを未然防止する仕組みを現場・現物で構築し、
③ 生産部門をはじめ、開発、営業、管理などのあらゆる部門にわたって、
④ トップから第一線従業員に至るまで全員が参加し、
⑤ 重複小集団活動により、ロス・ゼロを達成すること

TPMでは、製造部門が行う**自主保全**と保全部門が行う**計画保全**に分けることができる。

1）自主保全

自然劣化とは、正しい操作・運転をしていても、時間とともに物理的に進行してしまう劣化である。**強制劣化**は、「給油しない、給油の量が少ない」など清掃や給油、使用条件などの決められた事項を守らないために、急激に進行する劣化である。

製造部門は、主に日常点検や給油、部品交換、異常発見など、設備の劣化防止に関する活動を主に担当する。設備を正常な状態に保つ上でも不可欠な活動があり、**「清掃」「給油」「増締め」**の３項目は、**設備維持の基本条件**と呼ばれている。この基本条件をやりやすく、守りやすく整備することで、人為的な劣化（強制劣化）を防ぐ。自主保全は、次の７段階のステップ方式で活動を行う。

[1−3−49] **自主保全ステップ方式の進め方**

進め方	ステップ	名称
第１段階	第１	初期清掃（清掃点検）
	第２	発生源・困難箇所対策
	第３	自主保全仮基準の作成
第２段階	第４	総点検
	第５	自主点検
第３段階	第６	標準化
	第７	自主管理の徹底

2）計画保全

計画保全は専門保全部門が担当する活動であり、自主保全の支援、最適保全方式の検討、予知保全体制づくりなどを行う。具体的な活動項目はおおむね以下のとおりである。

・事前に故障の発生を防ぐ：予知保全活動、予防保全活動
・故障の要因を取り除く：改良保全活動、保全予防活動
・発生した故障を早期に復元する：事後保全活動

2 評価と更新

❶▶設備総合効率

R6 8　R4 18　R4 19　R2 20

設備総合効率とは、「設備の使用効率の度合を表す指標 JIS Z 8141-6501」のことであり、設備がどの程度効率よく使用され、付加価値を生み出す時間に貢献しているか測定する指標である。

設備が動くべき時間である**負荷時間**の中には、次のようなロス（付加価値を生まない時間）がある。

停止ロス：故障や段取などにより、設備が止まっている時間
性能ロス：空転、速度低下により、実質的にモノをつくっていない時間
不良ロス：不良品の生産により、良品がつくられていない時間

停止ロスの大きさを**時間稼働率**、性能ロスの大きさを**性能稼働率**、不良ロスの大きさを**良品率**によって評価する。

図表 ［1－3－50］ **設備総合効率の体系**

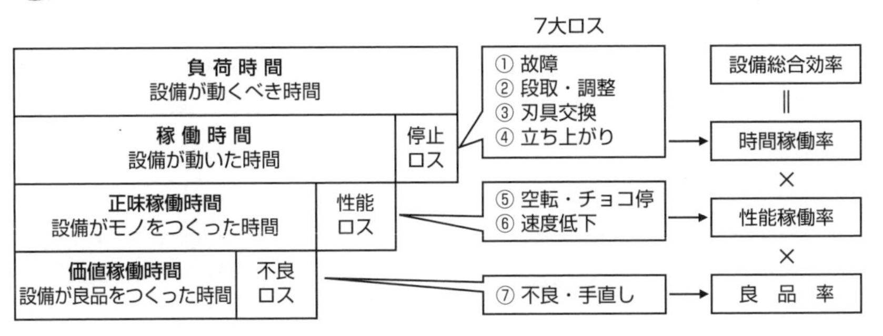

1）時間稼働率

設備が動くべき時間（負荷時間）に対する、実際に動いた時間（稼働時間）の比率を示す指標である。

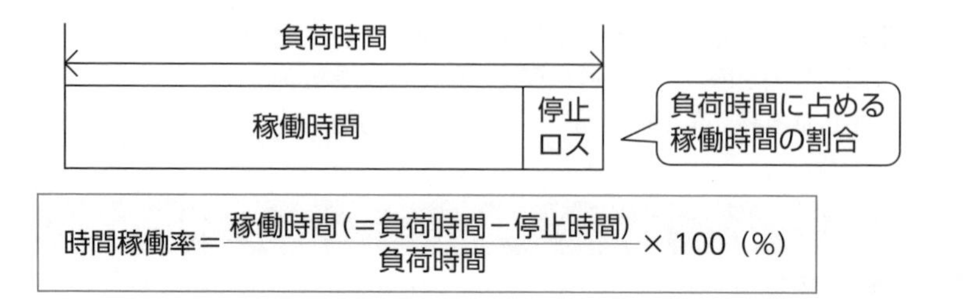

$$時間稼働率＝\frac{稼働時間（＝負荷時間－停止時間）}{負荷時間}\times 100\ （\%）$$

2）性能稼働率

実際に動いた時間（稼働時間）に対する、モノをつくった実質的な稼働時間（正味稼働時間）の比率を示す指標である。

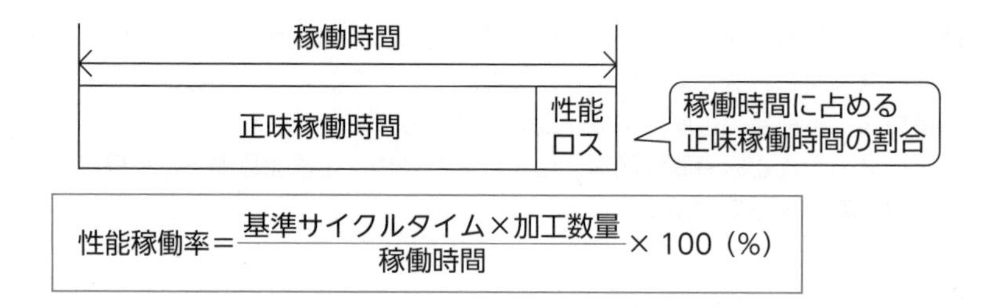

$$性能稼働率＝\frac{基準サイクルタイム\times 加工数量}{稼働時間}\times 100\ （\%）$$

3）良品率

モノをつくった実質的な稼働時間（正味稼働時間）に対する、良品を作った時間（価値稼働時間）の比率は、加工した数量に対する、良品の数量の比率（良品率）で計算することができる。

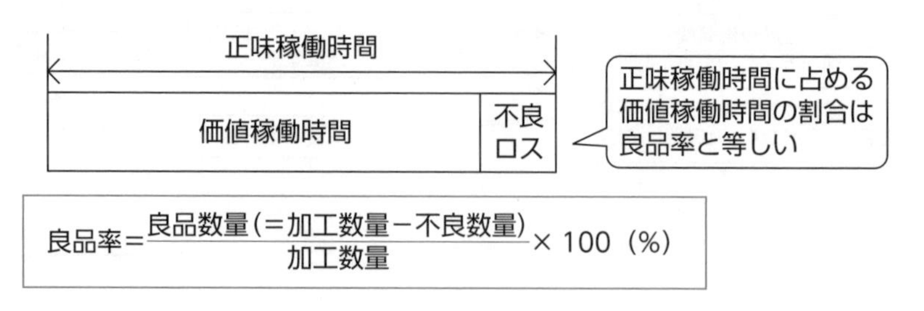

$$良品率＝\frac{良品数量（＝加工数量－不良数量）}{加工数量}\times 100\ （\%）$$

以上より、次の式で設備総合効率を求めることができる。

設備総合効率＝時間稼働率×性能稼働率×良品率

$$=\frac{\text{稼働時間}}{\text{負荷時間}}\times\frac{\text{基準サイクルタイム}\times\text{加工数量}}{\text{稼働時間}}\times\frac{\text{良品数量}}{\text{加工数量}}$$

$$=\frac{\text{基準サイクルタイム}\times\text{良品数量}}{\text{負荷時間}}$$

参　考

性能稼働率

　たとえば、基準サイクルタイム２分の製品を60分かけて生産した場合、製品が２分間隔で完成するため、製品が30個生産されるはずである。しかし、実際には速度低下、空転、チョコ停などにより15個しか生産できなかったとする。このとき、性能稼働率は、以下のとおり計算できる。

基準サイクルタイムのペースで生産できていたら、15個つくるために要する時間は30分（＝モノをつくった実質的な稼働時間）

$$\text{性能稼働率}=\frac{\text{基準サイクルタイム}\times\text{加工数量}}{\text{稼働時間}}=\frac{\boxed{2\text{分/個}\times15\text{個}}}{60\text{分}}\times100$$

$$=50\%$$

設　例

　基準サイクルタイムが2分/個に設定されている加工機械について、1,000時間の負荷時間内での設備データを収集したところ下表が得られた。この機械の設備総合効率の値として、最も適切なものを下記の解答群から選べ。

[H29－18]

設備データの内容	値
稼働時間	800時間
加工数量（不適合品を含む）	18,000個
不適合品率	20%

〔解答群〕

ア 0.48　　イ 0.50　　ウ 0.52　　エ 0.54

解答　ア

設備総合効率＝時間稼働率×性能稼働率×良品率

$$=\frac{基準サイクルタイム\times良品数量}{負荷時間}$$

問題文の条件より、基準サイクルタイム＝2分/個、負荷時間＝1,000時間＝60,000分であることが分かる。良品数量は、以下の式から算出することができる。

良品数量＝加工数量×良品率＝加工数量×（1－不適合品率）

＝18,000×（1－0.2）

＝18,000×0.8＝14,400（個）

以上の数値を設備総合効率の式に代入する。

$$設備総合効率=\frac{基準サイクルタイム\times良品数量}{負荷時間}=\frac{2\times14{,}400}{60{,}000}=\underline{0.48}$$

R4 19　R3 19

❷▶設備の評価指標

設備の故障のしにくさや修復のしやすさを、稼働時間や修復時間など時間の観点から評価する指標には、以下のようなものがある。

1）平均故障間動作時間（MTBF（MOTBF）：Mean Operating Time Between Failures）

平均故障間動作時間とは「故障間動作時間の期待値 JIS Z 8141-6504」と定義され、設備の**信頼性**を評価する指標のひとつである。故障設備が修復されてから、次に故障するまでの動作時間の平均値を表し、期間中の総動作時間÷総故障数で求める。MTBFが**大きいほど信頼性が高い**。

R5 21

2）平均修復時間（MTTR：Mean Time To Restoration）

平均修復時間とは「修復時間の期待値 JIS Z 8141-6505」と定義され、設備の**保全性**を評価する指標のひとつである。故障した設備を運用可能状態へ修復するために必要な時間の平均値を表し、期間中の総修復時間÷総修復数で求める。MTTRが**小さいほど保全性が高い**。

R6 8

3）アベイラビリティ

アベイラビリティとは「要求どおりに遂行できる状態にあるアイテムの能力 JIS Z 8141-6506」と定義され、可用性、可動率、稼働率ともいう。アベイラビリティはMTBFとMTTRを使って次のように求められる。

$$アベイラビリティ=\frac{MTBF}{MTBF+MTTR}$$

設　例

初期導入された設備を300時間利用したときの稼働および故障修復について、下図のような調査結果が得られた。この設備の①MTBF（平均故障間動作時間）、②MTTR（平均修復時間）、③アベイラビリティの値として、最も適切なものの組み合わせを下記の解答群から選べ。　[H24－17改題]

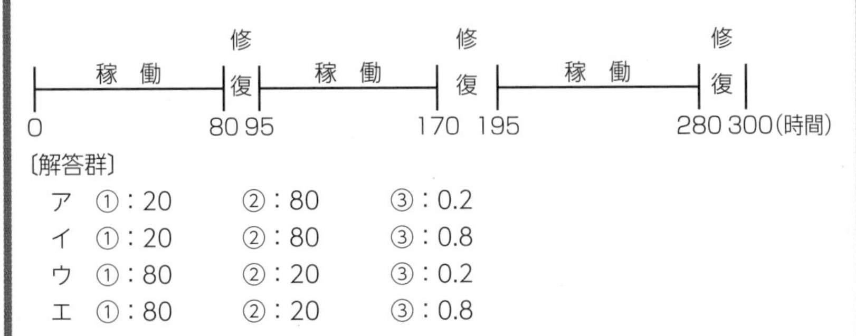

〔解答群〕

ア　①：20　②：80　③：0.2
イ　①：20　②：80　③：0.8
ウ　①：80　②：20　③：0.2
エ　①：80　②：20　③：0.8

解　答　**エ**

①

$$\text{MTBF(平均故障間動作時間)} = \frac{\text{期間中の総動作時間}}{\text{総故障回数}} = \frac{80+75+85}{3} = 80\text{(時間)}$$

②

$$\text{MTTR(平均修復時間)} = \frac{\text{期間中の総修復時間}}{\text{総修復回数}} = \frac{15+25+20}{3} = 20\text{(時間)}$$

③

$$\text{アベイラビリティ} = \frac{\text{MTBF}}{\text{MTBF}+\text{MTTR}} = \frac{80}{80+20} = 0.8$$

※　なお、H24の出題時には、MTBFは「平均故障間隔」、アベイラビリティは「可用率」と呼ばれていたが、その後のJIS定義の改正に伴い、それぞれ「平均故障間動作時間」「可用性、可動率、または稼働率」に変更された。本テキストの問題文は、JIS定義の改正に合わせて改題している。

❸▶設備更新

設備更新とは、「現在使用している設備の劣化又は陳腐化の進行に対処するため、他の設備と取り替える活動 JIS Z 8141-6601」のことである。

なお、劣化損失とは、設備劣化による性能低下に起因する損失の総称のことであり、生産減損失、品質低下損失、コスト増大損失、納期遅れ損失、安全性低下損失、作業環境悪化損失などがある。

4 廃棄物等の管理

1 環境マネジメントシステム（EMS）

組織（企業）にとって社会的使命のひとつとして地球環境への負荷軽減がある。EMS（Environmental Management System：環境マネジメントシステム）は、組織がその活動および提供する製品やサービスが環境に与える負荷を低減するように配慮し、継続的にその改善を続けられるようにするための「組織的な仕組み」である。

R2 22

❶▶ISO14000シリーズ

ISO14001は組織の活動、製品・サービスによる、または間接的に与える著しい環境影響や環境リスクを低減し、発生を予防するための環境マネジメントシステムの要求事項を規定した国際規格で、PDCAサイクルにより環境マネジメント自体の継続的な改善に取り組み、環境を改善していくための事項を定めている。

〈ISO14001認証の取得による期待効果〉

① 廃棄物管理コストの削減
② エネルギーや資源消費の節約
③ 物流コストの削減
④ 企業イメージの向上
⑤ 環境パフォーマンスの継続的改善の仕組み構築
※ ①〜③はコスト削減

R4 21 R2 22

❷▶エコアクション２１

エコアクション21 とは、環境省が中小事業者にも取り組みやすいよう策定した日本独自の環境マネジメントシステムである。環境マネジメントシステム、環境パフォーマンス評価および環境報告を1つに統合し、その結果を「環境経営レポート」として取りまとめて公表することを要件として規定している。ISO14001と同様に、PDCAサイクルに基づく環境活動を求めているが、中小企業に配慮し要求事項を14に絞るなど、ISOより簡易的な仕組みといえる。

2 廃棄物の処理・管理

R5 5 R3 21

❶▶3R（リデュース・リユース・リサイクル）

■1 リデュース（発生抑制）

リデュースとはゴミの発生を抑制することである。その取り組みとして、製品の耐久性向上、過剰包装の削減、使い捨て商品の販売自粛、浪費型の消費習慣の見直しなどが発生抑制に重要と考えられる。

2 リユース（再使用）

リユースとは製品の再使用のことである。その取り組みとしては、修理技術の高度化とサービスの充実、補修部品の長期在庫（生産）、中古製品市場の拡大などがリユースの普及に重要と考えられる。

3 リサイクル（再資源化）

リサイクルとは製品を回収して、別の用途、別の資源などとして使用することである。その取り組みとしては、資源の分別提供および分別回収、リサイクルのしやすい製品構造、リサイクル品の購入意識の向上などが資源のリサイクルの普及に重要と考えられる。

❷▶サーキュラーエコノミー

R6 20 R4 21

サーキュラーエコノミー（循環経済）とは、従来の３Ｒの取組に加え、資源投入量・消費量を抑えつつ、ストックを有効活用しながら、サービス化等を通じて付加価値を生み出す経済活動であり、資源・製品の価値の最大化、資源消費の最小化、廃棄物の発生抑止等を目指すものである。

図表 [1−3−51] **サーキュラーエコノミー**

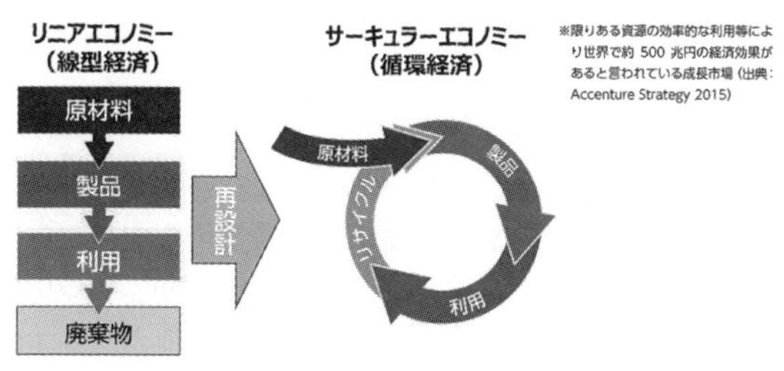

（出所：環境省 https://www.env.go.jp/policy/hakusyo/r03/html/hj21010202.html）

❸▶ライフサイクルアセスメント（LCA）

R6 20

ライフサイクルアセスメント（LCA）は、「資源の採掘から素材製造、生産、使用及び廃棄段階に至るプロダクトライフサイクル全体を通じて、製品の環境への影響を調査・計量・評価する環境マネジメントの手法 JIS Z 8141-2405」と定義されている。製品のライフサイクルに要する全体の環境負荷を二酸化炭素（CO_2）などに換算して定量化したものであり、ISO14040に規定されている。

LCAは、「**目的及び調査範囲の設定**」「**インベントリ分析**」「**影響評価**」「**解釈**」の

4段階で行われる。

図表 [1−3−52] **LCAの段階**

段階	内容
目的および調査範囲の設定	LCAをどのような目的のために実施するのかを明らかにし、前提条件や制約条件を明記する
インベントリ分析	ライフサイクルの各段階における環境負荷データであるインプットやアウトプットをライフサイクル全体で計算する
影響評価	インベントリ分析で得られた結果を、たとえば「地球温暖化」「大気汚染」といった環境影響項目（環境へのインパクトカテゴリー）に分類し、各項目で環境への影響度を評価する
解釈	インベントリ分析および影響評価のいずれか、またはその両方から得た知見を、目的及び調査範囲の設定に従って、結論や提言、意思決定のための根拠として要約し、議論する

LCAの目的は、**インベントリ分析および解釈だけの実施によって達成されてもよい**とされている。これは通常「**ライフサイクルインベントリ調査**」とよばれる。

R6 20

❹▶カーボンフットプリント

カーボンフットプリントとは、製品やサービスの原材料調達から廃棄、リサイクルに至るまでのライフサイクル全体を通して排出される温室効果ガスの排出量をCO_2排出量に換算し、製品に表示する仕組みのことである。ＬＣＡ手法を活用し、環境負荷を定量的に算定する。

R6 20
R4 21

❺▶カーボンニュートラル

カーボンニュートラルは、温室効果ガスについて、排出を全体としてゼロにすることであり、具体的には排出量から吸収量と除去量を差し引いた合計をゼロにすることを意味する。排出を完全にゼロに抑えることは現実的に難しいため、排出せざるを得なかった分については同じ量を「吸収」または「除去」することで、差し引きゼロ、つまり「ニュートラル（中立）」をめざすということである。

第4章

製造業における情報システム

Registered Management Consultant

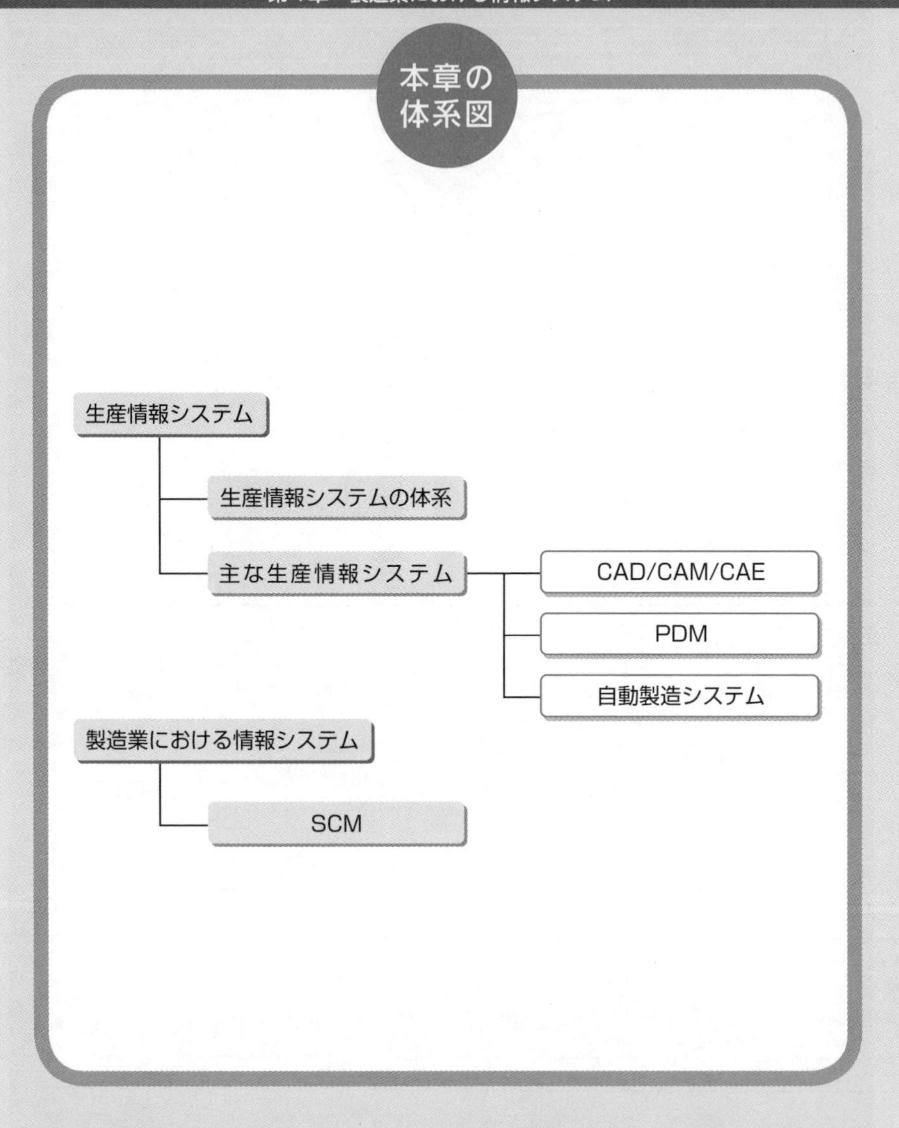

本章のポイント

◇ CAD、CAM、CAEについてそれぞれ内容を理解する。
◇ PDMおよびコンカレントエンジニアリングについて理解する。
◇ AGVを覚える。

1 生産情報システム

1 生産情報システムの体系

生産情報システムとは、生産にかかわる情報システムの総称で、一般に工場での生産管理を中心に関連情報システムが含まれている。具体的には、需要予測、販売管理、生産計画、資材調達、在庫管理、設備管理、物流管理などのシステムから構成される（図表1－4－1）。生産情報システムは、このようなひとつひとつの業務や管理をシステム化したサブシステムから構成されている。

近年、顧客志向が強まり、販売と生産の情報統合を目指す製販統合システムや、サプライヤーとの情報共有を実現するサプライチェーンマネジメント（後述）などの社外ネットワークが着目されている。また、コンカレントエンジニアリング（後述）が提唱されて以降、設計業務と生産技術との統合なども重視されてきている。

図表 [1－4－1] **生産情報システムの構成**

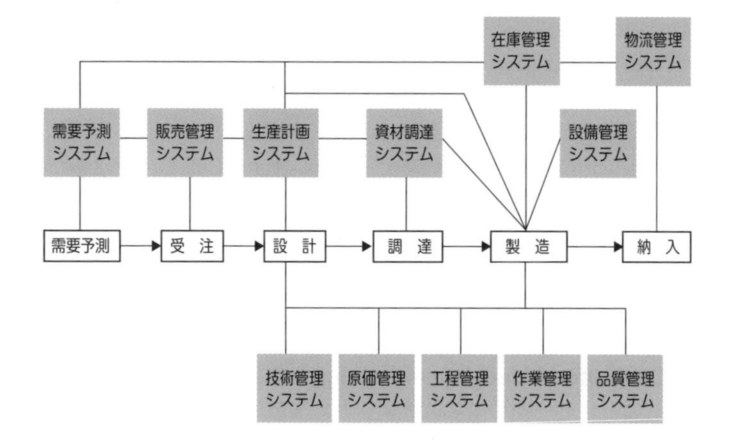

2 主な生産情報システム

❶▶CAD/CAM/CAE

製品開発で威力を発揮するシステムとして、CAD/CAM、そしてCAEがある。

図表 [1−4−2] **CAD/CAMとCAEの関係**

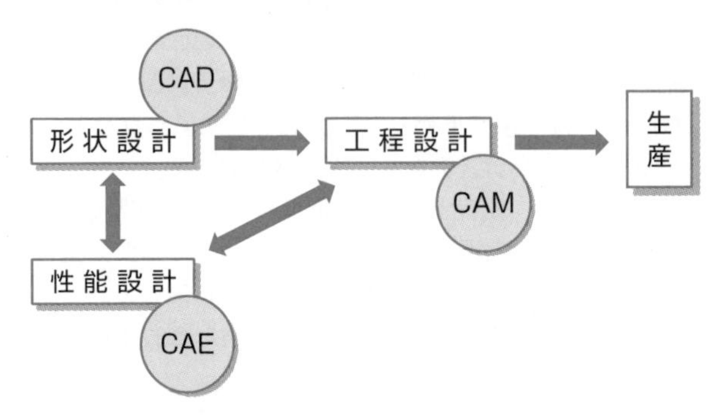

1 CAD（キャド）（Computer-Aided Design：コンピュータ支援設計）

CADは、「製品の形状、その他の属性データからなるモデルを、コンピュータの内部に作成し解析・処理することによって進める設計 JIS B 3401-0102」のことである。

製品の企画段階の**デザイン**や開発製造段階での**設計**に利用される。従来、定規と鉛筆で製図用紙に作成していたものをディスプレイ上で作成し、できあがった設計データはシステム上に保存される。

３次元CADを利用することにより、２次元図面で製品を検討するのではなく、実物体に近い立体で製品を検討することができる。具体的な製品イメージであることから、顧客の要望をより考慮しやすくなる。

R5 4

2 CAM（キャム）（Computer-Aided Manufacturing：コンピュータ支援生産）

CAMは、「コンピュータの内部に表現されたモデルに基づいて、生産に必要な各種情報を生成すること、及びそれに基づいて進める生産の形式 JIS B 3401-0103」のことである。広義には生産準備と生産制御におけるコンピュータ支援を意味するが、通常は、生産準備段階での**工程設計**、**作業設計**および**スケジューリングを対象とする**ことが多い。

なお、**CAD/CAM**という用語もある。これは、「CADによってコンピュータ内部に表現されるモデルを作成し、これをCAMで利用することによって進める設計・生産の形式 JIS B 3401-0104」のことである。CAMは当初CADとは独立にNC工作機（後述）のための自動プログラミングシステムとして発展した。現在は、CAMで必要とする形状データをCADから直接得ることができるようになり、設計から製造までの情報を統合することで、一貫した支援をするCAD/CAMの概念が確立した。

❸ CAE（Computer-Aided Engineering：コンピュータ支援解析システム）

CAEとは、「製品を製造するために必要な情報をコンピュータを用いて統合的に処理し、製品品質、製造工程などを解析評価するシステム JIS B 3000-3001」のことである。つまり、設計データに基づく**製品のシミュレーションを行うシステム**で、製品の安定性、強度、干渉、品質、性能などを事前に評価するものである。実際に試作品を製作して実験評価するのではなく、これと同様の検討をコンピュータ・シミュレーションで実施するため、**開発費用の削減**や**開発期間の短縮**を図ることができる。また、実験では困難な極限条件で評価することもできる。

 ［1－4－3］ **CAEによるシミュレーション（自動車の衝突安全性分析）のイメージ**

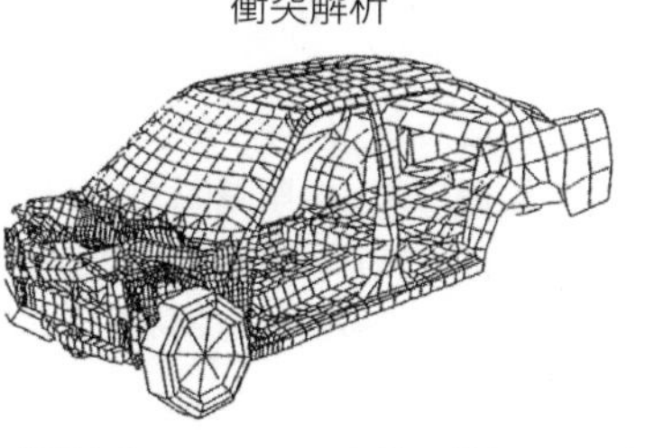

（三浦登・福田水穂共編『自動車設計と解析シミュレーション』培風館をもとに作成）

❷▶PDM（Product Data Management：製品情報管理システム）····

R5 4

PDMとは、「生産活動を行うための情報を、データベースを使用して統合的に管理すること。JIS B 3000-3038」のことである。CADデータも含めた**製品情報**と**開発プロセスを一元的に管理する**システムである。PDMには、図面管理、開発プロセスの管理、製品や部品の構成・設計変更や履歴を管理する機能がある。

PDM導入により、複数部門（あるいは複数企業）による開発情報の共有化の実現も容易になる。そのため**コンカレントエンジニアリング（CE）**の実現につながる。

図表 [1−4−4] **PDMとCEの関係**

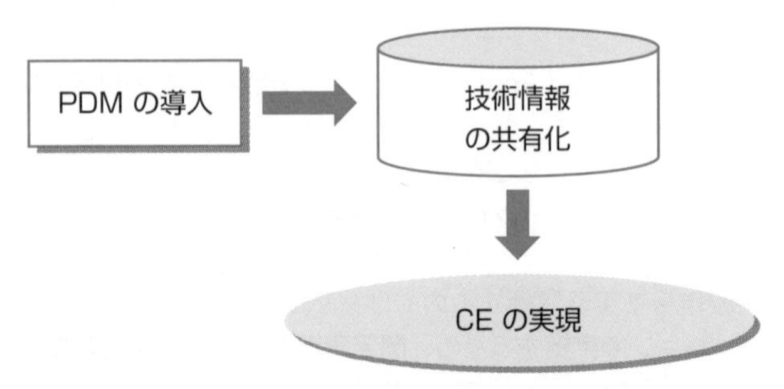

R5 4 **[コンカレントエンジニアリング（CE：Concurrent Engineering）]**

CEとは、「製品設計、製造、販売などの統合化、同時進行化を行うための方法 JIS Z 8141-3113」である。

つまり、各部門が電子化されたデータを共有化しながら、協調して工程を進めていく製品開発手法のことである。各工程の情報が途中段階で即座に他工程に伝達されると同時に、他工程からのフィードバックがなされることにより、**リードタイムの短縮**や**製造コストの削減**につながり、生産効率が向上する。製品機能に対する要求が高まるにつれて、技術体系が複雑化し、工程が細分化されるようになった。その結果、これまでの直列的な開発プロセスでは生産効率の低下が避けられない状況となっている。

❸▶自動製造システム

当初、単体で用いられていたNC工作機は、多数の異なる種類の作業を自動的に行うMC（Machining Center：自動工具交換装置をもつ数値制御多機能工作機）に発展した。また、NC工作機にコンピュータが内蔵されたCNC（Computer Numerical Control：コンピュータ数値制御）に発展し、さらには、生産管理コンピュータと数値制御システムとの間でデータを分配する階層システムであるDNC（Distributed Numerical Control：分散系数値制御）に発展した。その後、工程間を自動搬送する機器（AGV）の発達により、FMC（フレキシブル加工セル：Flexible Manufacturing Cell）からFMS（柔構造製造システム：Flexible Manufacturing System）に発展した。その後、FA（Factory Automation）、そしてCIM（Computer Integrated Manufacturing）へというように企業レベルの自動化へと発展している（図表1−4−5参照）。

［1−4−5］ **生産システムの対象範囲（NCからCIMへの発展）**

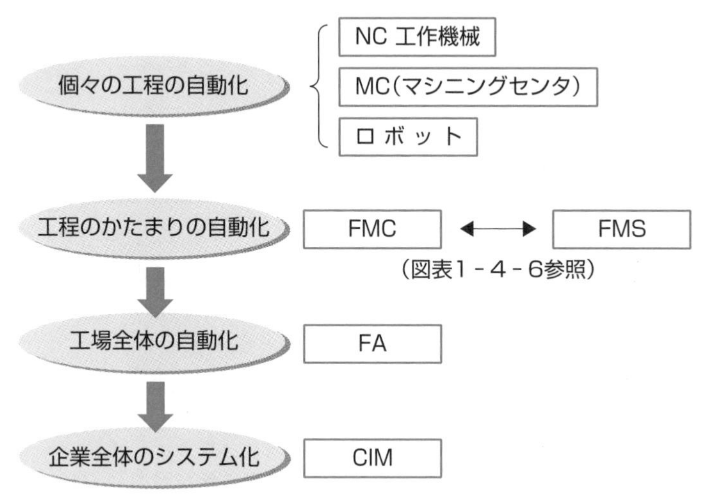

1 NC（Numerical Control）工作機械

NCとは数値制御のことで、工作物に対する工具経路、加工に必要な作業の工程などを、それに対応する数値情報で指令する制御のことである。その工作機械をNC工作機械とよび、NC旋盤やNCボール盤などがある。

2 MC（Machining Center：マシニングセンタ）

多数の工具を工具保持用マガジンに装備し、加工情報に応じて必要な工具を選び、その工具を**ATC**（Automatic Tool Changer：**自動工具交換装置**）により1回の段取作業により、旋削、穴あけ、平面加工など、多数の異なる種類の作業を自動的に行う、数値制御多機能工作機のことである。ATCは通常20〜70の工具を工具マガジンに装備しておき、自動的に必要な工具に交換する機能をもっている。

3 FMC（Flexible Manufacturing Cell：フレキシブル加工セル）

NC工作機械や産業用ロボットなど個々の工程・作業を行う機械を組み合わせたものである。工程のひとまとまりをカバーする。

4 FMS（Flexible Manufacturing System：柔構造製造システム）

生産設備の全体をコンピュータで統括的に制御・管理することによって、類似製品の混合生産、生産内容の変更などが可能な生産システムである。顧客ニーズの多様化などに対応して、多品種少量生産を効率的に行うために発達した柔軟性（フレキシビリティ）の高い生産システムである。

FMCと各種の搬送装置を組み合わせた、多様な製品を加工できるシステムであ

R6 38 R4 36 り、搬送装置には、無人搬送車（AGV：Automatic Guided Vehicle）が用いられることがある。

図表 [1－4－6] **FMSのイメージ**

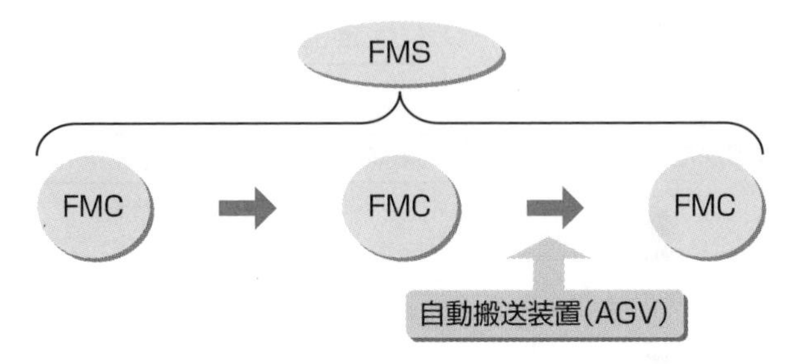

5 FA（Factory Automation）

FMSはあくまで生産のためのシステムだが、これに資材調達や設計データの管理や受け渡し、あるいは工場で発生する間接業務までも対象にした自動化、システム化のことを**FA**という。

6 CIM（Computer Integrated Manufacturing）

CIMは、「受注から製品開発・設計、生産計画、調達、製造、物流、製品納品など、生産に関わるあらゆる活動をコントロールするための生産関連情報を連携させ、異なる組織間で情報を共有して利用するために一元化され整合性のとれた仕組みとして、コンピュータで統括的に管理・制御するシステム JIS Z 8141-2308」と定義されている。つまり、**FAが工場レベルだとすると、CIMは製造を中心とした、開発、販売、財務など企業レベルでの業務を対象としている**。データベースとネットワークで基幹業務を統合し、経営目標を達成する（あるいは経営戦略を遂行する）ために各種の企業情報を統合して行う生産活動のことである。

2 製造業における情報システム

1 SCM（Supply Chain Management）

R6 3

SCMとは、「資材供給から生産、流通、販売に至る物又はサービスの供給プロセスにおいて、需要が連鎖的に発生する特徴を利用して、取引を行う複数の企業が情報共有、協調意思決定などの手法を用いて、必要なときに、必要な場所に、必要な物を、必要な量だけ供給できるようにすることで、サプライチェーンに介在するムダを排除し、経営効率を向上させる方法論 JIS Z 8141-2309」と定義されている。

SCMの目的は、**キャッシュフローマネジメントを実現する**とともに、最新の情報技術などを活用し、**市場の変化**に対してサプライチェーン全体を**俊敏に対応**させることである。これにより、**部門間や企業間における業務の全体最適化**を図ることができる。

図表 [1－4－7] **製造業におけるSCMの概念**

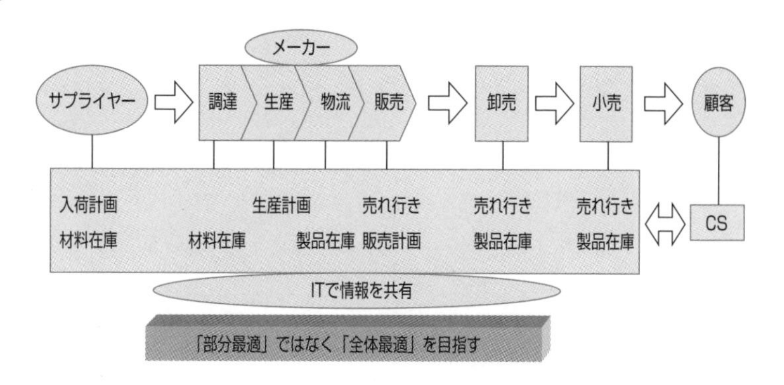

1）サプライチェーンの構成員は、ITで在庫（材料・製品）情報、売れ行き情報、販売計画、生産計画、材料入荷計画などの情報を共有する。これにより、SC間での余分な在庫の削減が可能となり、また急な注文の減少により急な配送も減少する（**在庫の削減、物流費の減少**）。

2）小売店頭での売れ行き情報がリアルタイムでつかめ、**需要予測の精度が向上**する。この結果、販売計画、生産計画の精度が上がる。

3）原材料の手配については、従来、メーカーが発注してから供給者が（在庫がない場合）原材料を発注するというやり方で調達リードタイムが長くなることもあった。その結果、メーカーの生産リードタイムは長期化する傾向にあった。しかし、SCMでは、原材料の供給者はメーカーの材料在庫や生産計画を把握できるので、それに対応した入荷計画や納入計画を立案し実行できる（この情報をメーカーも共有する）。つまり、適正在庫による即納が可能となり、メーカーの生産リードタイムの長期化への影響がほとんどなくなるため、従来と比べ**生産リードタイムの短縮**が図れる。

※　メーカーが、さらに、小ロット化対応や見込みの受注製品化などのフレキシブルな生産形態に取り組むことによる生産リードタイムの短縮を進めると、SCMの効果は大きく増大し、より大きな**CS（顧客満足）も達成**できる。

第1章

店舗・商業集積

Registered Management Consultant

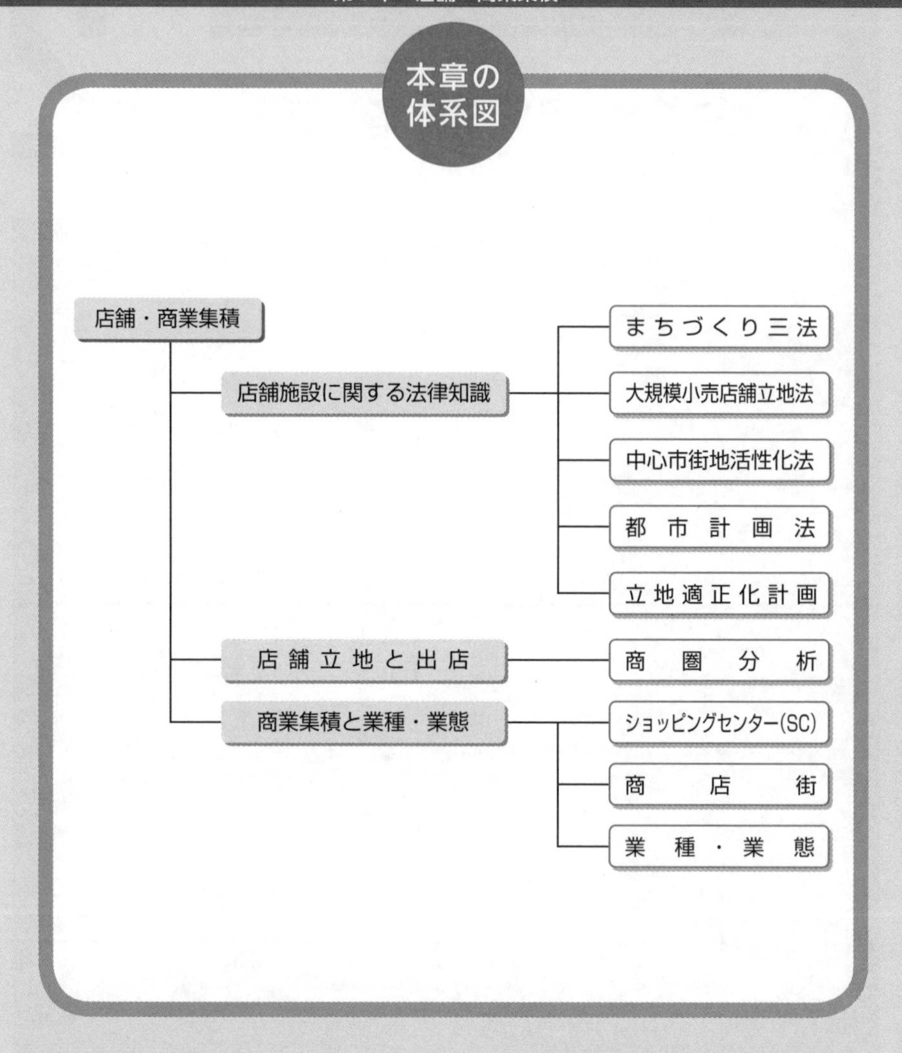

本章のポイント

◇ 大規模小売店舗立地法の目的、対象店舗、調整項目、対象を覚える。
◇ 中心市街地活性化法の要点およびスキームを理解する。
◇ 都市計画法の関連用語と要点を覚える。
◇ 立地適正化計画の関連用語と要点を覚える。
◇ 各商圏分析手法の分析内容を覚える。
◇ ショッピングセンターの定義、構成要素、現況を理解する。
◇ 商店街実態調査のデータを覚える。
◇ 小売業態別の年間販売額の大きい順を覚える。

1 店舗施設に関する法律知識

ここでは、店舗施設に関連する主要な法律について学習する。特に、「まちづくり三法」とよばれている大規模小売店舗立地法、中心市街地活性化法、都市計画法の３つの法律は試験対策上においても重要な法律である。

1 まちづくり三法

❶▶まちづくり三法とは

1 まちづくり三法とは

まちづくり三法は、大規模小売店舗立地法、中心市街地活性化法、都市計画法の３つの法律の総称で、平成10年から平成12年にかけて整備・施行された法律である。

1）大規模小売店舗立地法（大店立地法）（平成12年６月施行）
　大型店の開発・出店に際して、施設の配置や運営方法等について、生活環境の保全という観点から調整する制度。

2）中心市街地活性化法（中活法）（平成10年７月施行）
　市町村等（東京特別区は区）が中心市街地の活性化を目的とした関連施策を総合的に実施するための諸制度を体系化している。平成18年６月に大幅に改正され、さらに平成26年７月にも改正された。

3）都市計画法（平成10年11月改正）
　小売業を含む諸施設の立地コントロールを強化するための法律。平成18年５月に大幅に改正された。

2 まちづくり三法の背景と展開

図表 ［2−1−1］ **まちづくり三法の背景**

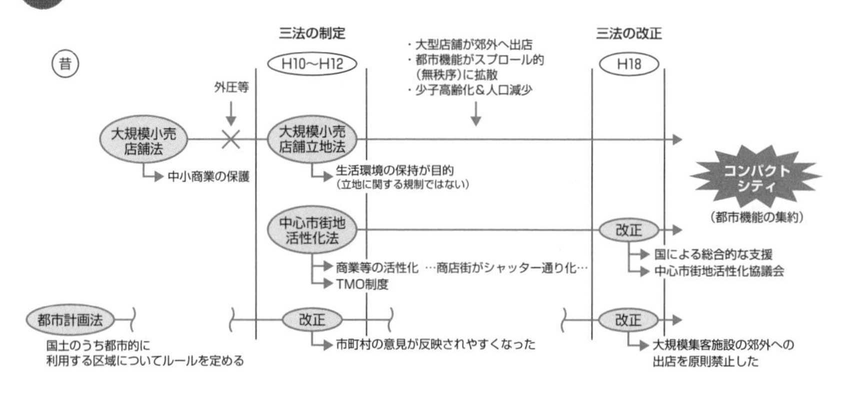

我が国においては、高度経済成長期以降のモータリゼーションの進展とともに、公共公益施設や大規模商業施設などの郊外立地が進行し、地方都市を中心に駅周辺など中心市街地が衰退していった。これを抑制することを目的として、平成10年に、いわゆる「まちづくり三法」が制定された。

中心市街地活性化法は、市町村が中心市街地の活性化にかかわる基本計画を策定し、認定を受けることで各種支援が講じられることを定めた。大規模小売店舗立地法は、大型店の立地に際して、交通渋滞や騒音対策など周辺地域の生活環境への配慮を求めている。また、都市計画法は、土地の用途規制が強化され、市町村が独自に都市計画地域の用途を決定できるように改正された。

しかしながら、まちづくり三法は期待された効果が得られず、中心市街地の空洞化はますます進行し、急速な少子高齢化の進展、自動車を運転しない高齢者等の利便性の低下や、インフラ整備の維持管理コストの増大など、さまざまな問題が生じた。そこで、**コンパクトシティ**の考え方に基づいて、平成18年にまちづくり三法の改正が行われた（大店立地法は改正されていない）。

コンパクトシティとは、拠点を集約して市街地のスケールをコンパクト化することで徒歩を移動手段とした生活スタイルのまちづくりを進めようとするものである。都市の拡大によって発生し、さらに人口減少や高齢者人口の増加で深刻化が懸念される課題を解決することをねらいとしている。

さらに平成28年には、都市再生特別措置法が改正され、立地適正化計画が制度化された。立地適正化計画は、住民の居住や医療・福祉・商業等の都市機能増進施設を誘導することをねらいとし、中心的な拠点だけではなく、旧町村の役場周辺などの生活拠点も含めた、多極ネットワーク型コンパクトシティを目指すものである。

R5 25
R2 23

2 大規模小売店舗立地法

❶▶大店立地法の目的

大規模小売店舗の立地に関し、その**周辺地域の生活環境の保持**のため、大規模小売店舗を設置する者によりその施設の配置および運営方法について適正な配慮がなされることを確保することにより、小売業の健全な発展を図り、もって国民経済および地域社会の健全な発展ならびに国民生活の向上に寄与することを目的としている。

❷▶大店法と大店立地法の比較

大店法（旧法）と大店立地法（新法）をその目的、対象とする大規模小売店舗および調整項目について比較すると、次のようになる。

［2－1－2］ **大店法と大店立地法の比較**

	大店法	大店立地法
目　的	中小小売業の事業機会の確保 消費者利益の保護	周辺地域の生活環境の保持
対象店舗	店舗面積500m²超の小売業を営む店舗	店舗面積1,000m²超の小売業を営む店舗
調整項目	店舗面積、開店日、閉店時刻、休業日数	交通渋滞、駐車・駐輪、騒音、廃棄物など地域の生活環境に関する項目

❸▶大店立地法の対象

対象とする小売業について、いくつか注意が必要である。

1）対象となる「小売業」には、飲食店は含まれない。

2）物品加工修理業（洋服のイージーオーダー、ワイシャツの委託加工など）は含まれる。

3）営利目的かどうかは問わないため、生協や農協は含まれる。

❹▶店舗面積

建物内の店舗面積の合計が1,000㎡を超える店舗が対象となるが、その店舗面積とは店舗の用に供される床面積のことである。

1 店舗面積に含まれる部分

売場、ショーウインドウ、ショールーム、サービス施設（手荷物一時預り所、店内案内所など）、部品の加工修理場のうち顧客から引受け（引渡しを含む）の用に直接供する部分。

2 店舗面積に含まれない部分

階段、エスカレーター、エレベーター、売場間通路および連絡通路、文化催物場（展覧会場など）、休憩室、公衆電話室、便所、外商事務室、事務所・荷扱い所、食堂、屋上など。

❺▶大規模小売店舗を設置する者が配慮すべき基本的な事項

大店立地法第４条には、経済産業大臣は「大規模小売店舗を設置する者が配慮すべき事項に関する指針」を定めることが示されている。その指針の中に、大規模小売店舗を設置する者が配慮すべき基本的な事項が定められている。

① 周辺地域についての調査など
② 住民への適切な説明
③ 都道府県などからの意見に対する誠意ある対応、データなどに基づく合理的な措置の選択
④ テナントの履行確保、責任体制の明確化など対応策の実効ある実施
⑤ 開店後における適切な対応

設 例

大規模小売店舗立地法に関する記述として、最も適切なものはどれか。
[H29－26]

ア 大規模小売店舗の設置者が配慮すべき基本的な事項の１つは、地域商業の需給調整である。
イ 大規模小売店舗立地法が適用対象とする小売業には、飲食店が含まれる。
ウ 大規模小売店舗立地法が適用対象とする小売店舗は、敷地面積が1,000㎡を超えるものである。
エ 大規模小売店舗立地法の施行に伴い、地域商業の活性化を図ることを目的として大規模小売店舗法の規制が緩和された。
オ 都道府県は大規模小売店舗の設置者が正当な理由がなく勧告に従わない場合、その旨を公表することができる。

解 答 **オ**

アやエは、大規模小売店舗法（旧法）との目的の違いを意識して判断したい。イやウは、主要な規定を正確に覚えているかが問われている。特に、ウの「敷地面積」（正しくは店舗面積）などは、丁寧に検証する必要がある。

R4 23

3 中心市街地活性化法

❶▶中活法

中心市街地における**都市機能の増進および経済活力の向上を総合的かつ一体的に推進する**ため、中心市街地の活性化に関する基本理念、政府による基本方針の策定、市町村による基本計画の作成およびその内閣総理大臣による認定、当該認定を受けた基本計画に基づく事業に対する特別の措置、中心市街地活性化本部の設置等について定め、**地域の振興および秩序ある整備を図り、国民生活の向上および国民経済の健全な発展に寄与する**ことを目的とする。

❷▶中活法の要点

中活法の要点としては、主に以下の４つがあげられる。

1）市町村の基本計画を内閣総理大臣が認定

　市町村が中活法による支援措置を受けるためには、国の基本方針に基づいて中心市街地活性化基本計画を策定しなければならない。かつては、公表、主務大臣および都道府県への写しの送付のみでよかったが、内閣総理大臣による認定制度に改められており、国の主導性を強めている。

2）中心市街地活性化本部を内閣に設置

　基本方針の作成、各省庁間にまたがる支援措置の総合調整、事業実施状況のモニタリングを行うために、**内閣総理大臣を本部長とする中心市街地活性化本部を内閣に設置**している。

3）中心市街地活性化協議会を創設

　中心市街地活性化の総合的かつ一体的な推進に必要な事項について協議するために、中心市街地ごとに、中心市街地活性化協議会を組織することとなっている。協議会は、**経済活力の向上を推進する商工会・商工会議所**、**都市機能の増進を推進する中心市街地整備推進機構**（公益施設等の整備や土地の先行取得、公共空地等の設置・管理などを行う公益法人・非営利法人）、**まちづくり会社**等が共同で組織し、市町村や地権者などの多様な担い手の参画を得て、民間事業活動をとりまとめ、地域のまちづくりを総合的にコーディネートする。

4）選択と集中の考え方に基づき支援措置を拡充

　認定基本計画に対する支援措置である市街地の整備改善、都市の福利施設の整備、商業の活性化、公共交通機関の利便増進などの内容を大幅に拡充している。これにより、認定を受けた市町村は手厚い支援を受けられることになる。

❸ ▶中活法のスキーム

[2−1−3] **中活法のスキーム**

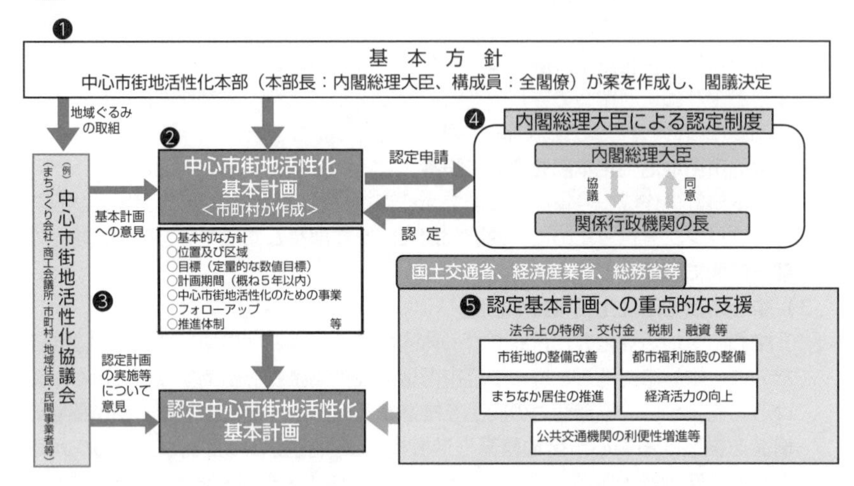

（出所：中心市街地活性化協議会支援センター「まちかつ」https://machi.smrj.go.jp/about/law.htmlをもとに作成）

❶ 政府（中心市街地活性化本部）が基本方針を定める。
❷ 市町村は基本計画を作成し、内閣総理大臣の認定を申請する。
❸ その際市町村は、中心市街地活性化協議会が組織されている場合は基本計画についての意見を聴かなければならない（中心市街地活性化協議会が組織されていない場合には、商工会または商工会議所の意見を聴く）。
❹ 内閣総理大臣が認定する。
❺ 認定されれば、各支援措置、支援策が受けられる。

R6 23
R3 23
R2 24

4 都市計画法

❶ ▶都市計画法の目的

都市計画の内容およびその決定手続、都市計画制限、都市計画事業その他都市計画に関し必要な事項を定めることにより、**都市の健全な発展と秩序ある整備**を図り、もって**国土の均衡ある発展と公共の福祉の増進**に寄与することを目的としている。

❷ ▶都市計画区域の構成

都市計画における規制を行う法令は、都市計画法と建築基準法などがあり、都市計画法によって都市計画や土地利用などの規制対象となった地域は、建築基準法によって建築物の仕様・建築可能地域の具体的制限等を受けることになる（都市計画法と建築基準法は密接に関連している）。

都市計画法を学習していくうえでは、まず、都道府県が指定する都市計画区域について理解する必要がある。

● 都市計画区域

都市計画区域とは、自然的、社会的条件や人口、土地利用、交通量等の現状と将来の見通しを勘案して一体の都市として総合的に整備、開発、保全する必要がある区域であり、**都道府県が指定する**ものである。

都市計画区域の構成（図表2－1－4参照）は、大きく分けて都市計画区域を指定した地域と、指定していない地域に分類できる。次に、都市計画区域は、**市街化区域**と**市街化調整区域**との区分（**区域区分**）を定めるか否かで、線引き都市計画区域（市街化区域と市街化調整区域）と非線引き都市計画区域に分類できる。

図表 [2－1－4] 線引き都市計画区域の構成

（出所：北海道開発局 https://www.hkd.mlit.go.jp/ky/jg/tosijyu/ud49g70000008q1m.html）

都市計画区域外において、規制をしないと将来における都市としての整備や開発などの支障が生じるおそれがあるとする区域に対して、都道府県は準都市計画区域を指定することができる。

なお、各用語については図表2－1－5の関連用語一覧で確認する。

［2－1－5］ 都市計画関連用語一覧

用語	説明
市街化区域	すでに市街地を形成している区域およびおおむね十年以内に優先的かつ計画的に市街化を図るべき区域（都市計画法第７条第２項）
市街化調整区域	市街化を抑制すべき区域（都市計画法第７条第３項）
都市計画区域	都道府県が指定する区域で、自然的、社会的条件や人口、土地利用、交通量等の現状と将来の見通しを勘案して一体の都市として総合的に整備、開発、保全する必要がある区域（都市計画法第５条）
準都市計画区域	都道府県が指定する区域で、都市計画区域外の区域のうち、相当数の住居その他の建築物の建築またはその敷地の造成が現に行われ、または行われると見込まれる一定の区域で、そのまま放置すれば、将来における都市としての整備、開発および保全に支障が生じるおそれがあると認められる区域（都市計画法第５条の２）
白地（しろち）地域	区域区分されていない都市計画区域内及び準都市計画区域内（非線引き都市計画区域）で、用途地域が定められていない地域（白地地域は法律用語ではない）
用途地域	都市計画法に基づき、都市地域の土地の合理的利用を図り、市街地の環境整備、都市機能の向上を目的として建築物の建築を用途や容積などにより規制する地域

R4 24

❸▶用途地域の種類

市街化区域には、必ず用途地域を定めなければならず、**市町村**が指定する。用途地域の種類は13種類あり、それぞれ建てることのできる建物の用途が定められている。用途地域における具体的な規制は図表2－1－6に記載している。

 ［2－1－6］ 用途地域内の建築物の用途に関する制限

例示	住居系								商業系		工業系			他
	第一種低層住居専用地域	第二種低層住居専用地域	田園住居地域	第一種中高層住居専用地域	第二種中高層住居専用地域	第一種住居地域	第二種住居地域	準住居地域	近隣商業地域	商業地域	準工業地域	工業地域	工業専用地域	白地地域
住宅、共同住宅、寄宿舎、下宿														
兼用住宅のうち店舗、事務所等の部分が一定規模以下のもの														
幼稚園、小学校、中学校、高等学校														
図書館等														
神社、寺院、教会等														
老人ホーム、身体障害者福祉ホーム等														
保育所等、公衆浴場、診療所														
老人福祉センター、児童厚生施設等	(1)	(1)												
巡査派出所、公衆電話所等														
大学、高等専門学校、専修学校等														
病院														
2階以下かつ床面積の合計が150㎡以下の一定の店舗、飲食店等													(6)	
2階以下かつ床面積の合計が500㎡以下の一定の店舗、飲食店等			(2)										(6)	
上記以外の店舗、飲食店					(3)	(4)	(5)	(5)				(5)	(6)	(5)
上記以外の事務所等					(3)	(4)								
ボーリング場、スケート場、水泳場等						(4)								
ホテル、旅館						(4)								
自動車教習所、床面積の合計が15㎡を超える畜舎						(4)								
マージャン屋、ぱちんこ屋、射的場、勝馬投票券発売所等							(5)	(5)				(5)		(5)
カラオケボックス等							(5)	(5)				(5)	(5)	(5)
2階以下かつ床面積の合計が300㎡以下の自動車車庫														
営業用倉庫、3階以上または床面積の合計が300㎡を超える自動車車庫(一定の規模以下の付属車庫等を除く)														
客席の部分の床面積の合計が200㎡未満の劇場、映画館、演芸場、観覧場														
客席の部分の床面積の合計が200㎡以上の劇場、映画館、演芸場、観覧場														(5)
劇場、映画館、演芸場、店舗、飲食店、展示場、遊技場、勝馬投票券発売所、車券売場、勝船投票券発売所に供する建築物でその用途に供する部分の床面積の合計が10,000㎡を超えるもの														
キャバレー、料理店、ナイトクラブ、ダンスホール等														
個室付浴場業に係る公衆浴場等														
作業場の床面積の合計が50㎡以下の工場で危険性や環境を悪化させるおそれが非常に少ないもの														
作業場の床面積の合計が150㎡以下の自動車修理工場														
作業場の床面積の合計が150㎡以下の工場で危険性や環境を悪化させるおそれが少ないもの														
日刊新聞の印刷所、作業場の床面積の合計が300㎡以下の自動車修理工場														
作業場の床面積の合計が150㎡を超える工場または危険性や環境を悪化させるおそれがやや多いもの														
危険性が大きいかまたは著しく環境を悪化させるおそれがある工場														
火薬類、石油類、ガス等の危険物の貯蔵、処理の量が非常に少ない施設					(3)	(4)								
火薬類、石油類、ガス等の危険物の貯蔵、処理の量が少ない施設														
火薬類、石油類、ガス等の危険物の貯蔵、処理の量がやや多い施設														
火薬類、石油類、ガス等の危険物の貯蔵、処理の量が多い施設														

（白枠）建てられる用途　（網掛け）建てられない用途

(1) については、一定規模以下のものに限り建築可能
(2) については、500㎡以下の農家レストラン、農産物直売所など一定の店舗、飲食店の場合に限り建築可能
(3) については、当該用途に供する部分が2階以下かつ1,500㎡以下の場合に限り建築可能
(4) については、当該用途に供する部分が3,000㎡以下の場合に限り建築可能
(5) については、当該用途に供する部分が10,000㎡以下の場合に限り建築可能
(6) については、物品販売店舗、飲食店が建築禁止

図表2－1－6の店舗、飲食店に関する制限を抜粋すると、次のとおりとなる。

図表 [2－1－7] 店舗に関する用途地域内の制限

	第一種低層住居専用地域	第二種低層住居専用地域	田園住居地域	第一種中高層住居専用地域	第二種中高層住居専用地域	第一種住居地域	第二種住居地域	準住居地域	近隣商業地域	商業地域	準工業地域	工業地域	工業専用地域	白地地域
店舗、飲食店等	×	150	※150	500	1,500	3,000	1万	1万	◎	◎	◎	1万	×	1万
大規模集客施設	×	×	×	×	×	×	×	×	◎	◎	◎	×	×	×

単位：㎡以内、×：建築不可、◎：1万㎡超建築可

※　500㎡以下の**農家レストラン、農産物直売所**など一定の店舗、飲食店の場合に限り建築可能。

延べ床面積1万㎡超の大規模集客施設（大規模小売店舗に加えて、広域的に都市構造に影響を及ぼす飲食店、劇場、映画館、演芸場、観覧場、遊技場、展示場、場外馬券売り場等を幅広く含む施設）が立地できる用途地域は**商業地域**、**近隣商業地域**、**準工業地域**の3つに限定される。これによって、郊外に行くほど立地規制が厳しくなる制度体系となっている。

設例

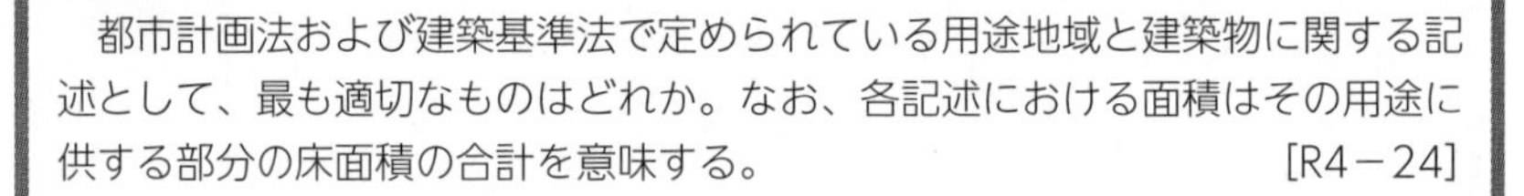

都市計画法および建築基準法で定められている用途地域と建築物に関する記述として、最も適切なものはどれか。なお、各記述における面積はその用途に供する部分の床面積の合計を意味する。 [R4－24]

ア　近隣商業地域には、100㎡（1階建て）の料理店を出店することができる。

イ　工業地域には、15,000㎡の店舗を出店することができる。

ウ　第一種住居地域には、500㎡（2階建て）のカラオケボックスを出店することができる。

エ　田園住居地域には、300㎡（1階建て）の農産物直売所を出店することができる。

解答　**エ**

料理店は、飲食店と異なり、商業地域と準工業地域のみ出店できる。田園住居地域には、500㎡以下の農産物直売所、農家レストランといった農業関連の店舗、飲食店を出店することができる。

5 立地適正化計画 

R5 27
R3 23
R2 24

❶▶立地適正化計画

2016年の都市再生特別措置法の改正によって定められた**立地適正化計画**とは、都市計画法を中心とした従来の土地利用の計画に加えて、居住機能や都市機能の誘導によりコンパクトシティ形成に向けた取り組みを推進しようとしているものであり、**市町村**が必要に応じて策定する。

❷▶立地適正化計画の要点

都市計画法で定める都市計画区域全体を立地適正化計画の区域とし、立地適正化計画の区域内に**居住誘導区域**と**都市機能誘導区域**の両方を定めることが基本となる。原則として、居住誘導区域の中に都市機能誘導区域を定める。

R4 23

 ［2－1－8］ **立地適正化計画における区域の設定**

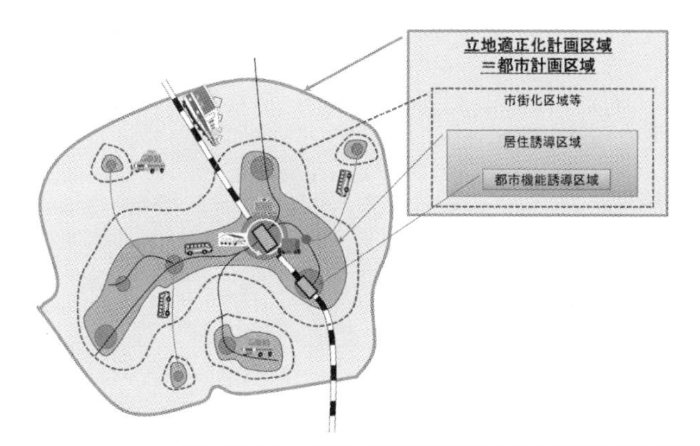

（国土交通省　都市計画運用指針における立地適正化計画に係る概要）

なお、各用語については図表2－1－9の関連用語一覧で確認する。

 ［2－1－9］ **立地適正化計画関連用語一覧**

居住誘導区域	人口減少の中にあっても一定エリアにおいて人口密度を維持することにより、生活サービスやコミュニティが持続的に確保されるよう居住を誘導すべき区域。
都市機能誘導区域	医療・福祉・商業等の都市機能を都市の中心拠点や生活拠点に誘導し集約することにより、これらの各種サービスの効率的な提供を図る区域。**誘導施設が無い場合には、都市機能誘導区域は設定できない。**

誘導施設	都市機能誘導区域ごとに、立地を誘導すべき都市機能増進施設であり、居住者の共同の福祉や利便性の向上を図るために必要な施設であって、都市機能の増進に著しく寄与するものである。
居住調整地域	住宅地化を抑制するために定める地域地区である。**市街化調整区域には定めることができない。**

2 店舗立地と出店

ここでは、商圏分析について学習する。

1 商圏分析

商圏分析・設定の方法としては、次のようなものがある。

1 ライリーの法則

R4 25

2つの都市がその間にある都市から販売額（顧客）を吸引する割合は、その**2つの都市の人口に比例し、距離の2乗に反比例する**というものである。**小売引力の法則**ともよばれる。

$$\frac{Ba}{Bb}=\frac{Pa}{Pb}\times\left(\frac{Db}{Da}\right)^2$$

図表 [2−1−10] **ライリーの法則**

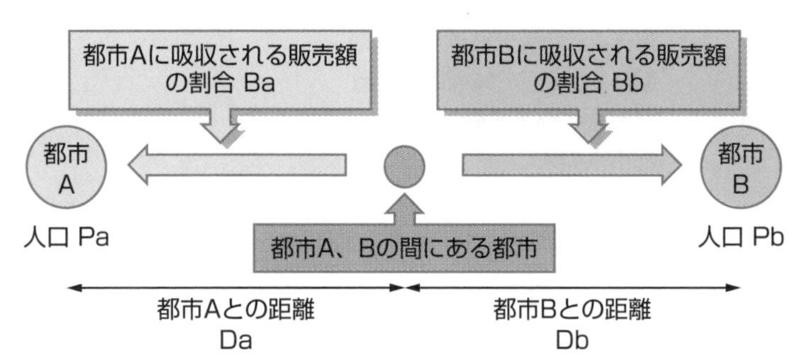

設 例

[計算例] ライリーの法則

中間の都市CからA市とB市が販売額を吸引する割合を求めよ。

- A市の人口　18万人
- B市の人口　2万人
- A市とC市の距離　24km
- B市とC市の距離　8km

解 答　1：1

以下のように図にするとイメージしやすい。

32km

A市 —24km— C市 —8km— B市

18万人　　　　　　　　　　2万人

$$\frac{18}{2}\times\left(\frac{8km}{24km}\right)^2=\frac{9}{1}\times\frac{1}{9}=\frac{1}{1}$$

よって、A市とB市が吸引する割合の比は1：1となる。

R2 25 **2 ライリー&コンバースの法則**

コンバースが考えたもので、ライリーの法則を使って、2つの都市の商圏分岐点を算出する。商圏分岐点とは、ライリーの法則でBa/Bb＝1となる地点のことである。

商圏分岐点は、次のように表される。

$$Da=\frac{Dab}{1+\sqrt{\frac{Pb}{Pa}}}$$ あるいは $$Db=\frac{Dab}{1+\sqrt{\frac{Pa}{Pb}}}$$

Da　：　都市Aと商圏分岐点間の距離
Db　：　都市Bと商圏分岐点間の距離
Dab　：　都市Aと都市B間の距離
Pa　：　都市Aの人口
Pb　：　都市Bの人口
※　色のつけてあるaあるいはbを両辺でそれぞれ揃えるのがポイント

設例

[計算例] ライリー&コンバースの法則

次の条件のときのA市とB市の2つの都市の商圏分岐点を求めたい。商圏分岐点とB市の距離を算出せよ。

・A市の人口　　18万人
・B市の人口　　2万人
・A市とB市の距離　　32km

解答　8km

本設例は、前設例のライリーの法則と同条件である。よって、商圏分岐点とB市の距離は8kmとなる。つまり、両者の法則はまったく同じ理論であることがわかる。

$$商圏分岐点とB市の距離=\frac{32km}{1+\sqrt{\frac{18}{2}}}=\frac{32}{4}=8km$$

3 コンバースの法則

新小売引力の法則ともよばれる。大都市とその近くの小都市における購買力吸引力の割合を算出するモデルである。

基本的な考え方は、その小都市における購買力は、大都市に吸引される部分と小都市に残る部分の２つに分かれるというものである。

コンバースの法則は、次のような式で表される。

$$\frac{Ba}{Bb}=\frac{Pa}{Hb}\times\left(\frac{4}{d}\right)^2$$

Ba　：　大都市Aでの購買額（大都市に吸引される分）
Bb　：　小都市Bでの購買額（小都市に残る分）
Pa　：　大都市Aの人口
Hb　：　小都市Bの人口
d　：　大都市Aと小都市B間の距離
4　：　慣性因子
※　HbのHはHome Townという意味合いで使用されている。
※　慣性因子の４はコンバースが調査した地区の平均であるにすぎず常に妥当とは限らない。

設　例

[計算例] コンバースの法則

小都市Ｈ（Home Town）における購買力のうち、大都市Ｘに吸収される割合を求めたい。小都市Hの購買力を10億円とした場合、大都市Ｘに吸引される数値を算出せよ。

・小都市Ｈの人口　　　２万人
・大都市Ｘの人口　　　18万人
・小都市Ｈと大都市Ｘの距離　　６km

解　答　**８億円**

本設例も図を用いるとイメージしやすい。

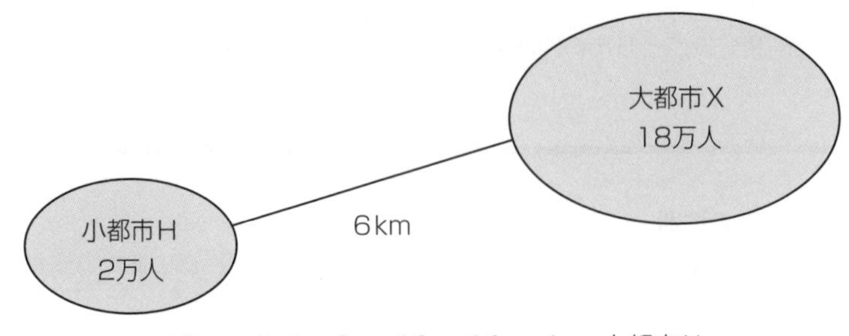

$$\frac{18}{2}\times\left(\frac{4}{6}\right)^2=\frac{9}{1}\times\frac{16}{36}=\frac{16}{4}=\frac{4}{1}=\frac{\text{大都市X}}{\text{小都市H}}$$

以上から、小都市Hの購買力5のうち、4が大都市X、1が小都市Hに残ることになる。

よって、**8億円の購買力が大都市Xに吸収される**ことになる。

R3 24

4 ハフモデル

ハフが考えたもので、消費者がある店舗に買い物に出かける確率（吸引率）を算出する。「消費者は大きな店舗へ足を向けやすい。ただし、近いほうがよい」という一般的な傾向を前提にしており、ある店舗を選択する確率を、**店舗の規模（売場面積）に比例**し、そこまでの**距離に反比例する**としている。

ハフモデルは、次の式で表される。

$$\text{店舗Aの吸引率}=\frac{\dfrac{\text{店舗Aの売場面積}}{\text{居住地と店舗Aの距離}^{\lambda}}}{\dfrac{\text{店舗Aの売場面積}}{\text{居住地と店舗Aの距離}^{\lambda}}+\dfrac{\text{店舗Bの売場面積}}{\text{居住地と店舗Bの距離}^{\lambda}}+\cdots+\dfrac{\text{店舗nの売場面積}}{\text{居住地と店舗nの距離}^{\lambda}}}$$

λ：距離の抵抗係数

※　距離の抵抗係数は、「遠くまで買物に行くことをどの程度面倒に感じるか」を数値で表したものである。一般に、最寄品であれば（できるだけ近くで購入したいため）抵抗係数が大きくなり、買回品であれば（遠くまで出かけて探すこともあるため）抵抗係数が小さくなる。修正ハフモデルでは抵抗係数に「2」を使用する。

図表 [2−1−11] **ハフモデル**

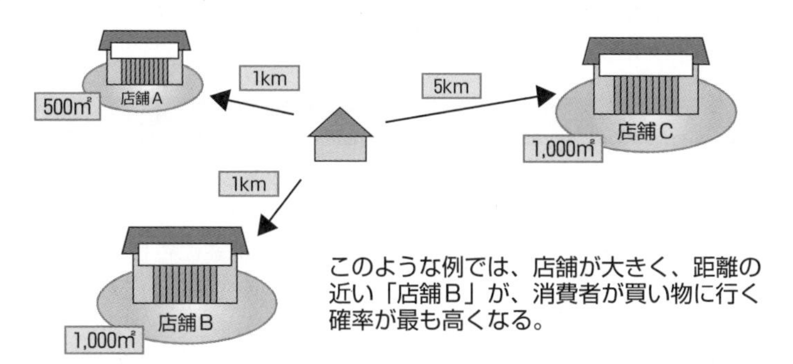

3 商業集積と業種・業態

1 ショッピングセンター（SC）

日本ショッピングセンター協会によると、**ショッピングセンター(SC)** とは、「一つの単位として計画、開発、所有、管理運営される商業・サービス施設の集合体で、駐車場を備えるものをいう。その立地、規模、構成に応じて、選択の多様性、利便性、快適性、娯楽性等を提供するなど、生活者ニーズに応えるコミュニティ施設として都市機能の一翼を担うものである」と定義されている。

また、同協会では「SC取扱い基準」として以下の条件を備えることがSCとして必要としている。

① **ディベロッパー**により計画、開発されるものであること
② 小売業の**店舗面積は、1,500㎡以上**であること
③ キーテナントを除く**テナントが10店舗以上**含まれていること
④ **キーテナント**がある場合、その面積が**SC面積の80％程度を超えない**こと（ただし、その他テナントのうち小売業の店舗面積が1,500㎡以上である場合には、この限りではない）
⑤ **テナント会**（商店会）等があり、広告宣伝、共同催事等の共同活動を行っていること

❶▶SCの構成要素

1）核店舗

SCの中核となる店舗のことで、顧客を吸引する力が求められる。その意味でマグネットストアともよばれる。ショッピングセンターの規模が大きくなれば、この核店舗の規模も大きくなる、あるいは数が増える。

2）テナント

SCに賃借によって出店する店舗のことである。売場面積が大きく、集客力の強いテナントをキーテナントという。SCの場合、キーテナントは核店舗である。単にテナントとよぶ場合は、専門店集団を指す。

3）ディベロッパー

店舗施設開発者のことである。この場合のディベロッパーは、小売事業者以外で施設内に自己の店舗をもたない場合と、大型店などの核店舗がディベロッパーになる場合とがある。共同販売促進活動はディベロッパーが中心になって行う場合が多い。

R5 22
R3 22

❷▶ショッピングセンターの現況

わが国のSCの現況（2023年末）について、一般社団法人日本ショッピングセン

ター協会が公表している『SC白書2024（デジタル版）』および『全国のSC数・概況』から確認できる主要な統計データは以下のとおりである。

※　令和７年度の本試験では、「SC白書2025」から出題される可能性が高く、その場合は数値が更新される。しかし、単年で数値が大きく変わることはないため、詳細な数値は暗記せずに大まかなイメージを持っておけばよい。

1）SCの概況

図表 ［2－1－12］ **SCの概況**

総SC数	総テナント数	**1SCあたりテナント数**	総キーテナント数	総店舗面積㎡	**1SCあたり店舗面積㎡**
3,092	163,712	**53**	2,876	54,413,963	**17,598**

2）業種別テナント数の推移

テナントの業種を３つに分類すると、テナント数は「物販」「サービス」「飲食」の順に多い。2018年と2023年の業種別テナント数の構成比を比較すると、物販店の割合は**減少**し、サービス店の割合は**増加**している（テナント数自体は、すべての業種で増加している）。

図表 ［2－1－13］ **業種別テナント数の推移**

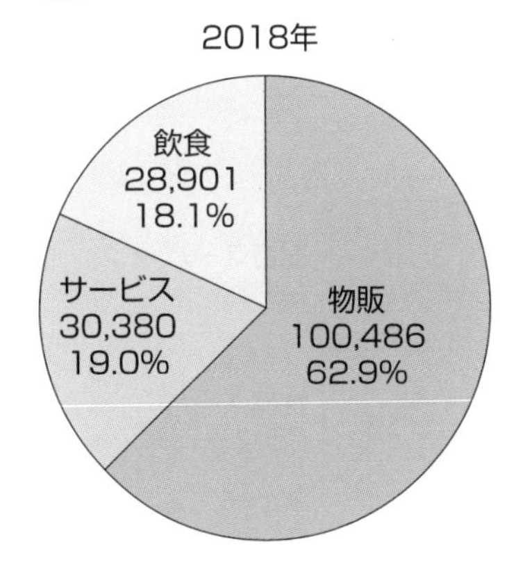

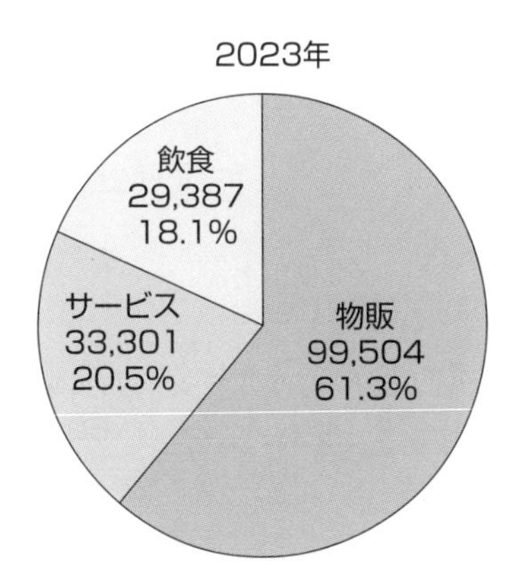

※　業種別テナント数が不明なSCがあるため、図表2－1－12 SCの概況における総テナント数と一致しない。

3）ビル形態別SC数割合

ビル形態別のSC数では、**商業ビル**が大半を占める（約８割）。

図表 [2−1−14] **業種別テナント数の推移**

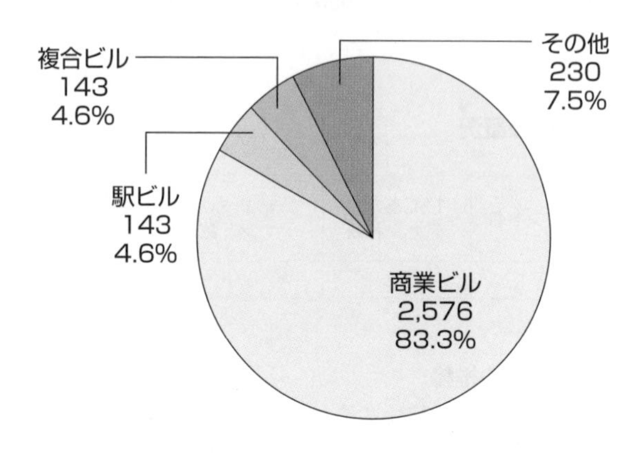

4）キーテナント数別SC数割合

キーテナント数によるSC数の分類では、**１核**が最も多い（約６割）。１核のSCにおけるキーテナントの業態で最も多いのは**総合スーパー**であり、次いで食品スーパーである。

図表 [2−1−15] **キーテナント数別SC数割合**

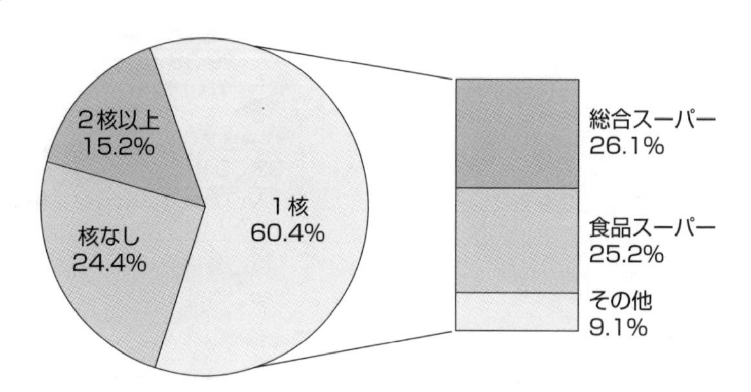

5）新規に開業したSCの立地

2023年に開業したSC34のうち、出店の立地は中心地域５、周辺地域29である。2015年以降一貫して**周辺地域**の出店が多い。

※　中心地域：人口15万人以上の都市で、商業機能が集積した中心市街地

※　周辺地域：上記中心地域以外のすべての地域

2 商店街

❶▶商店街実態調査

R5 23　R2 26

中小企業庁では、３年に１度、全国の商店街に対し、景況や直面している問題、取り組んでいる事業等について調査を実施している。以下の統計データは、令和３年度商店街実態調査の結果を抜粋したものである。※増減に関しては、前回調査（平成30年度調査）との比較

1）商店街の概要

①　１商店街あたりの店舗数は**増加**

②　１商店街あたりのチェーン店舗率は**増加**

③　商店街の業種別店舗数は、**飲食店が最も多い**

④　商店街の平均空き店舗率は**減少**

⑤　商店街組織の専従事務職員（パート、アルバイト含む）は０名の商店街が**約3/ 4**

2）商店街の来街者の動向と取り組み状況

①　商店街への来街者数は、「減った」と回答した商店街が**増加**

②　キャッシュレス決済の取り組みは、半数以上の店舗で導入している商店街が21.9%（**約２割**）

③　新型コロナウイルス感染症のまん延による影響を踏まえ商店街で新たに取り組んだ取り組みは、「**テイクアウト販売に対応した**（45.6%）」が最も多い

3 業種・業態

❶▶業種と業態

小売店に関する知識として、「業種」「業態」という用語を理解しておく必要がある。

- **業種**：取扱い商品を基本とした概念で分類する。すなわち、「何を売るか」で分類する。具体的には「鮮魚店」「生花店」「精肉店」「靴店」「眼鏡店」などである。
- **業態**：**「だれに」「何を」「どのように」売るか**の３つの軸を適切に組み合わ

せた営業形態を概念として分類するストアコンセプトを明確に打ち出した小売店を業態店という。具体的には、「コンビニエンスストア」「ホームセンター」「ドラッグストア」「ディスカウントストア」などである。

R6 22 R4 22 R2 28

❷▶商業動態統計

商業動態統計調査は、全国の商業を営む事業所および企業の販売額等を毎月調査することにより、商業の動向を把握し、景気判断、消費動向等の基礎資料を得ることを目的としている。小売業態別の年間販売額の推移は以下のとおりである。2023年時点で年間販売額の大きい順に、①**スーパー**（15.6兆円）、②**コンビニエンスストア**（12.7兆円）、③**ドラッグストア**（8.3兆円）、④**百貨店**（5.9兆円）、⑤**家電大型専門店**（4.6兆円）、⑥**ホームセンター**（3.3兆円）である。

［2−1−16］ **小売業態別の年間販売額の推移**

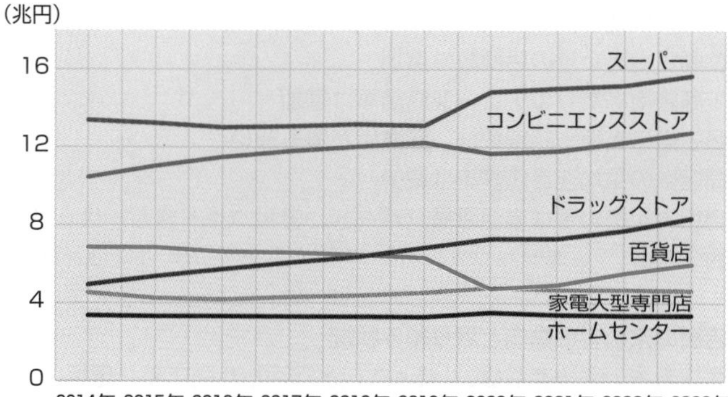

（出所：経済産業省「商業動態統計」をもとに作成）

第2章

商品仕入・販売（マーチャンダイジング）

Registered Management Consultant

本章のポイント

◇利益管理で用いられる指標の意味を理解し、式を覚える。
◇買取仕入、委託仕入、売上仕入のそれぞれを理解する。
◇インストアマーチャンダイジングの各手法を覚える。
◇各陳列手法について手法の名称と陳列イメージをリンクさせて覚える。
◇照明や色彩に関する用語を覚える。
◇EDLPやプライスライン政策について理解する。

1 商品販売計画

第２章は、マーチャンダイジングについて学習する。マーチャンダイジングとは、流通業がその目的（目標）を達成するために、マーケティング戦略に沿って、商品、サービスおよびその組み合わせを、最終消費者のニーズに最もよく適合し、かつ消費者価値を増大するような方法で提案するための、計画・実行・管理のことである（田島義博『マーチャンダイジングの知識（第２版）』日本経済新聞社）。つまり、「品揃え」「陳列」「演出」「販売促進」「値付け」などの活動を含む商品政策、商品化計画のことである。

1 利益管理

マーチャンダイジングを実行する上で、標的市場の需要への適合、競合他社との差別化、ブランドイメージの維持・向上という視点は重要である。一方、適正な利益の確保、商品投下資本の効率化などの財務的視点も重要な要素である。

❶▶GMROI（商品投下資本粗利益率）

財務戦略では、商品在庫投資がマーチャンダイジング目標に大きく関連する。具体的には以下に述べる**GMROI（商品投下資本粗利益率）**が重要な指標となる。まず前提として、財務・会計でも学ぶROIの概念を確認する。

1 ROI（資本利益率）

ROI（資本利益率）は、調達し、投下した資本に対して、どの程度の利益を上げられたかを示す指標であり、**経営の総合評価につながる重要な概念**を示す。資本利益率は、売上高利益率と資本回転率に分解することができる。

資本利益率＝売上高利益率×資本回転率

$$\frac{\text{利　益}}{\text{資　本}}=\frac{\text{利　益}}{\text{売上高}}\times\frac{\text{売上高}}{\text{資　本}}$$

小売業経営にとってもROIを高めること、すなわち売上高利益率と資本回転率を高めることは、極めて重要な経営課題である。小売業経営にとって重点的に管理すべき重要な資本は、商品に投下された資本（商品投下資本）であることから、次のGMROI（商品投下資本粗利益率）が重要なものとなる。

2 GMROI（Gross Margin Return On Inventory Investment：商品投下資本粗利益率） R2 32

GMROIとは、小売経営におけるマーチャンダイジング管理の財務的な側面として、商品投下資本の効率を測定し、在庫投資の回収を管理するための指標である。

売上総利益（粗利益）を平均在庫高（原価）で除したもの、あるいは、売上高総利益率と商品投下資本回転率の積で表すものである。

GMROIの計算式は以下のとおりである。

$$\text{GMROI}(\%)=\frac{\text{売上総利益(粗利益)}}{\text{平均在庫高(原価)}}\times 100$$
$$=\frac{\text{売上総利益}}{\text{売上高}}\times\frac{\text{売上高}}{\text{平均在庫高(原価)}}\times 100$$
$$=\text{売上高総利益率}(\%)\times\text{商品投下資本回転率}$$

なお、主な**平均在庫高**の算出方法は次のとおりである。

平均在庫高＝(期首在庫高＋期末在庫高)÷2

平均在庫高＝各月期末在庫高の総計÷12

R6 31 R2 32

3 交差比率（交差主義比率）

交差比率は、商品在庫投資の管理を売価基準で考えるものであり、販売という側面から商品投下資本の効率性をとらえる指標である。

$$\text{交差比率}(\%)=\frac{\text{売上総利益(粗利益)}}{\text{平均在庫高(売価)}}\times 100$$
$$=\frac{\text{売上総利益}}{\text{売上高}}\times\frac{\text{売上高}}{\text{平均在庫高(売価)}}\times 100$$
$$=\text{売上高総利益率}(\%)\times\text{商品回転率(売価)}$$

※　**平均在庫高**を**売価**としている点がGMROIと異なる。

R4 12 R2 32

4 商品回転率

商品回転率とは、一定の期間内に、商品が何回転したかを示すものであり、販売効率や資本効率を把握することができる。

商品回転率には、次の３つの算出法がある。分子と分母の基準（とくに売価か原価か）を揃えることに注意が必要である。

1）売価法による商品回転率(回)＝$\frac{\text{売上高}}{\text{平均在庫高(売価)}}$

2）原価法による商品回転率(回)＝$\frac{\text{売上原価}}{\text{平均在庫高(原価)}}$

3）数量法による商品回転率(回)＝$\frac{\text{売上数量}}{\text{平均在庫高(数量)}}$

［2−2−1］　**商品回転率の特徴**

商品回転率の増大策	①　平均在庫高を一定に維持して、売上高を増大させる ②　売上高を一定に維持して、平均在庫高を減少させる ③　平均在庫高を多少増加させても、それ以上に売上高を増加させる
商品回転率を上げた場合のメリット	①　商品の破損や傷みを防止できる ②　商品の陳腐化や流行遅れによる市場価格の下落の影響を受けにくい ③　商品投下資本が減少するので、資本効率が向上する ④　在庫量が減少するので、在庫維持費を削減できる
商品回転率を上げた場合のデメリット	①　過少在庫による品切れと販売機会損失が発生する ②　発注回数の増加により発注費用が増大する ③　数量割引が享受できない（累積割引が適用されない場合）

❷▶値入率

R3 27　R2 30

値入とは、商品の売価と原価の差額であり、商品の販売価格（売価）を決定することである。売価決定は、売上高と売上原価の差である売上総利益（粗利益）が営業経費をカバーし、かつ、適正な営業利益をもたらすように計画しなければならない。

1 売価基準と原価基準による値入率

値入率は、売価基準と原価基準とがあり、**売価値入率**は、商品の売価と原価との差額（値入額）の売価に対する比率である。一方、**原価値入率**は、商品の売価と原価との差額（値入額）の原価に対する比率である。

$$売価値入率(\%)=\frac{値入額}{売\quad価}\times 100$$

$$原価値入率(\%)=\frac{値入額}{原\quad価}\times 100$$

値入額	売　価
原　価	

売価値入率と原価値入率とを換算するには次の公式を用いる。

$$売価値入率(\%)=\frac{原価値入率(\%)}{100\%+原価値入率(\%)}\times 100$$

$$原価値入率(\%)=\frac{売価値入率(\%)}{100\%-売価値入率(\%)}\times 100$$

R3 27
R2 30

参考

値入率と粗利益率は異なる。**値入率**は、値付け当初の儲けの率、あるいは計画段階の率である。よって、販売する前に予定している率となる。これに対して、**粗利益率（売上高総利益率）**は、一定期間にわたって商品の販売活動を実施し、その結果の儲けの率である。よって、**値入率は予定粗利益率という位置づけ**と考えることができる。

たとえば、「売価値入率を35%としたが、実績として粗利益率は30%になった」ということである。これは、販売不振や競争激化による値下げ販売、商品の破損、万引きなどによる紛失などから、当初の儲けが得られないゆえに生じると考えればよい。

設例

① 売価値入率が20%のとき、原価値入率はいくらか。
② 原価値入率が150%のとき、売価値入率はいくらか。
③ 原価が800、売価値入率が20%のとき、値入額はいくらか。

解答

① 原価値入率＝20%÷(100−20)%＝25%
② 売価値入率＝150%÷(100＋150)%＝60%
③ 売価値入率が20%であるので、右の図から式にすると、
20%＝X÷(X＋800)
Xを解くと、
X＝200　よって値入額は200となる。

R5 28

❸▶相乗積

相乗積は、小売店舗の利益管理において、各商品部門（各商品カテゴリー）がどれだけ利益貢献しているかを示す指標である。相乗積は、各部門の粗利益率に各部門の売上構成比を掛け合わせて求める。**各部門の相乗積を合計すると、全体の粗利益率と一致する。**

各部門の相乗積＝部門粗利益率×部門売上構成比

$$=\frac{\text{部門粗利益}}{\text{部門売上高}}\times\frac{\text{部門売上高}}{\text{売上高合計}}=\frac{\text{部門粗利益}}{\text{売上高合計}}$$

上式を約分すると、部門粗利益を売上高合計で除した値であることがわかる。全部門の相乗積を合計すると、粗利益合計を売上高合計で除した値になるため、店舗全体の粗利益率と一致する。

相乗積が大きい部門ほど、店舗全体に対する粗利益貢献度が高い部門と評価することができる。

たとえば、あるスーパーマーケットの例を考えてみる。部門別で売上構成比、粗利益率、相乗積を算出したところ、下表のとおりだったとする。

部門	売上構成比	粗利益率	相乗積
生鮮	30%	10%	3％
一般食品	25%	20%	5％
日配品	20%	40%	8％
非食品	15%	40%	6％
総菜	10%	50%	5％
合計	100%	－	27%

このとき、相乗積の値が最も大きい日配品が、最も利益貢献していることがわかる。また、売上構成比は高いが粗利益率の低い生鮮部門の利益改善を図る、粗利益率は高いが売上構成比の低い総菜部門の売場を広げるなどして、店舗全体の収益性の改善を検討する際などに用いられる。

設 例

店舗Ｘのある月の営業実績は下表のとおりである。この表から計算される相乗積に関する記述として、最も適切なものを下記の解答群から選べ。

[R元－28]

商品カテゴリー	販売金額 (万円)	販売金額 構成比(%)	粗利益率 (%)
カテゴリーA	500	25	20
カテゴリーB	300	15	20
カテゴリーC	200	10	30
カテゴリーD	600	30	40
カテゴリーE	400	20	50
合計	2,000	100	

〔解答群〕

ア　カテゴリーＡ～Ｅの合計の販売金額が２倍になると、各カテゴリーの相乗積の合計も２倍になる。

イ　カテゴリーＡの相乗積は50%である。

ウ　カテゴリーＡの販売金額も粗利益率も変わらず、他のカテゴリーの販売金額が増加すると、カテゴリーＡの相乗積は減少する。

エ　カテゴリーＢはカテゴリーＣよりも相乗積が大きい。

オ　相乗積が最も大きいカテゴリーは、カテゴリーＥである。

解　答　**ウ**

解答を導出する際に計算する必要はないが、参考として各カテゴリーの相乗積を算出すると以下のようになる。

商品カテゴリー	販売金額(万円)	販売金額構成比(%)	粗利益率(%)	粗利益額(万円)	相乗積(%)
カテゴリーA	500	25	20	100	5
カテゴリーB	300	15	20	60	3
カテゴリーC	200	10	30	60	3
カテゴリーD	600	30	40	240	12
カテゴリーE	400	20	50	200	10
合　計	2,000	100	33	660	33

ウについて、カテゴリーAの販売金額が変わらずに他のカテゴリーの販売金額が増加すると、カテゴリーAの販売金額構成比は低下する。カテゴリーAの粗利益率は不変であることと合わせると、以下の式より、カテゴリーAの相乗積が低下することが確認できる。

カテゴリーAの相乗積（↓）
＝カテゴリーAの粗利益率(→)×カテゴリーAの販売金額構成比(↓)

※　式中の（↓）は低下、(→) は不変を表す。

R6 27
R3 28

❹▶人時生産性

小売業は労働集約型の産業であるため、人の生産性を高めることが重要である。売場における生産性には、従業員1人が1時間あたりいくらの粗利益を生み出すかを表す指標である**人時生産性**（にんじ）という指標がある。

$$\text{人時生産性}=\frac{\text{粗利益}}{\text{総労働時間}}$$

店舗単位での管理において、売上が大きい月は人手を増やし、売上が小さい月は人手を減らすなどして、人時生産性の維持・向上を図ることが重要である。

設　例

ある売場において、商品を300万円で仕入れ、10日間ですべての商品を販売することを計画している。この売場で、2人の従業員が毎日それぞれ5時間ずつ労働し、売上高が500万円であった場合、この期間の人時生産性として、最も適切なものはどれか。　[H29－28]

ア　1万円
イ　2万円
ウ　3万円
エ　4万円
オ　5万円

解　答　**イ**
粗利益＝売上高500－仕入高300＝200（万円）
総労働時間＝5（時間）×10（日）×2（人）＝100（時間）
以上より人時生産性を導く。
人時生産性＝200（万円）÷100（時間）＝2（万円／時間）

R5 29

2 商品構成と品揃え

消費者の視点に立ち、消費者の欲求をいかに充足させるかという点が、商品構成と品揃えの中心テーマとなる。

❶▶商品構成（商品ミックス）

商品ミックスとは、小売業経営において、標的顧客に適合した**商品ライン**と**商品アイテム**を選択することである。商品ミックスの意思決定は、標的顧客の観点のみならず、経営管理の観点や競争優位の観点から検討することが求められる。なお、業態によっては、宅配便取次ぎ、ATM、公共料金収納代行などの「サービス」も商品ミックスの重要な要素となっている。

1 商品ライン

それぞれが相互に密接な関連をもっている商品群のことである。顧客のニーズを満たす、相互補完的に使用される、同一顧客グループにより購買され使用されるなどの要件を満たすグループを指す。たとえば、衣料品店では、カジュアル、スーツ、ネクタイ、ジャケットなどのグループである。商品ラインの数を「幅」とよぶ。

2 商品アイテム

特定商品ラインを構成している、ブランド、スタイル、素材、味などにより区分される**品目**のことである。商品アイテムの数を「深さ」とよぶ。

3 SKU

Stock Keeping Unit（ストック・キーピング・ユニット）の略で、受発注・在庫管理を行うときの、最小の管理単位を指す。

4 小売業における商品ミックスの例

商品ミックスの決定は、商品戦略にとどまらず、大きくとらえれば小売業としてのストアコンセプトや業態そのものを決定づけることになる。商品ラインの幅と商品アイテムの深さを組み合わせた業態の例は次のとおりである。

 [2−2−2] **商品ラインと商品アイテム**

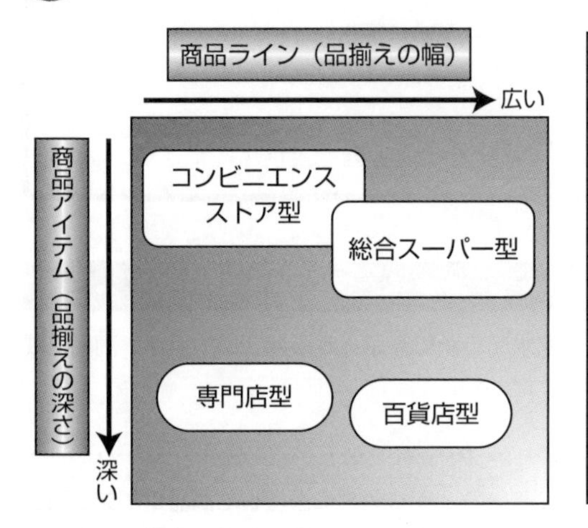

①フルライン政策（総合化）
商品ミックスの幅を広げ、広いニーズに対応できる商品ラインを提供する政策で、小売業でいえば「ワンストップショッピング」の利便性を提供できる。

②限定ライン政策（専門化）
商品ミックスの幅を絞り込み、特定市場の深いニーズに対応する政策。小売業でいえば専門店型となる。大手フルライン業態と競争するには、商品アイテムの密度を高めた深い品揃えが要求される。

標的顧客のニーズを満たし、さらに、既存顧客のみならず、新たな顧客層を取り込むためには品揃えの拡大が有効である。しかし、それには短所を考慮する必要がある。また、商品ラインの拡大は商品投下資本の増大にも影響をもたらすことになるため、市場戦略と財務戦略、すなわち均衡在庫の観点から慎重に対応することが求められる。

商品ライン拡大のメリット・デメリット

メリット
- 幅広い顧客ニーズに対応し、ワンストップショッピングを提供できる
- 品揃えの偏りによる、ニーズ不適合のリスクを減少できる
- 需要の変動を平準化できる

デメリット
- 在庫量が増大するので、在庫リスクが高まり、商品回転率が低下する
- 商品および在庫管理が煩雑になる
- 経営資源が分散する（ストアコンセプトが不明確になりやすい）

※ 商品ラインの絞り込みによるメリット・デメリットは、上記の逆と考えればよい。

5 モノを横割りにした商品構成（ニーズに合わせて商品ラインを拡大する）

単に商品ラインを拡大するのではなく、顧客のライフスタイルに関連した提案をするためには、商品と商品（サービス）を組み合わせる商品ミックスを決定することが有効である。たとえば、酒店がコンビニエンスストアに業態転換して、売上が増加したという事例がある。

6 専門性を強化した商品構成（商品アイテム数を深くする）

専門性を強化して売上高の増加を図る場合、顧客１人あたりの購入金額を向上させる必要がある。または、遠方からの顧客を呼び込むことにより商圏の拡大を図り、来店客数を増加させる必要がある。

2 商品調達・取引条件

1 仕入方法

小売業が卸売業やメーカーなどから仕入れる方法には多様なものがあり、ここでは代表的な仕入方法について学習する。

❶▶仕入方法

1 大量仕入と当用仕入

大量仕入とは、1回の仕入で同一商品を大量に仕入れる方法である。**当用仕入**とは、販売状況に応じて、頻繁に必要な数量だけ少量ずつ仕入れる方法である。当用仕入の一般的なメリット・デメリットは、大量仕入と逆の関係にあると理解すればよいが、当用仕入には、特定仕入先との継続的・反復的な仕入活動による**累積数量割引**を受けられるようにすることが好ましいとされている。

大量仕入のメリット	大量仕入のデメリット
・数量割引の利益を享受できる ・投機的な考慮から、先高見越しによる価格変動差益を享受できる ・期間あたりの仕入費用が節減できる ・機会ロスを防止できる	・在庫過多による商品回転率の悪化や商品投下資本の効率を低下させる ・金利や保管費用の増大を招く ・先高見越しを見誤ると損失を被る ・需要やニーズの変化に対応しにくい

2 集中仕入と分散仕入

仕入先企業の数を集中させることを**集中仕入**、分散させることを**分散仕入**とよぶ。集中仕入の一般的なメリット・デメリットは以下のとおりである。分散仕入はこの逆と考えればよい。

集中仕入のメリット	集中仕入のデメリット
・大量仕入のメリットが享受できる ・売れ筋商品の優先確保が期待できる ・商品情報や信用条件などのリテールサポートが受けられる ・計画的な仕入活動ができ、仕入費用が削減できる	・品揃えの選択肢が限定される ・現状の仕入先にはなく、他の仕入先に存在する商品の販売機会が得られない可能性がある ・仕入先の経営不振による供給停止リスクがある

3 本部集中仕入と店舗分散仕入

本部集中仕入とは、チェーン店において分散した各店舗の仕入を本部で一括して行う仕組みである。本部に仕入部門を設けて、仕入に関する権限と責任を集中させるという集権化と販売の分散化に関するシステムである。**店舗分散仕入**は、仕入権限を各店舗に分散させ、販売と仕入を同一場所にする仕組みである。各店舗の販売部門が、その店舗の顧客の需要動向を最もよく理解しているため、各店舗で仕入をしたほうがよいという考え方である。

本部集中仕入のメリット	本部集中仕入のデメリット
・仕入機能の専門化と専念化により、市場適合性の向上、仕入ノウハウの蓄積、売れ筋商品の仕入による商品回転率の向上、業務の効率化、費用節減などの効果が期待できる ・大量仕入のメリットが享受できる	・各地域の市場性を無視した画一的な仕入になりやすい。その結果、きめ細かいマーチャンダイジング活動が困難になる場合がある ・仕入と販売とが分離しているため、双方の連動が不十分になりやすい

※　店舗分散仕入はこの逆と考えればよい。

4 共同仕入と単独仕入

共同仕入は、とくに小規模な小売業者などが共同して仕入活動を実施し、大量仕入のメリットを享受しようとするものである。多くの仕入担当者の協力した鑑識力によって、優れた仕入活動ができるというメリットがある。デメリットとして、参画する小売業ごとに、重点商品や必需商品の相違があることから、また、多数の仕入担当者が集まって業務を行うため、足並みが揃いにくい点があげられる。なお、**単独仕入**は文字どおり小売業者が単独で仕入れることである。

❷▶所有権や契約による分類：買取仕入・委託仕入・売上仕入（消化仕入）····

ここでは、買取仕入、委託仕入、売上仕入（消化仕入）について学習する。
以下では、「卸が売り手で小売店が買い手」という仕入を想定して説明する。

1 買取仕入

小売店が商品を卸から買い取るかたちの仕入である。卸売業が商品を引き渡したときに、商品の所有権が卸から小売店に移転する。

2 委託仕入

契約などで卸が商品の販売を小売店に委託する際の仕入である。消費者が商品を購買したときに、商品の所有権が卸から消費者に移転する。小売店は仕入商品の所有権はもたない。小売店は販売されたときに手数料を手にする場合もある。

3 売上仕入（消化仕入）

小売店に陳列する商品の所有権を卸に残しておき、小売店で売上が上がったと同時に販売（消化）した分だけ仕入が計上されるという仕入である。消費者が小売店から商品を購入したときに、商品の所有権が卸から小売店へ、小売店から消費者へと同時に移転する。小売店において売れ残った商品は、卸に戻されるため、小売店側に在庫リスクはない。一般的には百貨店において多く見られる仕入方法である。

3 売場構成・陳列

ここでは、店舗全体の設計に関する売場レイアウト、什器、商品陳列についての基本的な事柄について学習する。

1 ISM

❶▶ISM（インストアマーチャンダイジング）とは

ISMとは、マーチャンダイジング部門において決定されたマーチャンダイジングの計画と戦略を、店頭において実現しようとする活動であって、具体的には、計画された商品構成とそれに基づいて設定された商品を、店頭に陳列・演出することによって消費者に提示し、効率的で効果的な方法により、その販売を促進しようとする諸活動である。

売上高の規定要因を分解すると、「売上高」＝「客単価」×「来店客数」になる。「来店客数」の増加は広告などの店外活動が必要なため、多額の資源投入が必要である。これに対してISMは、投入資源の少ない店内活動によって実現可能であることから、「**客単価の増加**」**が中心テーマ**である。「客単価の増加」は、「**グレードアップ**（**商品単価増加**）」×「**買上点数増加**」と考えることができ、これを目的とした、店舗レイアウト、陳列棚の管理、陳列法やフェイシングの管理、POPなどの設置、デモンストレーションなどの技術が導入されることになる。

図表 [2−2−3] **売上高の規定要因**

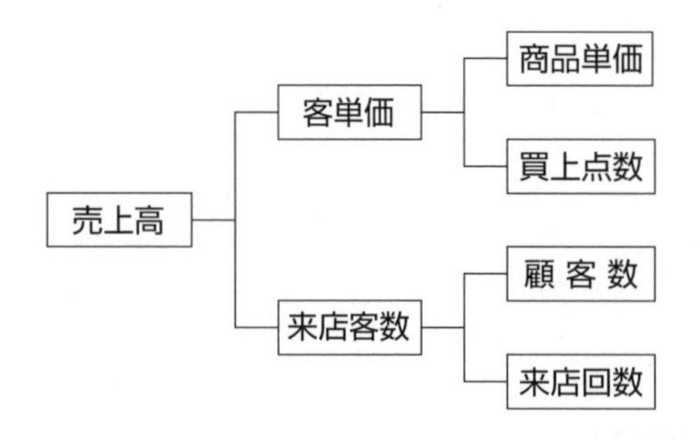

ISMの考え方が登場した背景は、買物をする顧客の中で**計画購買**が約１割なのに対して、**店内で購買決定する非計画購買が約９割**であるという点にある。計画購買と非計画購買、また非計画購買の分類と用語は以下のとおりである。

 [2−2−4] **計画購買と非計画購買**

R6 29
R5 29
R4 28
R4 29
R2 29
R2 33

購買の種類	内 容
計画購買	来店時から購買する意思を持って、購買に至る購買行動
非計画購買	来店時には購買する意図がなかったが、店頭の商品などを見て、購買の意思決定をする購買行動
想起購買	家庭内の在庫切れなど、店頭で商品やPOPを見て商品の必要性を思い出し購入する購買行動
関連購買	他の購入商品との関連性から店舗内で必要性を認識し、商品を購入する購買行動
条件購買	来店時には明確な購買意図を持っていないが、値引きなどの条件により、店頭で購入意向が喚起され、商品を購入する購買行動
衝動購買	商品の新奇性や衝動により、商品を購入する購買行動

非計画購買者により多くの購買を促すための売場生産性向上策がISMである。

❷ ▶ISMの体系

ISMは、長期的視点で売場生産性向上をねらう「スペースマネジメント」と、短期的視点の売上向上策である「インストアプロモーション」に分けることができる。

 [2−2−5] **ISMの体系**

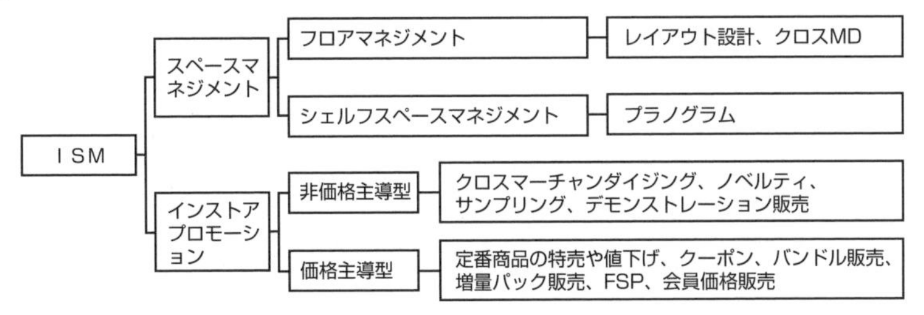

1 スペースマネジメント

スペースマネジメントは、ISMの中核的な概念であり、売場スペースを最大限に活用し、客単価を上げることにより売場生産性を向上させる手法である。売場全体のフロアレイアウトに焦点を当てた「**フロアマネジメント**」と棚割（陳列スペースに、なにを、どこに、どれくらい、どのように陳列するかを決めること）等を検討する「**シェルフスペースマネジメント**」に分けることができる。

❶ フロアマネジメント

ISMでは、客単価がどのような要素から成り立つのかを考え、その規定要因から客単価向上を検討することが重要となる。

客単価＝買上個数（←動線長×立寄率×買上率）×商品単価 動線長：顧客の入店から会計までの移動距離 立寄率：店内を歩く過程で、個々の売場に立ち寄る確率 買上率：商品を視認し、買上に至る確率

フロアマネジメントでは、動線長と立寄率の向上が期待できる。シェルフスペースマネジメントやインストアプロモーションでは、主に立寄率と買上率の向上をねらう。

［2−2−6］ 客単価向上の具体例

動線長（店内をどれだけ歩いてもらえるか）	売場の配置・位置の工夫、店内の見通しをよくして回遊性を向上するなど
立寄率（歩く過程で個々の売り場にどれだけ立ち寄ってもらえるか）	POPやディスプレイによる情報提供、マグネットポイントの設置、エンド大陳による露出、関連陳列（CMD）など
買上率（視認したなかでどれくらい買い上げてもらえるか）	売り場内の適切な商品配置、POP、価格設定上の工夫（値引き等）、など

1）フロアレイアウトの基本

R5 29

一般的に、**計画購買される商品は店内の奥のほうに配置**することで動線長を長くすることをねらう。また、**マグネット**を店内の突きあたり、曲がり角などの要所にマグネットを配置することによって、店内の回遊性を高めることをねらう。マグネットとは、磁石のように顧客を引きつける売場、商品のことである。

図表 [2−2−7]　**フロアレイアウト**

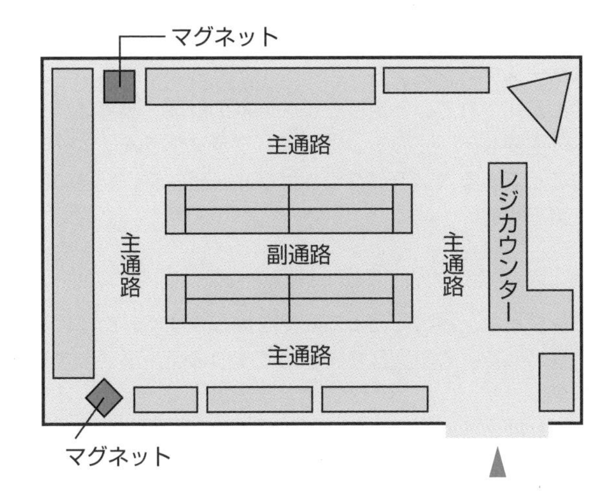

2）クロスマーチャンダイジング

クロスマーチャンダイジング（CMD）とは、カテゴリーにこだわらず関連商品をあわせて陳列することにより、売上拡大を図る販売手法である。つまり、特定の生活テーマのために、単品商品ではなく、関連商品を含めた品揃えと演出で販売することである。たとえば、焼き肉と焼き肉のタレのように、すべての生活テーマは単品で済むものではなく、多様な商品のコーディネートによって対応しなければならないという考え方で、その要請に応じるのがCMDである。

設　例

小売店舗において客の動線長をのばすための施策として、最も適切なものはどれか。　[H27－30]

ア　計画購買率の高い商品を店舗の奥に配置する。
イ　ゴールデンラインを複数設置する。
ウ　チラシ掲載の特売商品を店舗の入口付近に配置する。
エ　パワーカテゴリーを集中配置する。

解　答　**ア**

小売業としては、非計画購買を促す施策が売上向上に寄与することになる。そのためのひとつの方法が客動線を長くする施策であり、計画購買率の高い商品を店奥に配置すれば、消費者は目的とする商品を手に取るために店の奥まで入っていくことになり、客動線を長くすることができる。

❷ **シェルフスペースマネジメント**

商品が常備的に陳列されている定番売場の棚割の計画・改善は、シェルフスペースマネジメントの主要なテーマの1つである。**プラノグラム**は、売場活性化をねらった棚割計画のことである。プラノグラムはグルーピング、ゾーニング、フェイシングの3段階で実施する。

R5 29　1）グルーピング

グルーピングとは、顧客にとって商品を探しやすく、比較しやすくするために、商品特性の似ている商品群をまとめて1つのグループにすることである。

2）ゾーニング

ゾーニングとは、グルーピングした商品の陳列スペースの配分と配置を決定することである。

R4 29　● **ゴールデンゾーン**

顧客の視界に入りやすく、手に取りやすい高さは、商品の売上が高くなる。この範囲のことを**ゴールデンゾーン**と呼ぶ。ゴールデンゾーンは、**顧客の身長**、**ゴンドラの形状**、**通路幅によって変化する**が、一般的には次のとおりである。

図表 [2−2−8] **ゴールデンゾーン**

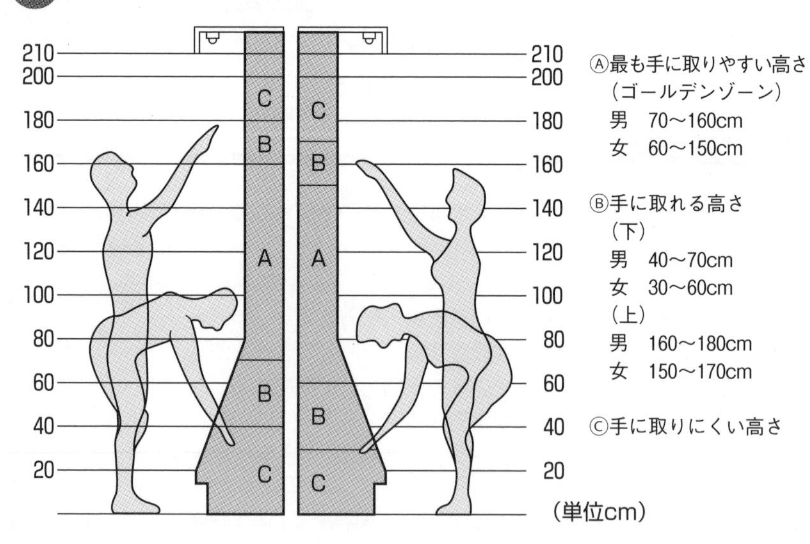

（日本店舗設計家協会（現：日本商環境デザイン協会）監修
『商業建築企画設計資料集成②設計基礎編』商店建築社をもとに作成）

● **縦陳列と横陳列**

縦陳列（垂直型展開、バーティカル陳列ともいう）とは、同一商品や関連する商品を「縦」に陳列する方法である。一方、横陳列（水平型展開、ホリゾンタル陳列ともいう）とは、同一商品や関連する商品を「横」に陳列する方法である。

[2−2−9]　**縦陳列と横陳列**

縦陳列の例

上段	シャンプー	リンス	ボディソープ
中段	シャンプー	リンス	ボディソープ
下段	シャンプー	リンス	ボディソープ

横陳列の例

上段	シャンプー	シャンプー	シャンプー
中段	リンス	リンス	リンス
下段	ボディソープ	ボディソープ	ボディソープ

縦陳列、横陳列のメリットは以下のとおりである。

縦陳列のメリット	横陳列のメリット
○**店内を歩く顧客にとって、探している商品が目に留まりやすい** ○同一アイテムのなかでも特に重点的に売りたい商品を、売りやすい位置（棚段）に配置することができる	○**同一アイテムをサイズや容量の面で比較しやすい** ○同一アイテムのなかで、機能や品質に差がある商品グループの陳列に適している

3）フェイシング

フェイスは商品の顔のことであり、フェイス数とは顧客の目に見える商品（面）の数である。**フェイシング**とは、各アイテムのフェイス数や陳列位置を決定することである。

[2−2−10]　**フェイス数**

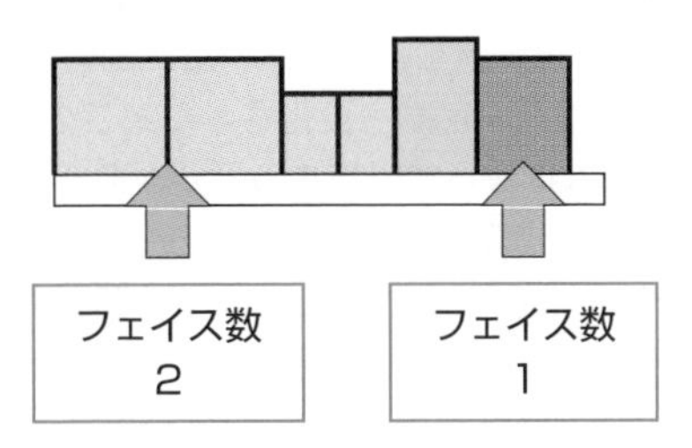

重点商品のフェイス数は多くすることが好ましい。見た目の量であるフェイス数が多くなれば、顧客の目に触れる確率が上がるため売れる量も増える。ただし、フェイス数を２倍、３倍と増やしても販売数量は２倍、３倍にはならず、数量の伸び幅は次第に下がっていく。これを「フェイス効果逓減の法則」とよぶことがある。

設例

スーパーマーケットの売場づくりに関する記述として、最も適切なものはどれか。 [R4－29]

ア 買上点数を増やすために、レジ前売場には単価が低い商品よりも高い商品を陳列する。
イ 買物客の売場回遊を促すために、衝動購買されやすい商品は売場に分散配置する。
ウ 商品棚前の通路幅を広くすると、当該商品棚のゴールデンゾーンの範囲が広がる。
エ 販売促進を行うエンドの販売力は、主通路に面するよりもレジ前の方が高い。
オ 複数の入り口からレジまでの客動線を一筆書きのようにコントロールすることをワンウェイコントロールという。

解答 **ウ**

通路幅が狭いと買物客とゴンドラの距離が近くなり、自然視野が狭まることで、コールデンゾーンの範囲は狭まる。通路幅が広くすると、ゴールデンゾーンの範囲は広がる。

2 インストアプロモーション

インストアプロモーション（ISP）とは、小売店頭において、単なる情報提供に終わらず、ライフスタイル等に関する積極的な提案を行うことにより、顧客の動機形成や意思決定の過程に直接影響を及ぼそうとする活動である。つまりは、店内における販売促進活動のことをいい、**非価格主導型**と**価格主導型**に分類できる。

値引などの**価格主導型ISP**を実施する際には、ただ闇雲に値段を下げるのではなく、**需要の価格弾力性**（価格を一定割合変化させたときの販売数量の変化の割合）**が高いカテゴリーやアイテムに絞って実施する**必要がある。

R4 30 価格主導型ISPは、消費者の購買意欲に対する刺激策として有効ではあるが、価格訴求への依存はさまざまな問題を引き起こす。**その問題のひとつとして「内的参照価格の低下」があげられる**。**内的参照価格**とは、消費者の過去の購買経験によってつくられている記憶による価格を指す。たとえば、「スナック菓子Ａの価格はいくらか？」と聞かれて、自分が覚えている価格として「118円」と回答したその価格が参照価格に該当する。

 [2−2−11] **内的参照価格の低下によるブランド衰退化のイメージ**

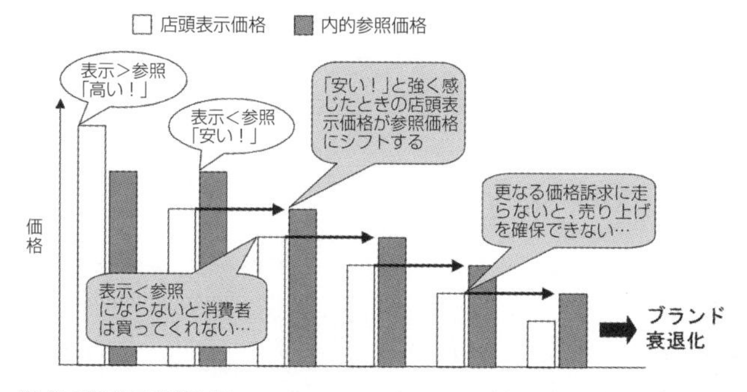

（流通経済研究所編『ショッパー・マーケティング』日本経済新聞出版社をもとに作成）

値引などにより参照価格が一度低下してしまうと、店頭表示価格はその参照価格を下回らないと購買されにくくなってしまう。このような状況になると、店頭表示価格を段階的に下げざるを得なくなり、その商品を販売しても十分な利益を確保できない、という流れになりかねない。

2 什　器

ここでの什器とは陳列用什器、つまり陳列棚やショーケースのことである。以下では主な陳列用什器について、説明する。

❶▶ゴンドラ

複数の棚のある陳列台で、多くの種類がある。置き場所による分類では、中置き用ゴンドラと壁面用ゴンドラがある。スーパーマーケット、コンビニエンスストア、衣料品店などで利用されている。

 [2−2−12] **ゴンドラのイメージ**

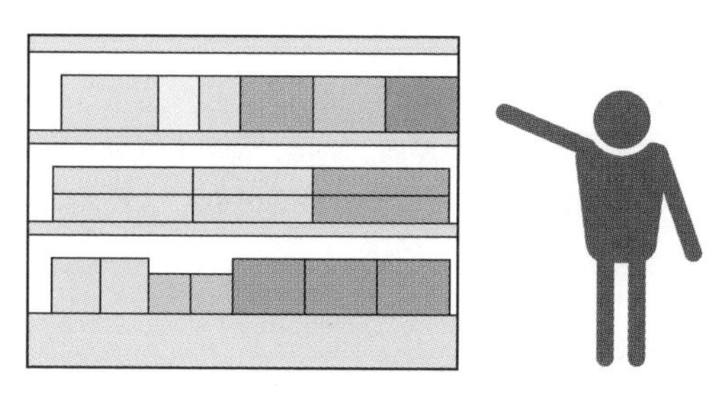

❷▶ステージ

床より１段高い場所に商品を陳列することによって、重点商品のアピールを行うために設置する。衣料品、家具、電気製品などの売場で多く利用される。商品の大きさに合わせて、ステージの高さを変える。大型の商品ではステージは低め(20cm程度)、衣料品などでは高め（70～90cm)。

図表 [2−2−13] **ステージのイメージ**

❸▶ショーケース

通常はガラスケースで、高さが低いものは、商品の陳列のほか、接客用のカウンターにも利用できる。また冷蔵・冷凍ケースなどは、陳列と同時に在庫（保管）機能ももつ。

主なショーケースの名称と特徴は、次のとおりである。

1 クローズドケース

正面（前面）も含めてガラスで囲まれているタイプのショーケースである。顧客は自由に商品に触れることができないが、高級感の演出や、商品の保護には有効である。

2 オープンケース

正面（前面）にはガラスがなく、開いているタイプのショーケースである。顧客は商品を容易に手に取ることができる。

3 リーチインケース

前面にガラス扉のついた冷蔵・冷凍庫。商品の補充も前面の扉を開けて行う。コンビニエンスストアで冷凍食品などに使われている。リーチインクーラーともいう。

4 ウォークインケース

顧客から見れば、3のリーチインケースと変わりがないが、これはケースの後ろがそのまま大きな冷蔵庫になっている。清涼飲料やビールなどを箱ごと、ケースごと冷やしておくことができる。商品の補充は、店員がこのケース内に入り（ウォークイン）裏側から行うため、先入れ先出しが容易になる。一方でスペース効率とエネルギー効率が低いという欠点がある。

［2−2−14］ **冷蔵冷凍ケースのタイプ**

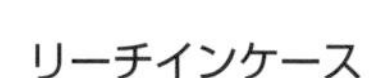

ウォークインケース

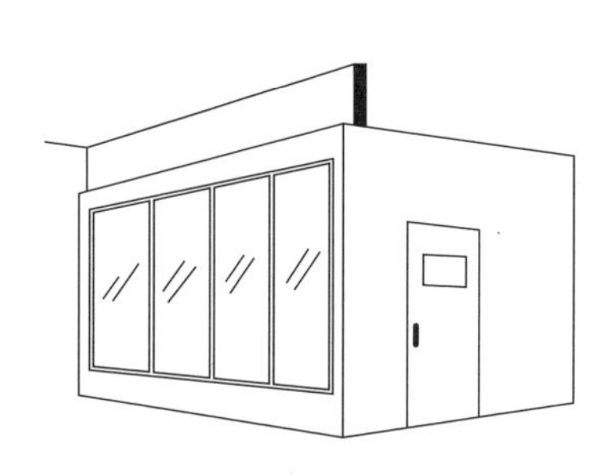

3 商品陳列

ここでは、基本的な陳列の種類・手法について説明する。

❶ ▶陳列の分類

商品の陳列は、補充型陳列（オープンストック）と展示型陳列（ショーディスプレイ）に大別することができる。

1 補充型陳列

消耗頻度、使用頻度、購買頻度が高い定番的な商品を効率的に補充し、継続的に販売するための陳列手法である。見やすい、選びやすい、手に取りやすい等の顧客ニーズに対応した合理的なディスプレイにすることが重要である。

補充型陳列を行う際には以下の点に留意する必要がある。

1）**前進立体陳列**にする。
2）安定感のある陳列をする。
3）最上段のディスプレイの高さを統一する。

 [2−2−15] **前進立体陳列の例**

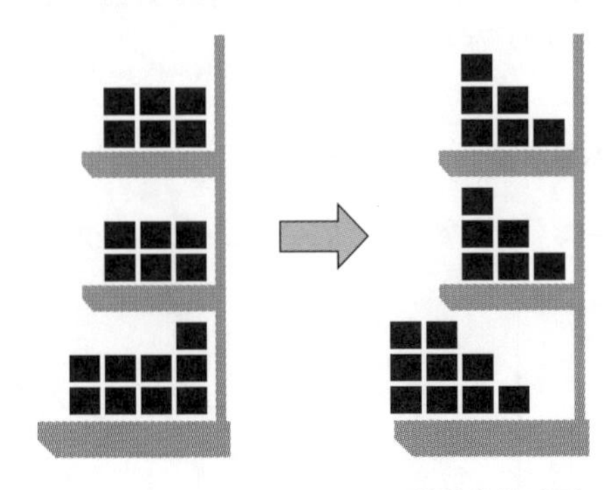

2 展示型陳列

特定のテーマを決め、それに合わせた商品構成、全体のフォルムなどを演出していく陳列手法である。店頭のショーウィンドウなどを活用し、流行商品等をタイムリーなテーマをもって訴え、店舗全体のイメージ向上を図る。

❷▶その他の陳列手法

覚えておきたい陳列手法には、次のようなものがある。

R4 29 **1 エンド陳列**

スーパーマーケットなどではゴンドラのいちばん端（エンド）、衣料品店ではハンガーの端の場所での陳列手法である。通常、特売品や目玉商品などをボリューム感いっぱいに陳列する。**エンドの前は多くの買物客が通行し、顧客を引きつける（マグネット）効果が期待できるため、非計画購買を誘発することができる。**

 [2−2−16] **エンド陳列(平面図)**

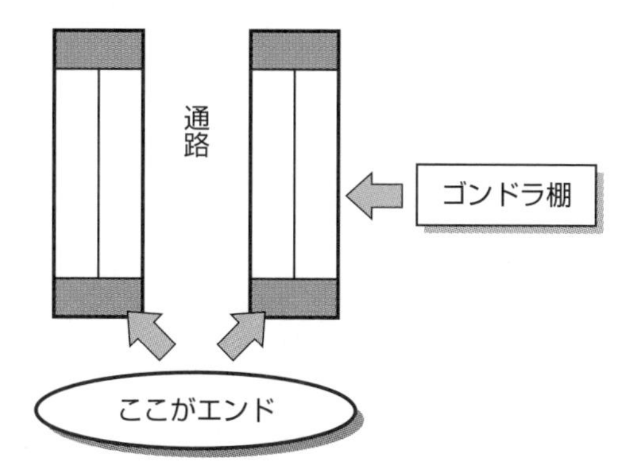

2 ジャンプル陳列

R2 29

投げ込み陳列のことで、スーパーマーケットなどでよく見かけるタイプである。特売品の陳列に向いている。投げ込みであるため**陳列の手間が少なく**、移動も簡単である。ただし、**高額商品には不向き**である。

 [2−2−17] **ジャンブル陳列**

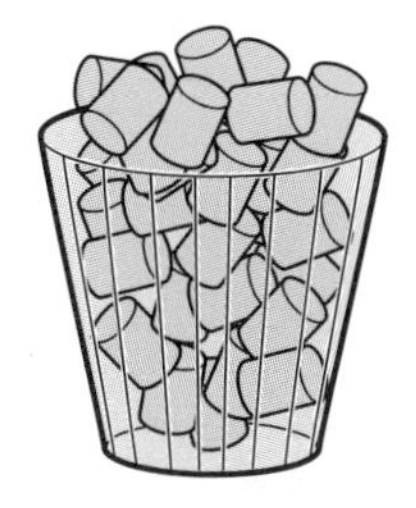

3 ゴンドラ陳列

定番商品を主体に陳列し、多数のアイテムを顧客にアピールする目的で採用される。フェイスを揃えやすく、在庫数量の把握などの在庫管理が実施しやすいうえ、商品が崩れにくく傷みにくいという利点がある。その一方で、商品補充と商品の前出しを怠ると、空きスペースが生じて商品陳列が乱れてしまうという欠点がある。

4 カットケース陳列

陳列什器を使わず商品が入っていた箱をカットし、そのまま陳列する手法で、ディスカウントストアではよく使用される。陳列の手間が少なく、フレッシュさや安さを訴求する効果がある。

R2 29 **5 フック陳列**

フックに引っかけて陳列する手法で、文房具など小型で軽量の商品に利用される。商品が見やすく、在庫量を把握しやすい。

 [2−2−18] **フック陳列**

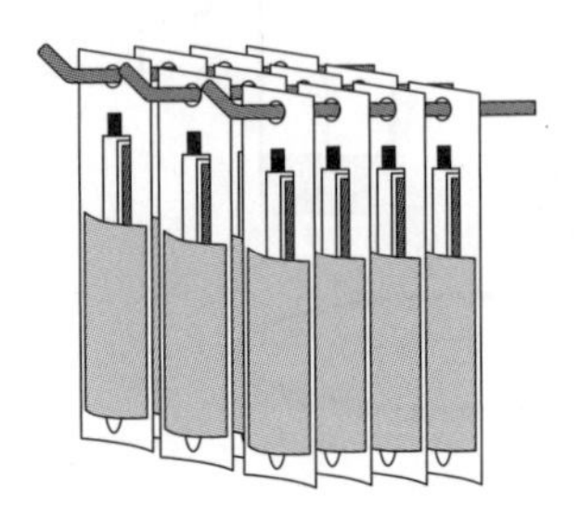

6 ボックス陳列

箱型の棚や台を用いる手法であり、衣料品などで利用されている。商品を分類するのが容易となる。

 [2−2−19] **ボックス陳列**

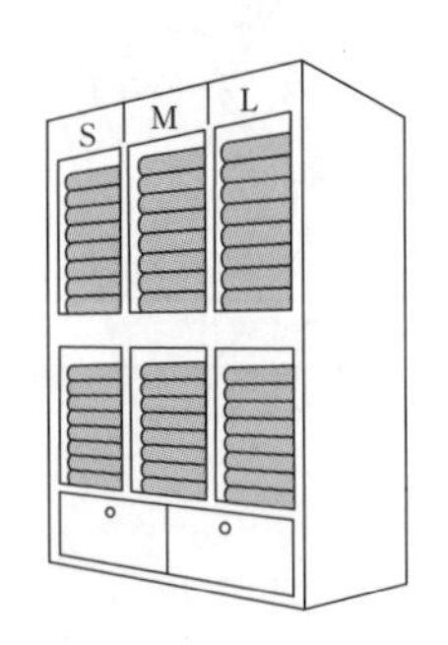

R2 29 **7 レジ前陳列**

エンド陳列を小さく変形したもので、購買顧客が必ず通過するレジ前に陳列することから、顧客の目に触れやすく、ついで買いを誘発する効果がある。

R6 32 **8 フェイスアウト陳列とスリーブアウト陳列**

フェイスアウト陳列は、商品の正面を見せる陳列方法である。**スリーブアウト陳列**は、商品の側面（袖）を見せる陳列手法。

[2－2－20]　**フェイスアウト陳列とスリーブアウト陳列**

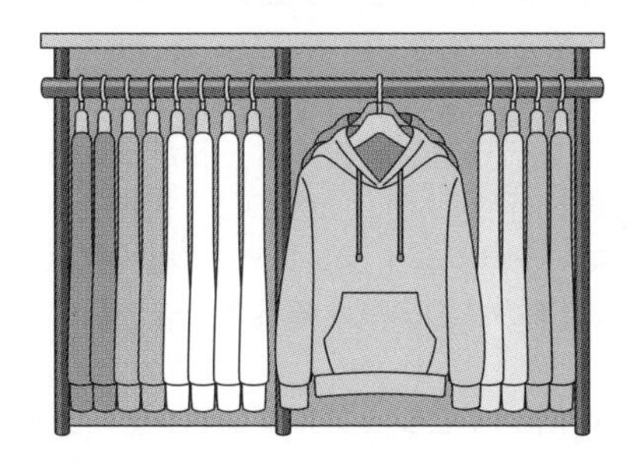

設　例

店舗における売場づくりに関して、以下に示す【陳列手法】と【陳列の特徴】の組み合わせとして、最も適切なものを下記の解答群から選べ。

[R2－29]

【陳列手法】

①　レジ前陳列
②　ジャンブル陳列
③　フック陳列

【陳列の特徴】

a　商品を見やすく取りやすく陳列でき、在庫量が把握しやすい。
b　非計画購買を誘発しやすく、少額商品の販売に適している。
c　陳列が容易で、低価格のイメージを演出できる。

〔解答群〕

ア　①とa　②とb　③とc
イ　①とa　②とc　③とb
ウ　①とb　②とa　③とc
エ　①とb　②とc　③とa
オ　①とc　②とa　③とb

解　答　**エ**

bの「非計画購買を誘発しやすく」は、レジ前陳列のついで買いに相当する。a，cはフック陳列とジャンブル陳列の代表的な特徴を示した内容である。

R6 32 R3 29

❸ ▶VMD

VMD（Visual Merchandising：ヴィジュアル・マーチャンダイジング）とは、小売業の販売戦略を実践するうえで、自店のコンセプトを、視覚表現を通じて消費者に訴求する仕組みや手法のことである。統一したコンセプトのもと、品揃えや陳列だけでなく、店内のインテリアコーディネートからカラーリング、POP広告に至るさまざまな視覚表現を行う。なお、VMDは、視覚的な訴求陳列に重点を置く手法であることから、マーチャンダイジングというよりも、陳列方法の概念に近いともいえる。VMDは、以下の３つの基本要素で構成される。

❶ VP（Visual Presentation：ビジュアルプレゼンテーション）

企業やブランドのイメージ、コンセプトを視覚的に表現する方法。ショーウィンドウ、メインステージなどで展開する。

❷ IP（Item Presentation：アイテムプレゼンテーション）

単品商品を色、柄、素材などで分類・整理し、見やすく、分かりやすく、選びやすく陳列すること。

❸ PP（Point of Sales Presentation：ポイントオブセールスプレゼンテーション）

特定の商品をピックアップし、特徴や機能を明示し、選択のヒントを示して客の判断を手助けする演出方法。マネキンなどを用いる。

4 照　明

ここでは、店舗の照明について学習する。

❶ ▶照明の役割

店舗における照明の主な役割は次のとおりである。

［2−2−21］ **照明の役割**

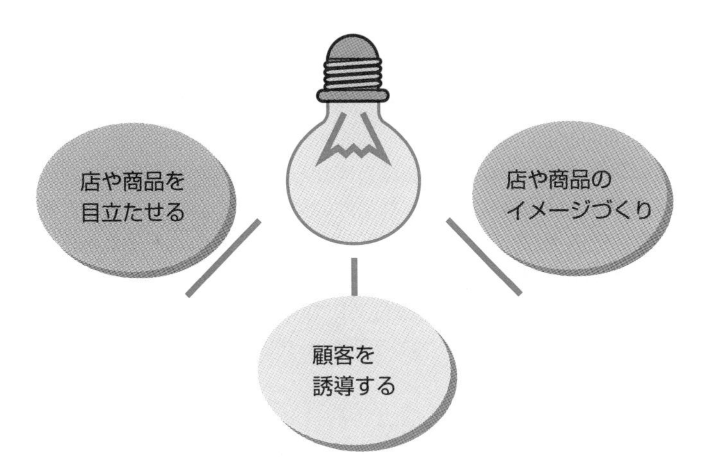

1 店舗と商品を目立たせる

暗くては、店も商品も目立たない。店が明るいことで店が目立ち、店内へ誘導することもできる。また、商品が見やすいように十分な明るさを確保することも重要である。

2 店舗や商品のイメージを演出する

照明により店舗、商品を演出する。光源（蛍光灯、白熱灯）の違いや、照明方法によって、顧客に与えるイメージは大きく変化する。

3 顧客を誘導する

店内での照明の配置、調節により、回遊性を高める役割がある。店の奥に明るい場所を作ったり、要所要所に明かりのポイントを設けたりする。

❷▶照明の基本的用語（単位）

照明に関連する用語をいくつか説明する。

1）光　束

光束（ルーメン：lm）は、単位時間あたりの空間に光源から放射される光の量（全光量）である。この値によって光源から発するエネルギーの量の目安としたり、光源の性能を表す目安としたり、輝度や照度などを計算したりする場合の単位にもなっている。

2）光　度　R3 26

光度（カンデラ：cd）は、光源からある方向へ向かう光の強さのことである。1カンデラは、1 lm/sr（立体角1 sr（ステラジアン）に放射される1 lm

（ルーメン）の光束）と定義されている。

R3 26

3）照　度

照度（ルクス：lx）は、光を受ける面の明るさである。単位面積あたりにどれだけの光が到達しているのかを表すもので、単位はルクスである。光源が１つの場合、照度は光源からの距離の２乗に反比例する。

4）輝　度

輝度（スチルブ：sb）は、ある方向から見たものの輝きの強さのことである。照度が単位面積あたりでどれだけの光が到達しているのかを表すのに対し、輝度はその光が当たっている平面光源をある方向から見たとき、どれだけ明るく見えるかを表すものである。ルーメン、カンデラ、ルクスがSI単位系（国際度量衡総会で採択された単位系）であるのに対して、スチルブはSI単位系ではない。１スチルブ＝１カンデラ/cm^2である。

図表 ［2−2−22］ **照明用語のイメージ**

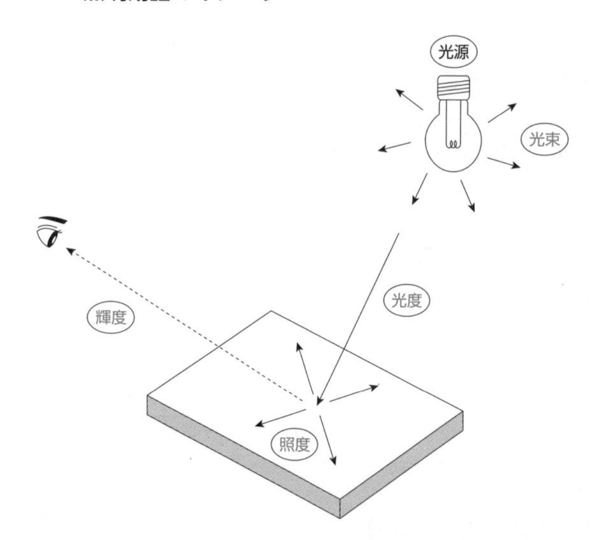

❸▶光　源

光源には、自然光源（太陽光）と人工光源とがある。人工光源の代表的なものは白熱灯、蛍光灯、LED（Light Emitting Diode）の３つがある。LEDは発光ダイオードともよばれ、電気を通すことで光る半導体のことである。LEDは、白熱灯や蛍光灯に比べて光源の寿命が長く発光効率が高いという特長をもつ。

R3 26

❹▶演色性

演色性とは、ものの色の見え方を表す光源の性質を指す。光源に照らされたものの色の見え方を数量化して評価できるようにした指標に**平均演色評価数（アールエ**

イ：Ra）がある。**Raは100が最大であり、原則として数値が大きいほど演色性がよい**とされる（物そのものの色として見える）。店舗の売り場や、学校、細かい作業をする工場、色の判断を必要とする職場などでは、Ra80以上が適正とされる。

❺▶色温度

色温度とは、物体や天体の可視域での放射の色から推定される温度のことである。**色温度が低いほど赤みをおびた光色になり、高くなるほど青みをおびた光色になる**。なお、色温度には国際単位系（SI）で定義された温度の単位（**ケルビン：K**）を用いる。

図表　[2－2－23]　**色温度**

光源	ケルビン数値	光色	見え方の特徴
快晴の北の空の自然光	約12,000K	青↑	寒色系は鮮やかに、暖色系は色あせて見える
平均正午の太陽光	約5,400K		
蛍光灯白色	約4,200K		
白熱球	約2,800K	赤↓	暖色系は強調され、寒色系はくすんで見える

設　例

照明に関する以下の文章において、空欄A～Cに入る語句の組み合わせとして、最も適切なものを下記の解答群から選べ。　[R3－26]

自然光や人工照明で照らされた場所の明るさを［　A　］という。JISでは、スーパーマーケットにおける店内全般の維持［　A　］の推奨値は［　B　］ルクスである。また、光で照明された物体の色の見え方を［　C　］という。

〔解答群〕

ア　A：光度　B：500　C：演色
イ　A：光度　B：2,000　C：演色
ウ　A：光度　B：2,000　C：光色
エ　A：照度　B：500　C：演色
オ　A：照度　B：2,000　C：光色

解　答　**エ**

光を受ける面の明るさは照度（単位：ルクス）である。光で照明された物体の色の見え方は、演色である。

5 色　彩

店舗の色彩に関する基本的な事項を説明する。

❶▶色の３要素

色相、明度、彩度の３つを色の３要素（３属性）という。

1 色相（しきそう）

色相とは彩りのことで、赤、青、黄といった色の種類である。人間の目で識別できる光の波長を、赤から紫までの色合いの違いとして整理したものである。

2 明　度

明度とは、白から黒までの無彩色の明るさのことで、白の明度が最も高く、黒が最も低い。当然、有彩色にも明度（色の明るさ）はある。明度を徐々に変化させることを明度のグラデーションという。

3 彩　度

彩度とは、色の鮮やかさの尺度である。色みの強さであり、有彩色では純色の彩度が最も高く、にごり（無彩色の混ざり具合）が増えるにつれて彩度は低くなる。**無彩色**の彩度は０（ゼロ）である。

図表 ［2−2−24］ **無彩色と有彩色**

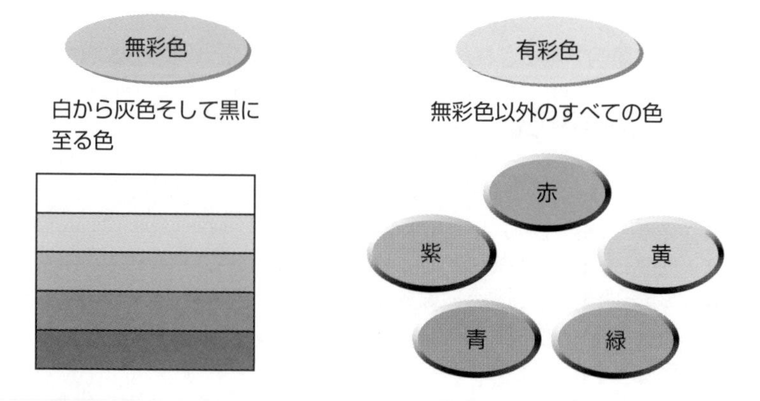

❷▶色相環（しきそうかん）

有彩色を整理して並べると、赤から黄赤、黄、黄緑、緑、青緑、青、青紫、紫、赤紫となり、最初の赤と最後の赤紫をつなげると色の環ができる。これを色相環という（色相環の図は覚える必要はない）。

● マンセルの色相環

色相環では、マンセルの色相環が有名である。その構成は、10種類の色相の環で、各色はさらに10の色相に分かれる。つまり全体では100の色相ということになる。

この色相環において、向かい合う色は補色となっている。**補色**とは、対照色のことで、混ぜ合わせると、灰色（無彩色）になるもの（光の場合は白）をいう。補色関係の２色を看板などで同時に使うと、目立つ効果がある。ただし、売りたい商品と背景とが補色関係になると、背景が主張しすぎて商品が目立たなくなるので、注意が必要である。

図表 [2−2−25] マンセルの色相環

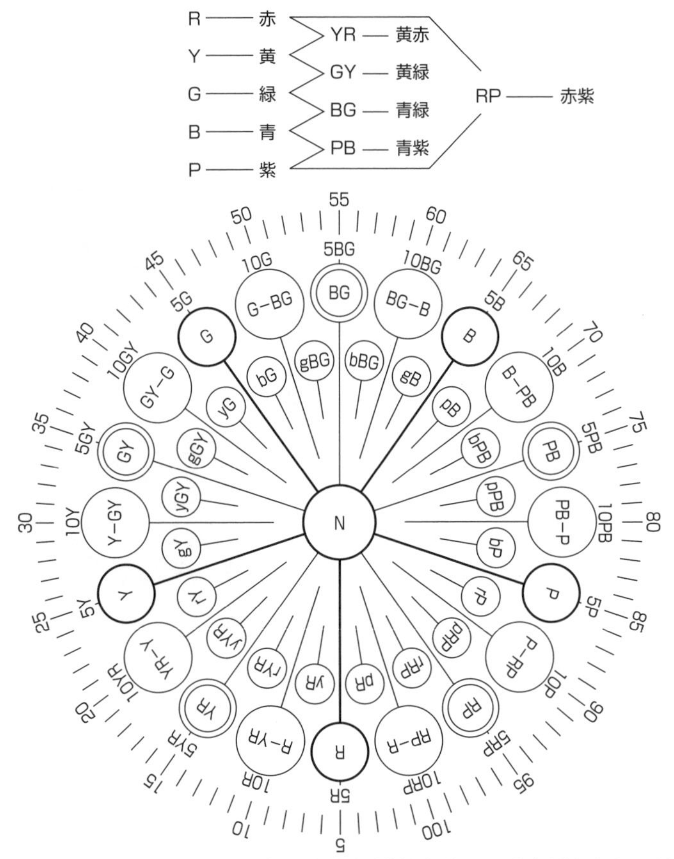

（日本店舗設計家協会（現：日本商環境デザイン協会）監修
『商業建築企画設計資料集成②設計基礎編』商店建築社をもとに作成）

❸▶色相の同化と対比

通常、ある色は独立して存在するのではなく、さまざまな種類の色に囲まれて存在するのが普通である。ある色は、まわりに置かれた色との関係によって変化して見えたり、見る者に違った印象を与えたりすることがある。この色と色との相互作用は、同化と対比の２つに大別される。

同化現象とは、ある色とある色が並べられたときに、一方の色が一方の色の性質に近づいて見える現象のことである。たとえば、みかんを赤いネットに入れると、みかんがより赤みを帯びて、より甘くおいしそうに見えるといった現象を指す。

対比現象とは、ある色とある色が並べられたときに、両方の色の性質の違いがより強調されて感じる現象のことである。補色対比は対比現象の一例である。

❹▶色のはたらき

色には、対象を見つけやすくしたり、区別しやすくしたり機能的な効果がある。

1 誘目性

誘目性は、注意を向けていない対象の発見のされやすさのことである。店内の注意や危険、禁止など、見る人の興味や関心にかかわらず伝達しなければならない情報は、誘目性を高める必要がある。一般的に高彩度色は誘目性が高い。

図表 [2−2−26] **高い誘目性の例**

2 視認性

視認性は、注意を向けて対象を探すときの発見しやすさのことである。店内の案内表示などは、高い視認性が求められる。背景色と対象色の明度の差が大きいほど視認性が高まる。

図表 [2−2−27] **高い視認性の例**

3 明視性、可読性

明視性と**可読性**は発見された対象の意味の理解のしやすさのことであり、意味を伝える対称が図形であれば明視性、文字や数字であれば可読性という。背景色と対象色の明度の差が大きいほど明視性、可読性が高まる。

図表 [2−2−28] **高い明視性の例**

4 識別性

識別性は複数の対象の区別のしやすさのことである。対象によって色を変えることで識別性が高まる。信号機であれば、点灯している色の違いで、進んでよいのか止まるべきなのか容易に区別することができる。

［2−2−29］ **高い識別性の例**

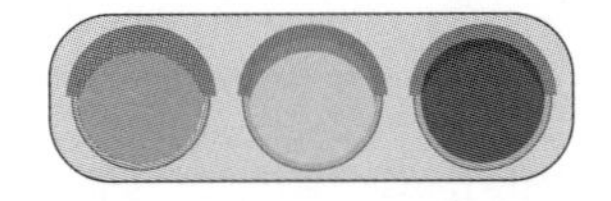

設例

売場や商品を演出する色彩に関する次の文中の空欄ＡとＢに入る語句として、最も適切なものの組み合わせを下記の解答群から選べ。　［H29−30］

色には、見やすさに大きく影響するいくつかの性質がある。注意を向けている人に遠くからでも見つけやすく、周囲から際立って見えるような色や配色を「［ A ］が高い」という。また、見つけた対象物の形や細部が認めやすく、意味や情報が細かく判別できるような色や配色を「［ B ］が高い」という。

〔解答群〕

ア　Ａ：視認性　　Ｂ：識別性
イ　Ａ：視認性　　Ｂ：明視性
ウ　Ａ：誘目性　　Ｂ：識別性
エ　Ａ：誘目性　　Ｂ：明視性

解　答　**イ**

視認性とは、注意を向けて対象を探すときの発見しやすさである。明視性は図形の意味の理解のしやすさである。

4 価格設定

1 価格設定

①▶小売業の価格政策

価格政策にはさまざまな種類があるが、試験対策上押さえておきたいものは以下のとおりである。

R6 28 R4 30 R3 39 R2 33

1 EDLP（Every Day Low Price）政策

EDLPとは、「「毎日が低価格販売」を政策に掲げ商品提供すること。一時的に低価格販売をするのではなく、徹底したローコストオペレーションの企業努力により、低価格商品を毎日消費者に提供することを特徴とする。」（新版VMD用語辞典　日本ビジュアルマーチャンダイジング協会編著　織研新聞社）とされている。毎日すべての商品が安いことを顧客にアピールし、**他店へ行く動機をなくし自店での購入を増大させる**ことをねらう。**時期によって価格差をつけるハイロープライシング**が一般的ななか、米国のウォルマートは仕入価格を変動させる取引条件を見直し、安定的なエブリデイローコストを実現させ、EDLPを確立させた。基本的に**特売は行わないため、チラシ配布や値札表示変更などのコストが抑制できる**メリットもある。高収益低価格商品の開発、オペレーションコストの削減、仕入先との情報共有などの**製配販同盟**や**SCM**の構築などがEDLPを実現する条件となる。

R6 28

R4 30 R2 33

2 プライスライン政策

プライスライン政策とは、それぞれの品目をいくつかの「よく売れる値頃」に段階別に価格を整理し決定する価格政策である。プライスライン政策は買回品に適しており、３つのプライスラインを設定した場合は、金額の間隔を同じにすると効果的といわれている。たとえば、5,000円、7,000円、9,000円の３つのプライスラインに限定した眼鏡店の存在があげられる。いくつかあるプライスラインのうち、最も販売数量の多いプライスラインを**プライスポイント**という。また、プライスラインの上限と下限の幅のことを**プライスゾーン**（価格帯）という。プライスライン政策では、仕入れた商品をいくつかのプライスラインに分けるという考え方ではなく、**事前にプライスラインを決定し、その決定に基づいて最適な品揃えを実現するための商品仕入が計画される**。

プライスライン政策のメリット・デメリット

メリット

- 顧客の商品選択の負担が軽減され、購買決定が容易になる

- 適正在庫の維持が容易となり、仕入が単純化する
- 売価決定や会計記録、在庫管理が単純化される

デメリット

- 仕入原価が高騰しても売価を変更しにくい

❷▶価格変更

1 特　売

R6 28　R4 30

特売とは、顧客動員を高めるために行われる価格政策で、**一定期間**において通常の価格より安い価格で販売することである。

2 値下げ（mark down）

値下げとは、通常の売価を減価することである。

値下げの主な原因は以下のとおりである。

1）仕入上の誤り（過剰仕入など）

2）価格設定上の誤り（売価が高すぎた、競合との価格差が大きすぎたなど）

3）販売上の誤り（商品の陳列場所や陳列方法の失敗による在庫過多など）

3 二重価格表示

事業者が自己の販売価格と当該販売価格よりも高い価格（比較対照価格）を併記して表示することを**二重価格表示**という。二重価格表示の内容が適正な場合には、一般消費者の適正な商品選択と事業者間の価格競争の促進に資する面がある。

しかし、たとえば、実際の価格が5,000円程度の商品を4,000円で販売する際に、「市価10,000円の商品を4,000円で提供」と表示するなど、二重価格表示において販売価格の安さを強調するために用いられた比較対照価格が適正でない場合には、一般消費者は販売価格が安いと誤認するため不当表示に該当すると解される。

参　考

R2 31

景品表示法

景品表示法は、不当表示や不当景品から一般消費者の利益を保護するための法律である。近年、不当表示の問題が大きく取り上げられており、違反行為者に対して経済的不利益を賦課し不当利得の剥奪効果をもたらす「課徴金制度」を新たに導入すべきとの意見が強くなった。そのため、**不当表示などの違反行為が認められた場合、違反者に対して課徴金の納付を命じる「課徴金制度」が導入されている。**

第3章

物流・輸配送管理

Registered Management Consultant

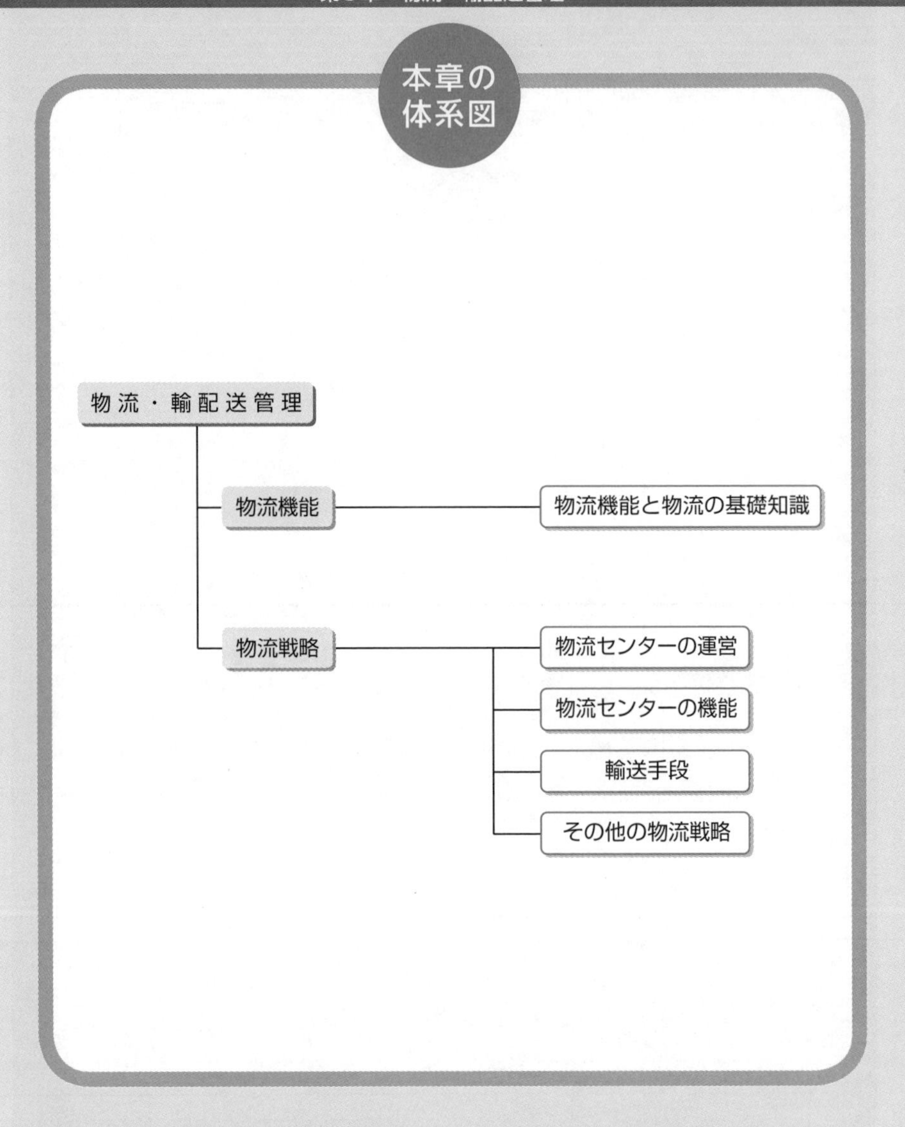

本章のポイント

◇ 物流センター内作業における保管、ピッキング、流通加工を覚える。
◇ 一括物流センターのメリットを理解する。
◇ 一括物流センターの在庫型と通過型についてそれぞれ理解する。
◇ 各輸送手段の特徴を覚える。
◇ 共同輸配送、巡回集荷、ユニットロード、一貫パレチゼーション、モーダルシフト、3PLについて理解する。

1 物流機能

1 物流機能と物流の基礎知識

❶▶物流機能

物流とは、正当なコストで、原材料の調達から最終消費地点までの製品フローおよび製品を動かす情報フローを提供する輸送・在庫活動のことである。また、物流の機能は、生産と消費のギャップを埋めることであり、大きく次のように分類できる。

1）**輸配送**（物流のメインとなる活動）
2）**保管**（一定期間商品を保管、備蓄する機能）
3）**荷役**（にやく）（荷物の積み降ろしなどの作業）
4）**包装**（輸送、保管にあたって荷物を保護する作業）
5）**流通加工**（値札貼りや梱包など、顧客ニーズに応えるための作業）
6）**在庫管理**（在庫の最小化を図りながら品切れを防止するなどの適切在庫水準を維持する機能）
7）**受発注処理**および物流情報処理

R6 17
R3 36

❷▶物流におけるトレードオフの関係

物流においては、以下のようなトレードオフの関係が存在する。顧客サービスを高めることは、企業経営上重要であるが、物流コストとバランスよく調整するための物流システムの構築が大きな課題となる。

1）物流サービスと物流コスト
　多頻度小口配送など顧客サービスを向上させるために配送頻度を増やすと、それだけ配送コストが増加する。

2）店頭作業効率（サービス）と仕分け作業（コスト）
　小売の店頭陳列がしやすいようにあらかじめ配送センターで店舗陳列を考慮した仕分けをしたうえで商品の積込みを行うと、仕分け・積込み費用が増加する。

3）在庫量（コスト）と機会ロス（サービス率低下）
　在庫コストや管理コストを低減させるために在庫を縮減すると、品切れによる機会損失の発生確率が増加する。

4）発注と保管
　発注コストと仕入単価を下げるために発注頻度を低くし、大量仕入を行うと、在庫が増大し、在庫維持コストと死蔵在庫ロスのリスクが増加する。

2 物流戦略

1 物流センターの運営

①▶卸売業の物流体系および特徴

1 卸売業の物流体系

一般的な卸売業の物流体系は以下のとおりである。

図表 [2−3−1] **卸売業の物流体系**

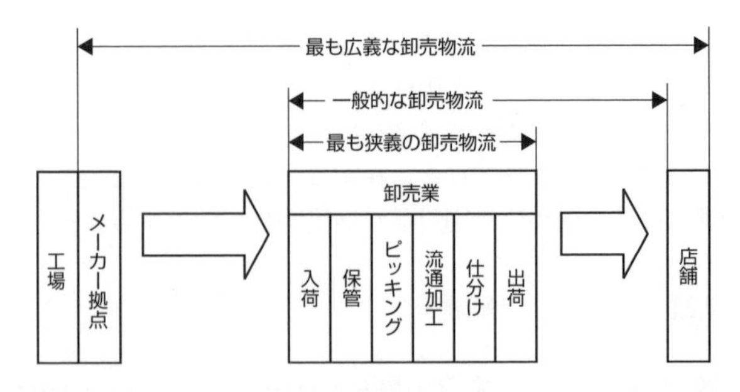

(田島義博監修 臼井秀彰/寺島正尚/加藤弘貴『卸売業のロジスティクス戦略』同友館をもとに作成)

2 卸売業の物流の倉庫（物流センター）内作業

倉庫内の主要な作業は、次のとおりである。

① 保 管

入荷商品を保管棚に、先入れ先出しとなるように商品を移動させる。倉庫内に商品をどのように格納するかの「**ロケーション管理**」も重要であり、ルールによって次の３通りの方法がある。

R6 38 R3 37
- **固定ロケーション**

  棚と商品を固定的に対応させる方法である。定番商品の割合が多ければ向いているが、商品がなくても場所はキープされるので一般に**スペース効率は悪い**。

R5 35 R3 37
- **フリーロケーション**

  棚と商品の対応にルールをもたせない方法である。入庫時に最適と判断する場所をシステムが決め、そこに格納する。自動倉庫システムが前提と考えてよい。

- **セミ固定ロケーション**

  固定とフリーの中間的な方法である。商品グループごとに保管区域（エリア）を決め（固定）、その中ではどこに置いてもよい（フリー）という方法である。

❷ ピッキング

注文にしたがって、作業者（ピッカー）がリストを片手に、商品を棚から取り出し、台車に投入する作業である。ピッキングは、次の2つの方式に大別される。

● **トータルピッキング**（**種まき方式**：総数をピッキングして、あとで店単位に振り分ける）　R6 38　R4 36　R3 37　R2 38

出荷する商品を一度にピッキングし、その後出荷先別に仕分けをする方法である。**少品種多量（商品品目数＜オーダー数）の注文状況に適している。**一度にピッキングすることから、作業動線を短縮できるという長所がある。しかし、仕分け作業に熟練度を要するため、一般的に自動仕分け機などを導入することで効率を上げる方法がとられている。

図表 [2−3−2]　**トータルピッキングのイメージ**

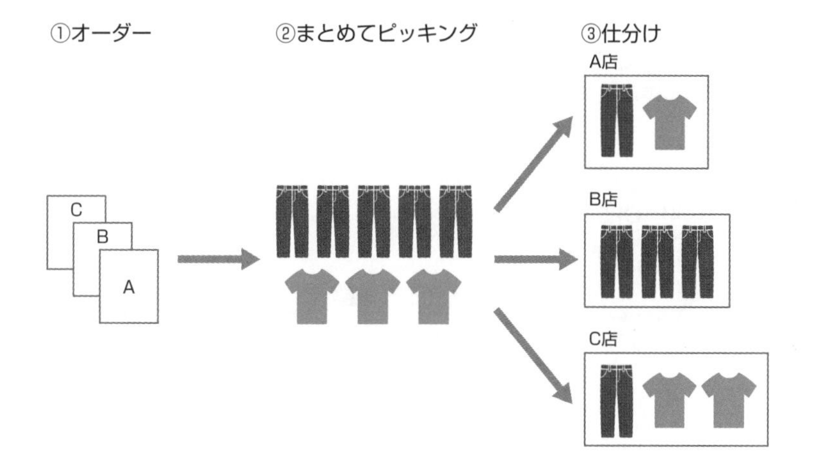

● **シングルピッキング**（**摘み取り方式**：店単位にピッキングする）　R6 38　R3 37　R2 38

顧客となる店舗や注文先別に商品を集荷して回るピッキング方法である。**多品種少量（商品品目数＞オーダー数）で、注文先が多い場合に適している。**作業者が倉庫内を移動して集荷する場合は、移動距離が長くなるという短所がある。なお、作業者は移動せず、商品が自動的に搬出されるシステムもある。

図表 [2−3−3] **シングルピッキングのイメージ**

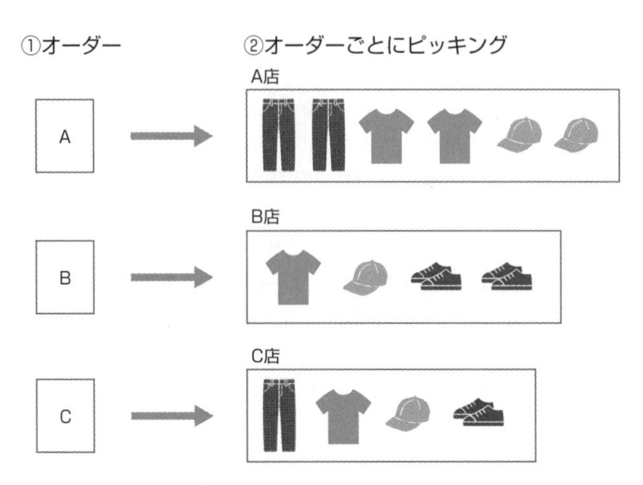

また、デジタル表示器を使った**マテハン機器**には次のようなものがある。

R5 35 R3 37

● DPS（Digital Picking System）

デジタル表示器の指示に従って、摘み取り方式で商品をピッキングするシステム。

図表 [2−3−4] **DPS**

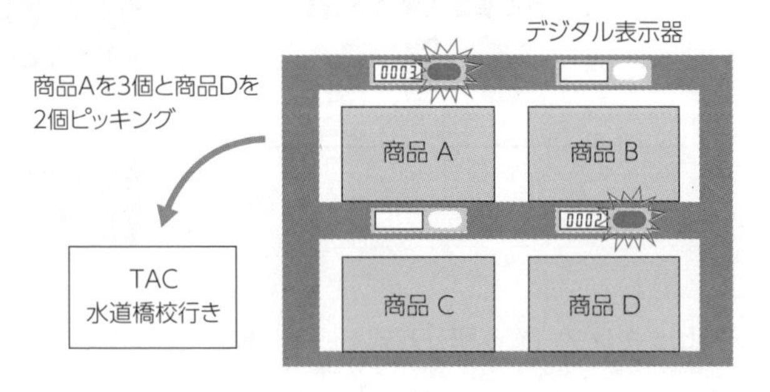

R5 35

● DAS（Digital Assort System）

デジタル表示器の指示に従って、種まき方式で商品を仕分けるシステム。

図表 [2−3−5] DAS

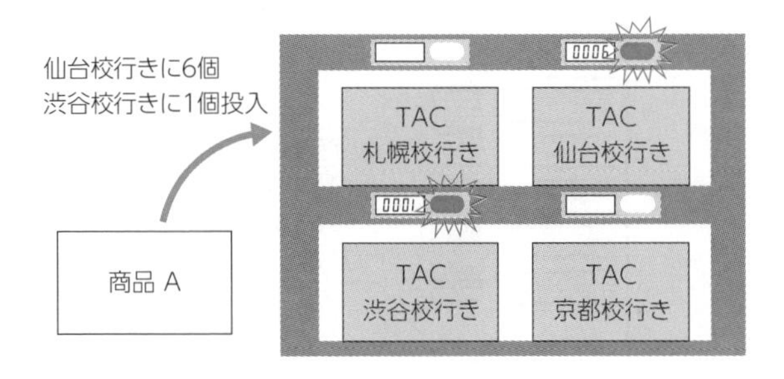

❸ 流通加工

値札の発行や貼り付けのことで、小売店の発注単位商品に包装する作業も含まれる。人手とコストがかかるのが課題となっている。

❹ 出　荷

出荷検品を行い、トラックへ積み込んで出荷する。**カゴ車積み**と**ベタ積み**がある。カゴ車積みのほうが積み降ろしは早いが、積載効率は悪くなる。

また、入出荷で利用される基本的なツールとしてSCM（Shipping Carton Marking）ラベルとASN（Advanced Shipping Notice：事前出荷明細）がある。

● SCM（Shipping Carton Marking）ラベル

SCMラベルは、企業間での物流効率化を目的としてEDI（電子データ交換）とバーコードシステムとを連動させて、検品作業の簡素化を図るために制定した納品ラベルである。納品用オリコン（折りたたみコンテナ）などの内容明細を表示し、統一伝票の伝票番号を表示することにより、**箱を開けなくても内容物を確認できる**。また、SCMラベルのバーコードから内容物のデータを読み取り、納入業者より事前に伝送された**出荷明細のデータ（ASN）と突き合わせる**ことにより、**受領検品作業が不要**になり、**大幅なコスト削減**と**物流のスピード化**を図ることができる。

 [2−3−6] **SCMラベル**

R6 38
R5 35
R4 36
R3 37
R2 38

● ASN（事前出荷明細）

ASNとは、送り先に対して商品を出荷する前に電子データで伝達する出荷案内データ（出荷明細）である。これにより、仕入検品業務を大幅に省力化し、時間短縮につなげることができる。

設 例

物流センターの運営に関する記述として、最も適切なものはどれか。

[R3-37]

ア　ABC分析は、ASN（Advanced Shipping Notice）に基づいて在庫管理の重点を決めるのに用いる。
イ　固定ロケーション管理は、フリーロケーション管理に比べて商品の保管効率が高いという特徴がある。
ウ　棚卸は、実際の在庫（数量など）と在庫台帳の内容とを照合する作業である。
エ　摘み取り方式ピッキングは、商品ごとの注文総数を一括してピッキングする作業である。
オ　デジタルピッキングは、適切な商品を適切な数だけコンテナ等に自動的に投入し梱包する装置である。

解 答　**ウ**

アについて、ASN（事前出荷明細）は、送り先に対して商品を出荷する前に電子データで伝達する出荷案内データのことである。イについて、固定ロケーション管理のほうが、フリーロケーション管理より商品の保管効率が低い。エについて、商品ごとの注文数量を一括してピッキングする方式は、種まき方式である。オについて、デジタルピッキングは、棚にライトを取り付け、作業者はライトの点滅指示により必要数量をピッキングする仕組みである。

2 物流センターの機能

❶ ▶一括物流

小売業との関係強化をねらった物流戦略として、卸売業が力を入れているのが一括物流の受託である。**一括物流**とは、モノと情報を一元管理することで実現する高品位物流である。すなわち、これまでばらばらに管理されていた各卸物流を、物流センターと小売専用の情報システムで運営する共同物流システムである。小売業は、店頭作業の効率化追求を目的に、一括物流を志向している。

一括物流は、次の内容を実現する機能およびメリットを有している。

1）**専用センター**：システムは小売側の専用システムを導入する場合が多い

2）**一括納品**：小売側の受入れ業務の削減、店頭作業の削減が可能になる R6 37

3）**一括発注**：小売側の発注業務が軽減される

4）**定時定配の確立**：小売側は荷着時刻に応じた人員体制が計画的に実施できる

5）**検品代行**：店頭でのノー検品が実現できる

6）**車両台数削減**：物流コストの削減が可能になる

7）**納品率向上**：機会損失が削減できる

8）**カテゴリー納品**：店舗の売場に合わせ、カテゴリーごとに仕分けて納品すること。店舗側は、**商品の補充や陳列の作業を効率化できる**。DC、TCのいずれでも行われる。 R4 34 R3 35

9）**売場直結納品**：陳列作業効率化の実現

❷ ▶物流センター

R6 37 R4 34 R3 35 R2 38

■1 物流センターの３つのタイプ

一括物流は、配送部分のみならず、ロジスティクス全体に及ぶシステムである。**ASN（事前出荷明細）**、**SCMラベル**、**EDI**などの情報技術を物流システムに盛り込むもので、納品体制にしても「**ノー検品**」「**カテゴリー納品**」「**定時定配**」など店舗の作業量が軽減されるような納品形態を実現する。その中核を担うのが物流センターであり、主に次の３つのタイプに分けられる。

1）**在庫型センター（DC：ディストリビューションセンター）**
在庫を抱えるセンター

2）**通過型センター（TC：トランスファーセンター）**
在庫はもたずに店別仕分けを行うセンター

3）**加工型センター（PC：プロセスセンター）**
食品のカットや包装、アパレルの値付けなどの流通加工を行うセンター以下は、DCとTCの特徴の比較である。

 [2−3−7] **DCとTCの一括物流の仕組み**

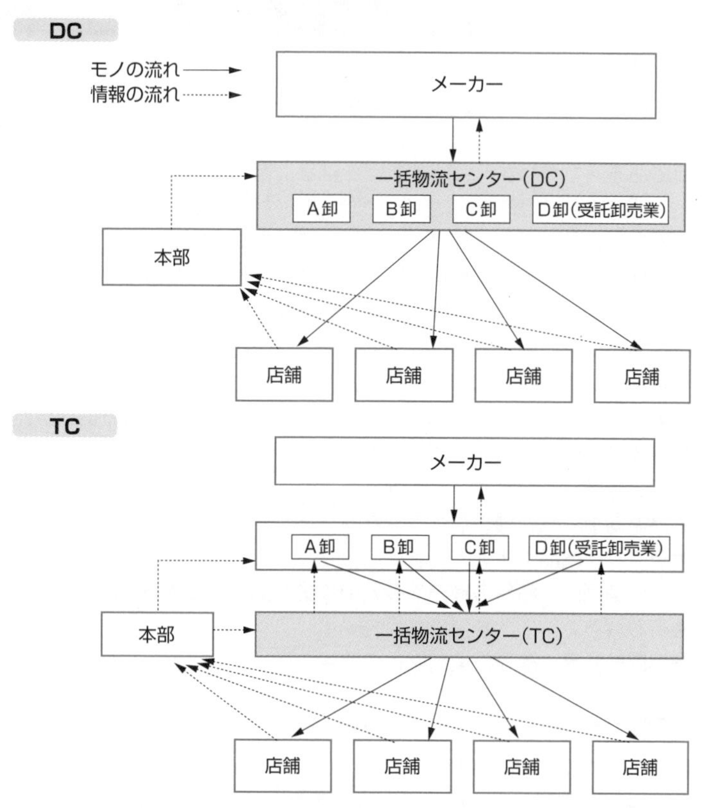

(田島義博監修　臼井秀彰/寺島正尚/加藤弘貴『卸売業のロジスティクス戦略』同友館をもとに作成)

R4 34

● **ベンダーからTCの入荷形態**

事前に商品を店舗別に仕分けて入荷する場合(**ベンダー仕分型**)と、事前に仕分けをせずに総量をそのまま入荷する場合(**センター仕分型**)がある。

R6 37

● **リードタイム**

R3 35

TCの方が1過程多いので、**TCのほうがリードタイムは長くなる。**

DC：メーカー → DC → 店舗

TC：メーカー → ベンダー → TC → 店舗

[2−3−8] **TCのベンダー仕分型とセンター仕分型のイメージ**

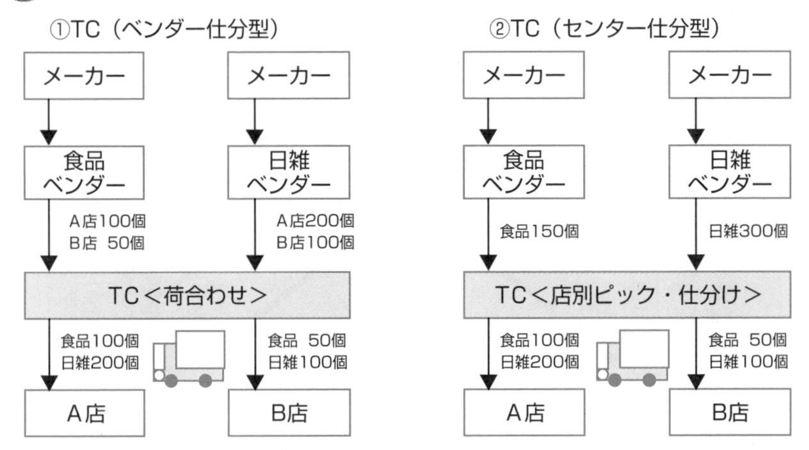

※ A店、B店は共に食品スーパー。日雑は日用雑貨。

> ① ベンダー仕分型：食品ベンダーはA店用100個とB店用50個をあらかじめ仕分けてTCに配送する。TCでA店用の食品100個と日雑200個をA店行きのトラックに積んで配送する。
> ② センター仕分型：食品ベンダーは総量150個をTCに配送するだけ。A店用に食品100個と日雑200個をTCでピッキングおよび仕分けをして、A店行きのトラックに積んで配送する。

なお、複数のベンダーから物流センターに納品される荷物を、迅速に仕分け、荷合わせして出荷する仕組みを**クロスドッキング**という。日本では、クロスドッキングは**TCセンターで多く用いられ、リードタイムの短縮や日持ちのしない商品の配送などに有効な手段**となっている。 R6 37

図表 [2−3−9] **クロスドッキングのイメージ**

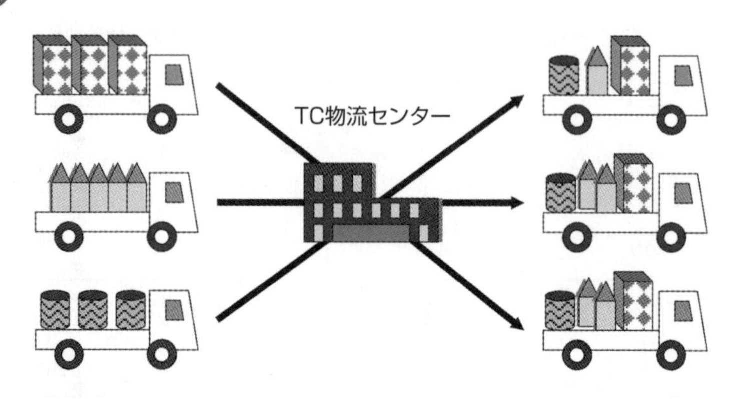

設 例

クロスドッキングとは、物流センターの荷受場で、入荷品を事前出荷通知に基づき保管するか出荷するかを識別して、出荷品を出荷場に通過させることである。
H28−37 ア (○)

参 考

物流センターの使用料（センター・フィー）

小売店による業務効率化の動きには、チェーン・オペレーション化が含まれる。**小売チェーンが自社で物流センターを整備**し、商品をメーカーから物流センターへ直接配送させて、物流センターで店舗別仕分けをし、各店舗に配送する方法（実質的には卸売業者を排除した自社物流方式）では、形式的な取引関係においてメーカーと小売店との間に卸売業者が介在していることになっている。そのため、**物流センターの在庫は卸売業者の在庫**とされ、卸売業者に売れ残りなどのリスク負担を求めるとともに、**小売側が卸売業者からセンター・フィーを徴収するのが一般的**となっている。

R6 37
R4 34

一方、複数の卸売業者が納入してきた商品を、いったん特定の卸売業者が窓口役となり、その物流センターに商品を集約し（卸売業者に共同で新たな施設を設置させることもある）、そこから各店舗に一括納品するという仕組みもある。この方式においては、店舗への納入窓口となった卸売業者が他の卸売業者からセンター・フィーを徴収するのが一般的となっている。

3 輸送手段

　貨物の輸送手段は、主に自動車（トラック）、鉄道、船舶、航空がある。ここでは、トラック、鉄道、船舶について取り上げる。

❶▶主な輸送手段

1 トラック

❶　路線便　R6 35　R4 32

　1台のトラックに複数の荷主の荷物を混載し、運送する輸送方法。拠点に複数の荷主の荷物を集め、目的地の方面別に仕分けてトラックに積載し、拠点間を輸送する。小口の荷物を配送する場合に適した輸送方法である。**特別積合せ運送**ともいう。

❷　貸切便　R6 35　R3 33　R2 36

　車両1台を貸し切り、単一の荷主の荷物のみを運送する輸送方法。出発地から目的地まで直接向かうため、出発時間や到着時間の指定が可能である。

❸ トラック運送における生産性指標　R2 36

　トラック運送の生産性向上を検討する際の代表的な指標は、次のとおりである。

1）実働率　R3 34

　実働率は、トラックの運行可能な時間に占める、走行や荷役、手待ちなど実際に稼働した時間の割合である。

$$実働率=\frac{稼働時間}{運行可能時間}$$

2）実車率　R5 34　R3 34

　実車率は、トラックの走行距離に占める、実際に貨物を積載して走行した距離の割合である。

$$実車率=\frac{実車距離}{総走行距離}$$

3）積載率　R6 36　R5 34　R4 35　R3 34

　積載率は、貨物を積載して走行するトラックの最大積載量に占める、実際に積載した貨物の量の割合である。

$$積載率=\frac{積載量}{最大積載量}$$

R6 35 R5 33 R4 32

❹ 標準貨物自動車運送約款

標準貨物自動車運送約款とは、貨物自動車運送取引についてトラック事業者が荷主等と締結する運送契約のひな形のことである。荷主の正当な利益を保護し、トラック事業者が適正に運賃や料金を収受できるよう、取引に関する基本的な事項が定められている。

平成29年には、運送の対価としての「**運賃**」及び運送以外の役務等の対価としての「**料金**」を適正に収受できる環境を整備する観点で見直しが行われた。令和6年の改正の主なポイントは以下のとおりである。

1）運送以外のサービスの内容の明確化

貨物を運ぶ運送と運送以外の業務（積込み、取卸しなど）を明確化し、契約にない運送以外の業務を引き受けた場合、その対価を収受する旨が明記された。

2）運賃・料金、附帯業務等を記載した書面の交付

運送を申込む荷送人、運送を引受けるトラック運送事業者は、それぞれ運賃・料金、附帯業務等を記載した書面である「運送申込書」「運送引受書」を相互に交付する旨が規定された。

3）実運送事業者の通知

利用運送を行う元請運送事業者は、実運送事業者の情報を荷送人に通知する旨が規定された。利用運送とは、トラック運送事業者が自社のトラックで運送を行わず、他の運送事業者に運送を依頼して行う形態のことである。

4）中止手数料の金額等の見直し

改正前は、貨物の積込みの行われる日の前日までに運送の中止をしたときは、中止手数料を請求しないこととされていた。改正後の内容は以下のとおりである。

- 集貨予定日の前々日の中止：運賃・料金等の20%以内
- 集貨予定日の前日の中止：運賃・料金等の30%以内
- 集貨予定日の当日の中止：運賃・料金等の50%以内

2 鉄道

R6 35 R5 33 R4 32 R3 33 R2 36

❶ コンテナ輸送

コンテナ輸送は、貨物を「コンテナ」と呼ばれる容器に入れて、トラックと鉄道とが協同して、出発地から目的地まで、コンテナ内の荷物を積み替えることなく一貫して輸送する形態を指す。鉄道コンテナは、内部の湿度上昇を防ぐための通風装置が付いたコンテナや、保冷機能を有するコンテナなど、様々な機能を備えたコンテナも利用されている。

3 船舶

❶ RORO（roll-on roll-off）船

R5 33 R4 32 R3 33 R2 36

貨物を積載したトラック、トレーラーをそのまま船内に積み込み、輸送することが可能な船舶。したがって、LOLO船と違い、コンテナの積み降ろしに専用のクレーンは不要である。旅客を輸送するフェリーとは区別される。

❷ LOLO（lift-on lift-off）船

R3 33

ガントリークレーンなどで、コンテナを吊り上げて荷役する方式のコンテナ船。

［2−3−10］ **RORO船とLOLO船の違い**

【RORO船】

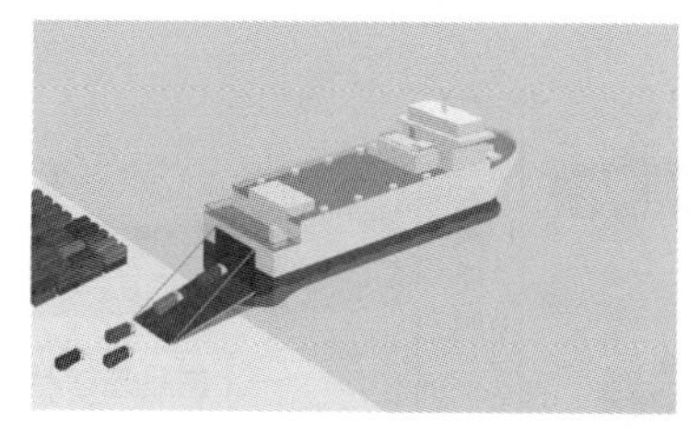

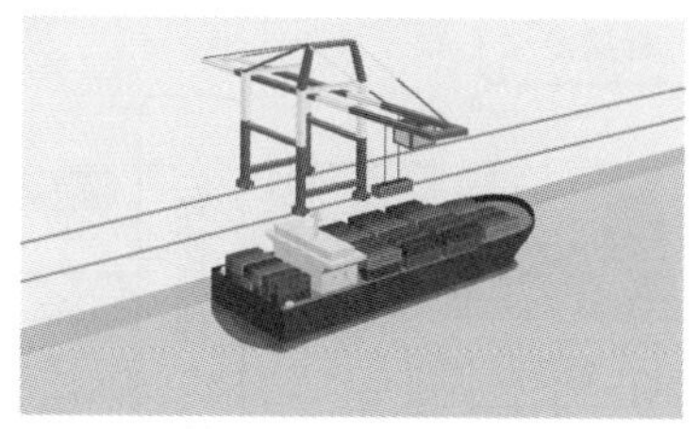

（出所：（株）パソナ みんなの仕事Lab-シゴ・ラボ- https://lab.pasona.co.jp/trade/word/342/）

4 モーダルシフト

R6 35 R5 33 R4 32 R4 33 R3 33 R2 36

幹線貨物輸送を**トラックから**大量輸送機関である**鉄道または海運へ転換**し、トラックとの複合一貫輸送を推進することをいう。モーダルシフトのメリットは**長距離の一括大量輸送による効率化**であり、モーダルシフトを推進するねらいは、**CO_2の排出量抑制**、**エネルギー消費効率の向上**、道路混雑問題の解消などがあげられる。ただしモーダルシフトを推進するためには、それだけの貨物量の確保や、トラックへの積み替えなどが必要となる。また、**輸送期間が長期化する**場合もある。

図表 [2−3−11] **モーダルシフトとその環境効果**

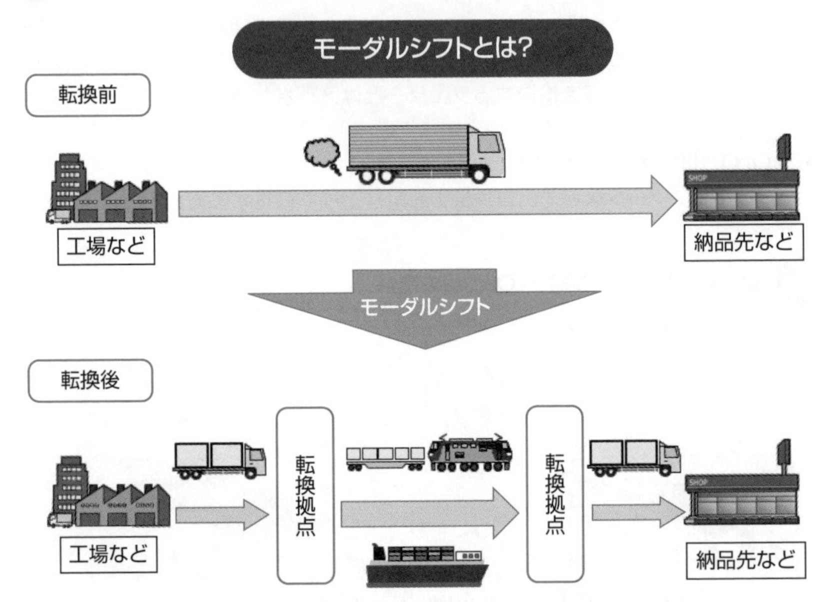

輸送量当たりの二酸化炭素の排出量(2022年度　貨物)

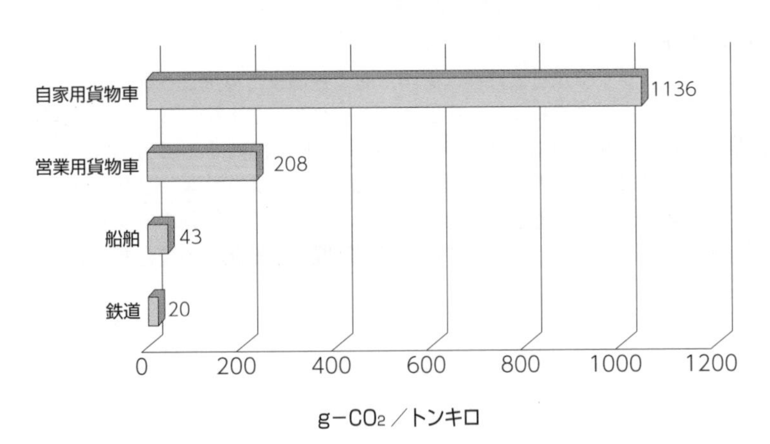

(出所:国土交通省　https://www.mlit.go.jp/seisakutokatsu/freight/modalshift.htmlをもとに作成)

4 その他の物流戦略

❶▶共同輸配送

R4 35
R3 34

共同輸配送とは、個別の企業が独自に行っていた輸配送を、1つの輸送手段にまとめて混載（積み合わせ）して輸配送することである。共同輸配送を行うことで、**配送コストの削減**、**小売店の荷受け負担の低減**などが見込める。

図表［2−3−12］ **共同輸配送の一例**

低積載率による個別納品　　　　　高積載率な一括納品

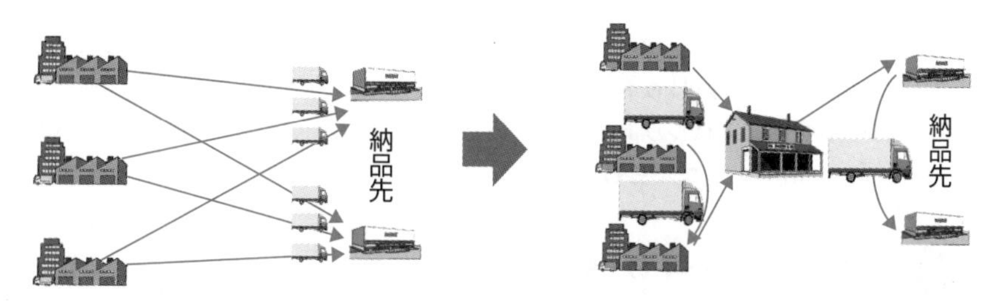

（出所：国土交通省「物流政策の主な取組について」をもとに作成）

❷▶巡回集荷（ミルクラン方式）

R4 35

巡回集荷とは、1つの車両で、複数の納入業者のところを回って配送貨物を集荷してくる方式である。メーカーやチェーン小売業などが納入業者のところを回って部品や商品を集荷してくるときにも採用される。牧場を巡回して牛乳を集荷するのになぞらえてミルクラン方式ともよぶ。納入量がトラック1台に満たないような少量の場合、あるいは納入業者が一定の地域に密集している場合などに用いられる。物量の少ない貨物をまとめることで、**積載効率を上げることができる。**

図表［2−3−13］ **巡回集荷（ミルクラン方式）のイメージ**

メーカーごとに個別納入する場合

メーカーA
メーカーB
メーカーC
物流センター

巡回集荷（ミルクラン方式）

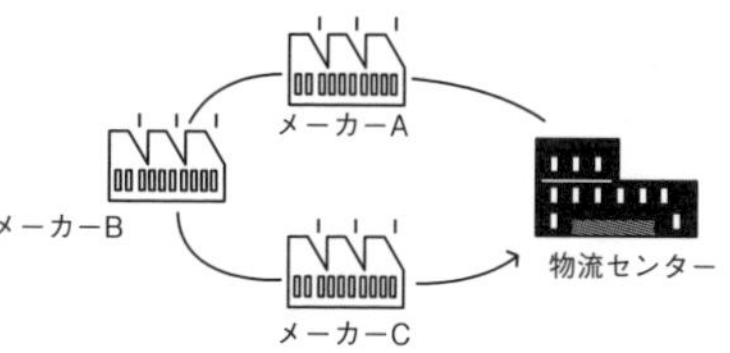

※　メーカーが納入業者、物流センターが荷受け側とした場合の例である。

R6 17
R6 36
R4 33
R3 36
R2 37

❸▶ユニットロード

ユニットロードとは、輸送貨物をばらばらではなく、ある単位（ユニット）にまとめることをいう。ユニットロードシステムは、輸送貨物をこのユニットにまとめた状態で、輸送、保管、荷役を行う仕組みである。ユニットには、ボックス、パレットとコンテナなどがある。荷扱いの単位を大きくし標準化することにより、さまざまな荷役機械を活用した近代的物流システムが活用できるため、**荷役効率や配送効率が向上する。**

R6 17
R6 36
R5 35
R4 33
R3 36
R2 37

パレットとは、１つの単位にまとめた貨物を置くための面があり、人手またはフォークリフトなどの専用車両により荷役、輸送、及び保管の全てが可能な構造をもつものであり、その一部には以下のようなものがある。

- **平パレット**
  平パレットとは、上部構造物のないフォークなどの差込口をもつパレット
- **ロールボックスパレット**
  ロールボックスパレットとは、上部構造物として少なくとも３面の垂直側板（網目、格子状などを含む）をもち、車輪がついたパレット

図表 [2−3−14] **パレットの一例**

【平パレット】

【ロールボックスパレット】

（出所：(一財)日本パレット協会　https://www.jpa-pallet.or.jp/about/#a02）

以下は、**パレタイジング**（数多くの品物を、１枚のパレットの上に積み付けて、同じ大きさの形や荷姿にまとめること）の特徴である。

ユニットロード（パレタイジング）のメリット・デメリット

メリット

- 多量の品目をまとめてフォークリフトにより一度に取り扱うことができ、輸送機関への荷物の積み降ろし時間の短縮、および、トラックでの積み降ろしにおける荷役作業人員の削減が可能になる
- さまざまな形状の品物でも一定の規格のパレットに積み付けると揃った荷姿になるため、作業の標準化が可能になる

デメリット

- パレット自体の重さ、体積により空間の有効利用や重量に制限が出る場合がある
- 空パレットの回収、保管、整理の付随作業が発生し、管理に手間がかかる場合がある

❹▶一貫パレチゼーション

R4 33　R3 33　R3 36

一貫パレチゼーションとは、荷物を出発地から到着地まで、同一のパレットに載せたまま輸送・保管することである。輸送中の荷傷みが少ないというメリットがある。難点は、荷物の載ったパレットが最終目的地まで運ばれるため、パレット主のパレット回収が困難になることにある。この問題を解決できるのがパレットプールシステムである。**パレットプールシステム**とは、パレットをプール（共同投資）して、複数の荷主で共同利用するシステムである。このシステムにおいては、着荷主に到着して空いたパレットを、着地付近の別の荷主が発荷主として利用することが可能となる。一部の業界で採用している共同運用方式のほか、レンタル（リース）方式によってこのシステムを事業化し、展開している企業もある。

❺▶サードパーティロジスティクス

R4 36

サードパーティロジスティクス／3PL（Third Party Logistics）とは、荷主企業にかわって、最も効率的な物流戦略の企画立案や物流システムの構築の提案を行い、かつ、それを包括的に受託し、実行することをいう。荷主でもない、単なる運送事業者でもない、第三者として、アウトソーシング化の流れのなかで物流部門を代行し、高度の物流サービスを提供することとされている。3PLの事業者は、自らトラックや倉庫などの物流施設を所有する**アセット型**と、物流施設を所有せず戦略構築に特化した**ノン・アセット型**に分類される。

第4章

販売流通情報システム

Registered Management Consultant

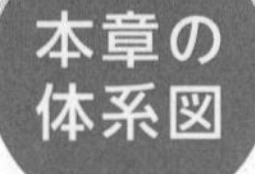

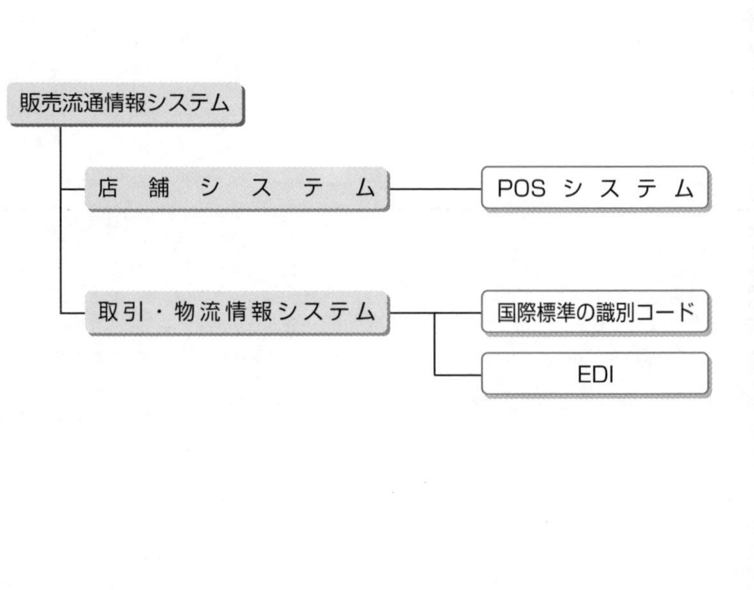

本章のポイント

◇ PI値の式を覚える。
◇ RFM分析の得点化の基準を覚える。
◇ 支持度、信頼度、リフト値の意味と算出式を覚える。
◇ GTIN、電子タグ、AIの特徴を覚える。
◇ PLU方式、NonPLU方式、ソースマーキング、インストアマーキングについて理解する。

1 店舗システム

ここでは、POSシステムについて学習する。

1 POSシステム

POS（Point Of Sales）システムは、光学式自動読取方式のレジスタにより、単品別に販売情報を収集・蓄積し、さまざまな用途に利用するものである。

 [2−4−1] **POSレジスタの例**

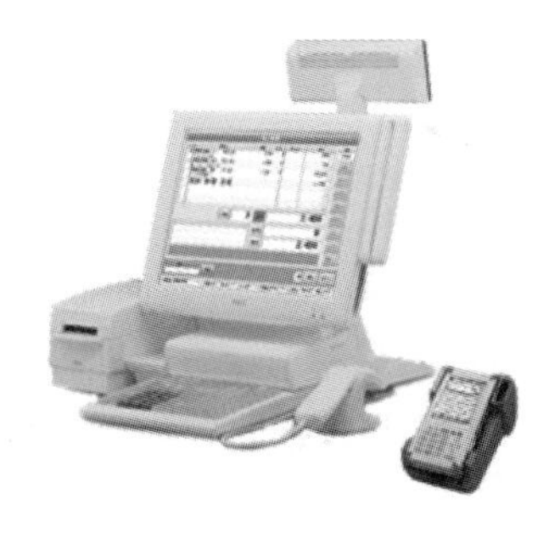

POSシステムの最大の特徴は、「単品レベルでの管理」が可能なことである。商品ごとに、いつ、いくらで、いくつ売れたかというデータがリアルタイムに把握できる。

❶▶POSシステム活用のポイント

POSデータは使い方によっては大変有効であるが、「売れた」という「結果のデータ」である。つまり、それだけでは、「なぜ売れたのか（あるいは売れなかったのか）」を知ることはできない。

POSシステム活用のポイントは次のとおりである。

1 仮説検証型アプローチ

販売に関連するさまざまな要因に対して仮説を立て、各種施策を行ったうえで、POSデータにより結果を検証する、仮説検証型のアプローチを繰り返すことが売上向上に有効と考えられる。

2 自店以外のデータの活用

POSシステムは正確に「売れた」データを提供してくれるが、それはその時点で自店に存在する商品についてのデータである。つまり、自店で取り扱っていない商品については、たとえ他店では一番の売れ筋商品でも「売れた」というデータを得ることはできない。

全国POSデータランキングや地域レベルでのPOS集計データなど、外部のPOSデータを活用し自店の品揃えに反映させることが必要である。

3 顧客購買データの活用

POSデータは「何が、いつ、いくつ売れたか」を示すデータとなるが、売上向上に役立てるためには、さらに「だれが買ったのか、買わなかったのか」の情報を付加することが望ましい。そのためポイントカードなどを発行し、特典を提供することと引き替えに顧客情報を取得し、POSデータと組み合わせて活用することが小売店で活発に行われている。

POSデータに顧客情報を付加したものが**顧客ID付きPOSデータ**であり、付加される顧客情報は多くの場合、顧客の識別番号（顧客ID）を伴うため、**ID-POSデータ**ともよばれる。

❷▶POSデータ分析

1 PI（Purchase Incidence）値

PI値とは、来店客数の影響を除外して、商品の販売実績を評価する指標である。販売期間来店客数1,000人あたりの商品販売実績を表すものである。PI値は、POSデータ分析を行う際の最も重要な指標の１つである。自社内の同カテゴリー商品の比較や、自社と他社あるいは全国的なPI値との比較を行い、売れ筋分析、棚割り、今後の商品戦略策定などに活用する。

PI値には「**金額PI**」と「**数量PI**」があり、それぞれの算出方法は以下のとおりである。

$$金額PI = \frac{総販売金額}{販売期間来店客数} \times 1,000$$

$$数量PI = \frac{総販売点数}{販売期間来店客数} \times 1,000$$

※ 「販売期間来店客数」は「レシート枚数」で代用できる。

参 考

Ａ店、Ｂ店ともに取り扱っている商品Ｘの売れ行きを分析する。

	期間来店客数 （単位：人）	商品Xの販売個数 （単位：個）	数量PI （個／千人）
Ａ店	5,000	50	50÷5,000×1,000＝10
Ｂ店	2,000	40	40÷2,000×1,000＝20

実際の販売個数はＡ店のほうが多いが、それは来店客数の多さに依拠したものであることがわかる。Ｂ店は、Ａ店よりも販売個数は少ないものの、来店客数の影響を除外すれば、高い販売力を示していると判断することができる。このように、ある商品に関するPI値を、他店や過去の自店と比較することにより、その店の販売実績の評価をすることができる。また、自店舗の同カテゴリー商品のPI値を比較することで、それぞれの商品力を比較することもできる。

❸ ▶ ID-POSデータのプロモーションへの活用

1 顧客セグメント分析手法

ID-POSデータを活用し、顧客を一定の基準のもと、複数のセグメントに分別し、優良顧客には手厚いプロモーションを行うことが有効である。顧客をセグメントする手法には以下のような方法がある。

図表 [2－4－2] **ID-POSデータによる顧客セグメント作成・分析手法**

分析手法	顧客分類方法	優良顧客の例
デシル分析	・顧客を購買金額の多い順に並べる ・上位から顧客を10等分し、デシル（10等分にされたセグメント）1～10に分ける ・上位のデシルに属する顧客を優良とみなす	デシル１～３に属する顧客
閾値(いきち)分析	・顧客の一定期間の購買金額によって分別する ・一定額以上の購買金額の顧客を優良とみなす	月３万円以上購買する顧客
RFM分析	・顧客をRecency（直近購買日）、Frequency（購買頻度）、Monetary（一定期間の購買金額）の組み合わせで得点化し、ランク分けする	直近に来店し、頻繁に来店し、購買金額が大きい顧客

R5 40 R6 43 R5 40 R3 39 R2 44

（流通経済研究所編『店頭マーケティングのためのPOS・ID-POSデータ分析』日本経済新聞出版社をもとに作成）

2 ショッピングバスケット分析（マーケット・バスケット分析）

併買分析ともいう。１人の顧客が「何と何をいっしょに買う（カゴに入れた）か」を顧客が受け取るレシート単位で分析する。分析は商品の陳列場所や位置データともあわせて行う。それにより、併買度の高い（あるいは高めたい）商品の関連陳列やセット販売を促し、客単価の増大を目指す。

また、ID-POSデータを用いた併買分析に用いられる代表的な分析指標として、**支持度**、**信頼度**、**リフト値**がある。ここでは、本試験の問題を例としてこれらの指標についてみていく。 R5 38 R4 39

あるスーパーマーケットの、ある期間に購買のあった顧客1,000人分のID-POSデータを用いて、顧客が当該期間内に購入する商品の組み合わせを分析した。その結果、商品Aの購入者が200人、商品Bの購入者が250人、商品Aと商品Bの両方の購入者が100人であった。 [H29−40]

(設問1)

「商品Aを購入した当該顧客の何パーセントが商品Bを購入するか」という値を、商品Bのプロモーションを検討する材料として計算したい。このときこの値は、一般に何と呼ばれる値か、最も適切なものを選べ。

ア Jaccard係数
イ 支持度（サポート）
ウ 信頼度（コンフィデンス）
エ 正答率
オ リフト値

(設問2)

設問1の「商品Aを購入した当該顧客の何パーセントが商品Bを購入するか」という値を実際に計算したとき、最も適切な値はどれか。

ア 15% イ 20% ウ 25% エ 40% オ 50%

解答（設問1）**ウ**（設問2）**オ**

問題に与えられた設定を、図にすると以下のようになる。

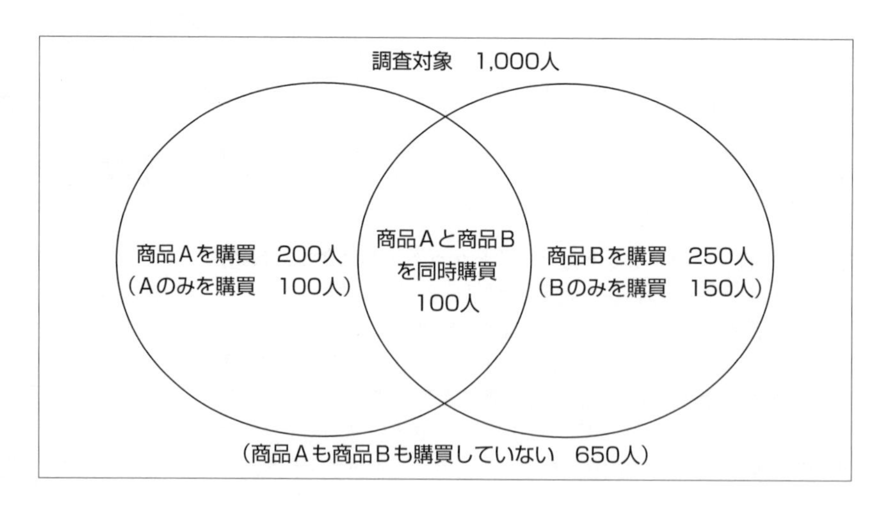

❸ 支持度（サポート）

支持度（サポート）とは、全顧客人数のうち特定の商品の組み合わせを購買した人数の割合を表す。上述の例の場合、支持度は以下の式で算出される。

$$\textbf{支持度}=\frac{\textbf{商品Aと商品Bを同時購買した人数}}{\textbf{全顧客人数}}\times 100(\%)$$

$$=\frac{100\text{人}}{1{,}000\text{人}}\times 100(\%)=10\%$$

支持度が高ければ全体に与える影響が大きくなり、支持度が低ければ全体に与える影響は小さくなる。小売店の店内には膨大な商品が存在し、その中で支持度が高い商品の組み合わせは、併買分析を行いさらに売上を伸張させる可能性に富んでいると考えられる。

❹ 信頼度（コンフィデンス、確信度）

信頼度（コンフィデンス、確信度）は、ある特定商品を購買した人の中でもう１つの商品を同時購買した人数の割合を表す。上述の例の場合、商品Ａからみた商品Ｂとの信頼度は以下の式で算出される。

$$\textbf{信頼度（商品A→商品B）}=\frac{\textbf{商品Aと商品Bを同時購買した人数}}{\textbf{商品Aを購買した人数}}\times 100(\%)$$

$$=\frac{100\text{人}}{200\text{人}}\times 100(\%)=50\%$$

この場合、商品Ａを買う人の50％は商品Ｂも買うということになる。信頼度が高ければ２つの商品の併買が頻出するものと類推され、低ければ稀にしか発生しないと類推できる。しかし、ここで注意が必要となる。

仮に商品Ｂが大人気商品であるとして、極端な例ではあるがすべての来店客が商品Ｂを購買していた場合、上式の分子と分母はイコールとなり信頼度は1.0となる。この場合、数値上は最大限に相関性が高いということになるが、それは実態を表していない。反対に、商品Ｂがあまり売れていないにもかかわらず信頼度がそれなりに高ければ、それは数値以上に商品Ａと商品Ｂの相関性が高いといえるかもしれない。

このことを踏まえて、２商品の相関性を分析するためにリフト値という指標を用いる。

5 リフト値（併買リフト値）

リフト値とは、もともとの特定商品の購買率に対して、ある商品との同時購買率の大きさを表す指標である。上述の例の場合、商品Aからみた商品Bとのリフト値は以下の式で算出される。

$$\text{リフト値(商品A→商品B)} = \frac{\dfrac{\text{商品Aと商品Bを同時購買した人数}}{\text{商品Aを購買した人数}}}{\dfrac{\text{商品Bを購買した人数}}{\text{全顧客人数}}}$$

$$= \frac{\dfrac{100\text{人}}{200\text{人}}}{\dfrac{250\text{人}}{1{,}000\text{人}}} = 2.0$$

※リフト値の分子は「信頼度」、分母は「(商品Bの）購買率」である。
※リフト値（商品A→商品B）とリフト値（商品B→商品A）は同値となる。

リフト値が高いほど、特定商品を買う人がある商品を同時購買する確率が高いことを示すため、同時購買を促す販売促進策（クロスマーチャンダイジングやセット販売など）の必要性が高まるといえる。一般的に、リフト値は1.0を超えると一定の意味をもち、2.0を超えると２つの商品の関係性が高いといわれている。

R5 40 R3 39

④▶CRM

1 CRMの定義

CRMはCustomer Relationship Managementの略で、顧客関係管理のことである。顧客関係管理は、顧客の情報や売上などの情報を管理することのみではなく、顧客との「関係」を構築することに重点が置かれる経営手法である。

2 CRMの活用方法

CRMでは、たとえば、顧客の購入履歴、セミナーや展示会への参加履歴、営業訪問履歴、苦情や意見、年齢や性別（デモグラフィックデータ）、地域（ジオグラフィックデータ）、性格や好み（サイコグラフィックデータ）などの情報を管理する（BtoBまたはBtoCなどの場合により、管理する情報が異なる)。CRMでは顧客の基本的な情報のほか、個別顧客と企業との「接点」を記録する。

［2－4－3］ **CRMのイメージ**

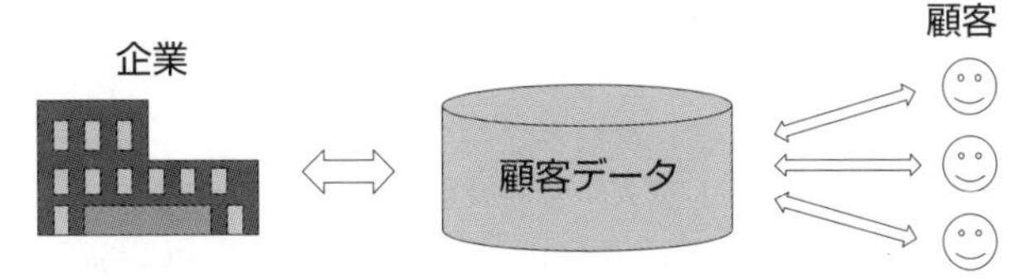

CRMでは、蓄積したデータを活用して顧客をセグメンテーションし、各セグメントのニーズや行動パターンにあった商品・サービス・情報を提供することができる。たとえば、購入履歴データベースをRFM分析して優良顧客を抽出し、イベント招待などのDMを送付したり、期間内無利用顧客を抽出し、購入を促すためにクーポン付きDMを送付したりする。

つまり、**見込み客（ターゲット）に有益な情報をピンポイントかつタイムリーに届けることができ**、企業にとっては広告宣伝費が抑えられるだけでなく、顧客の**購買金額を高めたり、優良顧客を維持したり**するなど、**中長期的な顧客との関係を構築**するために活用することができる。

3 CRMとLTV

LTV（Life Time Value）は、「顧客生涯価値」または「生涯顧客価値」と訳され、ビジネスにおいて（個別の顧客の単発購入を重ねるのではなく）、同一顧客の連続的な購入によって利益の最大化を図る考え方である。

LTVはCRMの中心概念である。CRMでは、企業が顧客視点に立ち、顧客との間に良好な長期的関係を構築することで、顧客の利便性・満足度・信頼度を高めて、LTVの最大化（企業利益の向上）を目指す。

一般的に、LTVは、単一顧客からの累積売上高（下式）で表される。

R4 28

LTV＝平均購入単価×購入頻度×継続購入期間
または、

$$\text{LTV}=\frac{\text{平均購入単価}\times\text{購入頻度}\times\text{継続購入期間}}{(\text{新規顧客獲得コスト}+\text{既存顧客維持コスト})}$$

LTVは顧客それぞれに異なるものだが、売上やコストを個々に計算するのは困難なため、実務上、上式を用いて実際に計算することはほとんどない。ただし、「顧客単価」や「リピート率」を高めながらも、「顧客獲得・維持費用」を抑制するという考え方は重要となる。以下は、LTVを最大化するための方法である。

- 平均購入単価を増やす
- 購買頻度を増やす
- 継続して顧客になってもらう

● 顧客獲得および維持コストを減らす

「売上」を増やすには、「顧客数を増やす」や「顧客あたりの売上を増やす」方法がある。しかし「顧客数を増やす」ためには、新規顧客の獲得が不可欠となり、広く認知してもらうための広告宣伝費などがかかる。

一方、既存顧客からリピート購入や関連商品の購入を狙う場合では、新規顧客の獲得に比べて、コストや労力の点で有利となる。CRMを適切に実施すると、個別の顧客の嗜好が把握できるようになるため、「顧客あたりの売上を増やす」ことが容易となる。

また、市場規模が拡大している成長市場では、マーケットシェア（市場占有率）を上げるために新規顧客の獲得に重点を置くことがある。しかし、いったん市場が飽和すると、新規顧客獲得は困難となり、継続してビジネスを拡大するためには、LTVに着目する必要性が生じる。

4 商品・サービス購入後のインターネット利用とLTV

消費者はパソコン、スマートフォン、タブレットなどにより、いつでもどこでもインターネットに接続し、さまざまな情報に触れている。近年では、ソーシャルメディアを通じて、消費者が商品・サービスの情報を獲得するだけでなく、消費者自らも情報を発信するようになってきている。信頼のあるネットワークから得る情報は、人間の心理や購買行動に大きな影響を与える。つまりソーシャルメディアの影響は、企業にとって無視できない存在となっている。

自社の商品・サービスを購入した顧客が、その経験（体験）をインターネット上で共有することで、さらなる売上拡大につながることがある。よい経験を得た顧客は、企業やブランドへの**ロイヤルティ（愛顧）**が高まり、LTVにおける「継続購入期間」が伸びやすい。また、その経験が**口コミ**の発信となって、企業の**認知度の向上**につながり、さらなる顧客の開拓につながることがある。

2 取引・物流情報システム

ここでは、国際標準の識別コード、EDIについて学習する。

1 国際標準の識別コード

GS1識別コードは、GS1が定めている国際標準の識別コードである。商品やサービスを識別するための**JANコード**（GTIN）をはじめ、企業や事業所、通い容器や資産など、さまざまな用途に応じた識別コードが定められている。どのGS1識別コードも、**GS1事業者コード**（重複がないように管理された事業者に貸与されるコード）を元に設定するため、世界中で他と重複することなく、対象を識別することが可能である。

[2−4−4] **GS1識別コード**

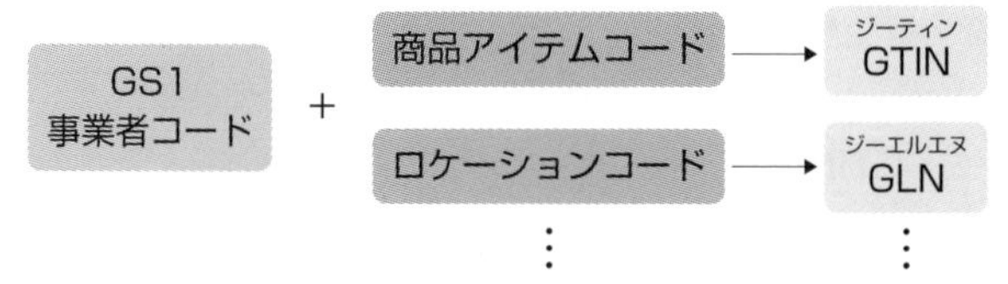

（出所：（一財）流通システム開発センター　https://www.GS1jp.org/standard/identify/をもとに作成）

参考

GS1は、サプライチェーンにおける効率化と可視化などのための流通システムの標準化を推進している、国際的な非営利団体である。バーコードや、電子タグ、EDIなどの標準化や普及活動に取り組んでいる。

GS1識別コードは、**バーコード**、**電子タグ**などのデータキャリアを用いて、商品などに表示あるいは添付することができる。バーコードとは、数字、文字、記号などから構成される「コード」を、太さの異なる暗色のバーと、明色のスペースの組み合わせである「バーコードシンボル」で表現し、スキャナなどの読み取り機器を用いて読み取れるようにしたものである。

図表 [2−4−5] **バーコードとは**

構成要素	内　容	例
バーコードシンボル	バーとスペースで構成される情報媒体	
コード	数字、文字、記号などのデータ自体	4569951116179

R5 37

❶▶GTIN

GTIN（Global Trade Item Number）とは、「国際標準の商品識別コードの総称」と定義され、商品・サービスに対して設定するGS1標準の商品識別コードである。商品の発売元、製造元、輸入元といった商品のブランドオーナーが、企業間で取引が行われる商品単位ごとに、他と重複することなく識別できるように設定する。具体的に国際標準の商品識別コードとよばれているものは、現在広く使われているJAN/EANコードの13桁や８桁（**GTIN-13**、**GTIN-8**）、主にアメリカ・カナダで使用されるUPCコードの12桁（**GTIN-12**）、集合包装用商品コード（**GTIN-14**）の14桁があげられる。

図表 [2−4−6] **GTIN**

コード	内容
GTIN-8	JAN/EAN短縮コード
GTIN-12	UPCコード
GTIN-13	JAN/EAN標準コード
GTIN-14	集合包装用商品コード

R6 39　R5 37　R4 37　R3 38　R2 39

1 JAN（Japanese Article Number）コード

JANコードは、国際的には**EAN**（European Article Number）コードまたは**GTIN-13/GTIN-8**とよばれ、「どの事業者の、どの商品か」を表す国際的な商品識別コードである。アメリカやカナダにおけるUPC（Universal Product Code）と互換性がある。JANコードには、13桁の標準タイプと８桁の短縮タイプの２つがあり、JANシンボルで表示する。

❶ JANコード標準タイプ（GTIN-13）

JANコード標準タイプは、以下の３つの要素で構成される。

1）GS1事業者コード

７桁、９桁または10桁の数字（コード）で、GS1が事業者に貸与する。なお、**GS1事業者コードの最初の2桁は国コード**であり、現在**「49」と「45」が日本の国コード**となっている。ただし、この国コードは「原産国」を表しているわけではない点に注意が必要である。JANコードは、商品のブランドオーナー／発売元／製造元等である供給責任者がどこの企業か、さらに、該当する企業の何の商品かを識別するためのものである。最初の2桁が「49」「45」だからといって、その製品の原産国が日本かどうかは無関係である。

2）商品アイテムコード

5桁、3桁または2桁の数字で、GS1事業者コードの貸与を受けた事業者の「どの商品か」を表すコードである。

3）チェックデジット

チェックデジットはコードの読み誤りを防ぐ仕組みで、あらかじめ定められた計算式にしたがって算出する。

図表［2−4−7］　JANコード標準タイプのデータ構成

コードの桁数	1	2	3	4	5	6	7	8	9	10	11	12	13
7桁GS1事業者コードの場合のGTIN-13の例	GS1事業者コード							商品アイテムコード					チェックデジット
	4	9	1	2	3	4	5	9	9	9	9	9	3
9桁GS1事業者コードの場合のGTIN-13の例	GS1事業者コード									商品アイテムコード			チェックデジット
	4	5	6	9	9	5	1	1	1	0	0	1	6
10桁GS1事業者コードの場合のGTIN-13の例	GS1事業者コード										商品アイテムコード		チェックデジット
	4	5	9	5	1	2	3	4	5	6	9	9	6

❷　JANコード短縮タイプ（GTIN-8）

バーコードの表示スペースが限られている小さな商品にJANシンボルを表示するための商品識別コードである。JAN コード標準タイプと異なり、**1商品アイテムごとに8桁のワンオフキーを1コードずつ貸与する**方式である。GTIN-8ワンオフキーは、**事前に必要性などの審査を受ける必要があり、認められた場合に限り取得が可能**となる。

［2−4−8］　JANコード短縮タイプのデータ構成

チェックデジットを含む8桁のワンオフキー ＝ GTIN-8

❸　JANシンボル

R5 36

JANシンボルとは、国際的にはEANシンボルと呼ばれ、JANコードを表現するためのバーコードシンボルである。JANシンボルは、下図のとおり基本サイズが定められており、基本サイズを基準に、0.8〜2.0倍までの縮小・拡大が認められている。

 [2−4−9] **JANシンボルの基本寸法**

(出所:(一財)流通システム開発センター JANシンボルマーキングマニュアル Ver.1.1)

❹ JANコードを利用する際の留意点

- GS1事業者コードは、**1年ごとの更新手続きが必要**である。
- JANコードの設定対象は「**消費者購入単位**」である。缶ビールのケース販売のように、段ボール箱等に入った集合包装の商品であっても、小売店頭で直接消費者が購入する単位であれば、JANコードによる識別の対象となる。
- 商品アイテムコードは、単品識別できる最小単位で設定する。

R3 38  [2−4−10] **商品の最小単位の識別例**

項 目	例
商品名が異なる場合	○○シャンプー、××シャンプー
素材(原材料)が異なる場合	コーヒー(ブラジル産、ジャワ産)
サイズが異なる場合	大袋、中袋、小袋
重量/容量が異なる場合	100g、200g/50cc、80cc
包装形態が異なる場合	袋物、缶詰、瓶詰
色が異なる場合	ピンク、ブルー、ホワイト
味が異なる場合	カレー味、バーベキュー味
香りが異なる場合	ジャスミン、ブーケ
販売単位が異なる場合	3個入り、5個入り
セット商品で価格または 中身(組合せ)が異なる場合	調味料3個と食用油3本入りセット 調味料3個と食用油2本入りセット

- 既存商品の仕様や容量が変わった場合は、商品アイテムコードを新たに設定

する。

- **一度使用した商品アイテムコード**は、**他の商品への再利用が認められない。**

2 ソースマーキングとインストアマーキング

R5 37

❶ ソースマーキング

R4 37

商品の製造元や販売元が商品の製造段階で、JANコードを商品の包装や容器にマークすることである。日本ではコンビニエンスストアの力が増すにつれて急速にソースマーキング率が上がった。ソースマーキングするためには、あらかじめ**GS1事業者コードを取得する必要がある。**

❷ インストアマーキング

店内で印刷した独自のバーコードラベルを作成し商品に貼ることである。生鮮食品は、店内でパッケージをしたり、重量などによって価格が異なっていたりするため、店内でバーコードを印刷した独自のラベルを作成し商品に貼っている。自社だけで通用すればいいので**GS1事業者コードを取得する必要はない**。またデータ構成を自由に設定できるため、**バーコードに価格データを含めることができる**。つまり、インストアマーキングには、バーコードの中に価格情報が入っているNonPLUタイプと、バーコードの中に価格情報が入っていないPLUタイプがある。JANコードとの混同をさけるため**最初の2桁**（JANコードの国コード部分）は**20～29を使用する**取り決めになっている。

3 PLU方式とNonPLU方式

R4 37

❶ PLU（Price Look Up）

PLUとは、商品に印刷された価格情報を含まないバーコードをスキャンし、ストアコントローラ内にある商品マスタにある価格情報（Price）と対応させて（Look Up）、商品価格を認識する仕組みのことである。ストアコントローラとはPOSシステムが稼働しているコンピュータのことと理解しておけばよい。JANコード等のバーコードは、印刷されるシンボルに「商品コード」をもたせることはできるが、価格情報はもたせていない。そのためレジでスキャンしたときに、読み込んだ商品コードを基に価格を照会する必要がある。

❷ NonPLU（Non Price Look Up）

NonPLUは、ストアコントローラへPriceをLook Upにいかず、価格情報の入ったバーコードをスキャンして価格情報を表示することをいう。バーコードの中に価格情報を組み込み、**短命な商品**に利用されることが多い。**惣菜や生鮮食品のように包装単位ごとに価格が異なる商品**や、**書籍や雑誌のようにプロダクトライフサイクルの短い商品**が代表的である（書籍は定価販売でありNonPLUとなる）。さらには、**多品種であり一品一品の価格が異なるアパレル製品**等では、価格情報をストアコントローラに入力するのは困難なため、バーコードに販売価格を直接組み込む

NonPLUが使用されることがある。

R5 37 R3 38 R2 39

4 集合包装用商品コード（GTIN-14）

集合包装用商品コードとは、企業間の取引単位である段ボールなどの包装パッケージに対し設定される商品識別コードである。国際標準では**GTIN-14**とよばれる。このコードには、中に入っている商品の包装形態（何個入りかなど）の情報が含まれている。開梱せずに中味が外から識別できるため、仕分け、ピッキング、検品、棚卸などの合理化が可能になる。

集合包装用商品コードの先頭の１桁目はインジケータとよばれ、このインジケータにより集合包装の荷姿や**入数**違い、販売促進の単位を分けることになる。入数を表す場合は、入数そのものではなく、入数に対応したコードを利用者側が決めて使用する。インジケータの後には集合包装に内包される個装（単品）のGTIN（JANコード）の先頭12桁が表記され、最後の１桁がチェックデジットで、合計14桁になる。

[2−4−11] **集合包装用商品コードの構成**

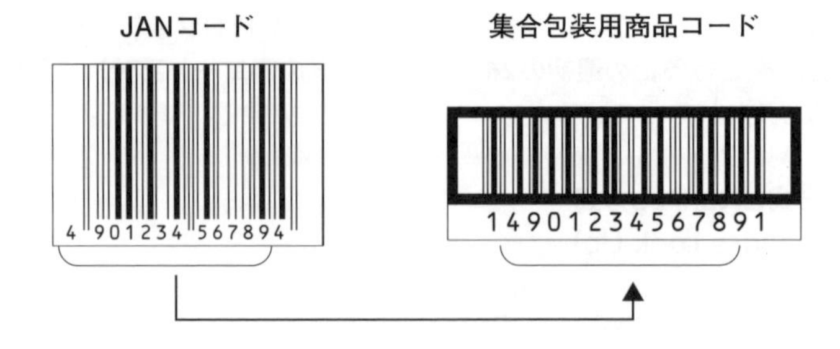

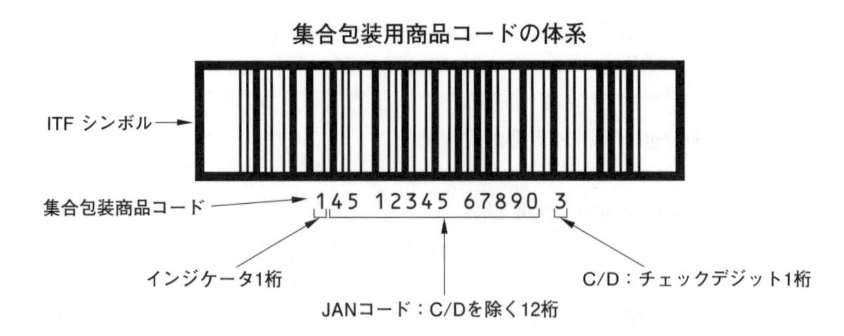

ITFシンボルは、集合包装用商品コードをバーコードシンボルで表示する場合に使用される。一般に集合包装用の包材は段ボール等、バーコード印刷の精度を確保しにくい材料が使われる場合が多いため、印刷精度がJANシンボルなどに比べる

と比較的緩やかであるITFシンボルが採用されている。

❷▶電子タグ（EPC/RFID）

1 RFID（Radio Frequency IDentification）

R6 3
R3 13

RFIDとは、無線周波による（非接触型）自動識別技術である。トランスポンダ（タグ）の識別情報を無線周波を介してコンピュータに接続されたリーダーで読み取り、自動的に識別するシステムである。**情報の書き換えや追記が自由**にでき、**商品を積み重ねたままでも情報が読み取れる**などの利点があり、食品、アパレル、家電製品、書籍、宅配荷物その他、幅広い分野で**物品の追跡管理（トレーサビリティー）**や自動識別、在庫管理、産地証明、偽造防止、万引き防止などに活用できると期待されている。JR東日本の「Suica」などもRFIDの技術を利用している。

2 ICタグ（IC tag）

ICタグとは、物体の識別に利用される微小な無線ICチップのことで、RFIDタグ、電子タグともよばれている。ICタグの主な特徴は以下のとおりである。

1）**小型・軽量**：最小のものは米粒よりも小さい。
2）**低コスト**：さらなる低コスト化が期待されている。
3）**商品履歴のトレースが可能**：流通の各段階で、情報の読み書き可能。移動日や輸送先などの流通情報を追加記録できるため、トレーサビリティに活用できる。
4）**遠隔でデータのやり取りが可能**：数メートル離れていても読み書き可能。ICタグとリーダー／ライター間に多少の障害物があっても読み書き可能。ただし、金属がある場合は読み取りができなくなることがある。また、バーコードと違い、表面が汚れても読み書き可能。
5）**同時に大量のデータの読み書きが可能**：複数のタグデータの一括読み書きが可能なため、梱包された段ボール箱の中の情報も一括して読み取ることができる。

3 EPC（Electronic Product Code）

R3 42

EPCとは、GS1で標準化された**電子タグ**に書き込むための識別コードの総称である。GTINなどGS1が定める標準識別コードが基礎となっている。そのため、既存のバーコードシステムとの整合性を確保しながら、電子タグシステムを構築することが可能である。

R3 42

EPCの一例としてSGTIN（エスジーティン）（Serialized Global Trade Item Number）がある。**SGTIN**は商品識別コードであるGTINにシリアル番号（連続番号）を付加したものであり、GTINが同じ商品でも、それぞれ１つ１つを個別に識別することが可能となる。

 [2−4−12] **EPCのイメージ**

Electronic Product Code　　JANコード(GTIN)

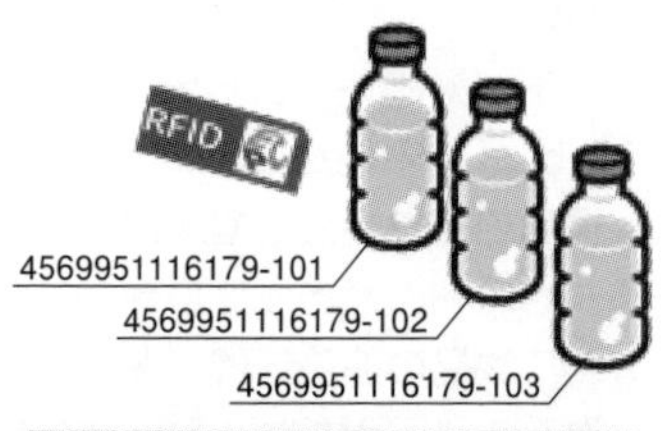

シリアル化により個別識別が可能　　同一商品には同一JANコード

（出所：（一財）流通システム開発センター　https://www.gs1jp.org/standard/epc/about_epc.html をもとに作成）

❸▶GLN

GLN（Global Location Number）とは、国内および国際的な企業間取引において、組織や場所を世界的に唯一に識別できるGS1識別コードである。事業者（法人、団体、個人事業主など）、部門（経理部、人事部など）、物理的な場所（事業所、工場、物流センター、店舗など）、電子的な場所（システムのアクセスポイントなど）を識別するために設定され、13桁で表示される。

 [2−4−13] **GLNのコード体系**

GS1事業者コード（9桁）を使用したGLN

G_1 G_2 G_3 G_4 G_5 G_6 G_7 G_8 G_9	L_1 L_2 L_3	C/D
GS1事業者コード（9桁）	ロケーションコード（3桁）	チェックデジット（1桁）

❹▶GS1アプリケーション識別子

R6 40　R4 38　R2 40

GS1アプリケーション識別子とは、GS1が標準化した、さまざまな情報の種類を管理する2桁から4桁の数字のコードであり、**AI**（Application Identifier）ともよばれる。AIを使うと、商品識別コードやさまざまな属性情報を、バーコード化して伝達することができる。AIは、GS1が標準化しているバーコードである**GS1-128シンボル**や**GS1 QRコード**、**電子タグ**などで使用することができる。

[2－4－14] AIの使用例

GS1 QRコード

(01)14912345678918
(11)200510
(15)201015
(10)HHI1026

GS1-128シンボル

（出所：(一財)流通システム開発センター「ケース単位への日付情報等のバーコード表示ガイドライン　Ver.1:1」をもとに作成）

AI	表示項目	表示内容
(01)	商品識別コード	14912345678918
(11)	製造年月日	2020年５月10日
(15)	賞味期限日	2020年10月15日
(10)	ロット番号	HHI1026

参考

バーコードが普及し、その利便性が世界的に認識される一方で、「多くの情報を含んだバーコードを小さな商品スペースに表示したい」「英数字、漢字、かな等の文字種を表現したい」というニーズが出てきた。これらのニーズに対応するのが２次元シンボルである。

JANやITFシンボル等、通常のシンボルは、情報が横（水平）方向にのみ表示されるため１次元シンボルとよばれる。これに対して、水平と垂直方向、つまり２次元方向に情報を持つため２次元シンボルとよばれている。

[2－4－15] １次元シンボルと２次元シンボルの違い

１次元シンボル（例：JANシンボル）

4 901234 567894

データは横方向、１次元に表示される

１次元シンボル

２次元シンボル（例：QRコード）

データは横と縦方向の２次元に表示される

２次元シンボル

2 EDI（Electronic Data Interchange）

R3 41 **EDI**とは、「電子データ交換」の略であり、実質的には企業間電子取引のことである。

EDIでは、交換する情報を標準的な書式に統一して企業間で電子的に交換する。受発注や見積り、決済、出入荷などにかかわるデータを、あらかじめ定められた形式に従って電子化し、ネットワークを通じて送受信を行う。紙の伝票をやりとりしていた従来の方式に比べ、**情報伝達のスピードが大幅にアップ**し、**事務処理の手間や人員の削減**、販売機会の拡大などにつながる。インターネットの普及にともない、Webブラウザを使ったWeb-EDIやXMLを使ったものなどが普及している。

R2 42 ❶▶流通BMS

流通BMS（流通ビジネスメッセージ標準）とは、国内の消費財流通業界向けの標準EDIである。その特徴は以下のとおりである。

- メーカー・卸売業と小売業間のEDIで用いられる。
- 業務プロセス、メッセージ種、データ項目、コード、XMLによるデータの表現方法について、標準化したものである。
- 業務プロセスの効率化、EDI導入・運用の効率化、情報連携によるSCM全体の最適化が期待できる。
- 送受信先の企業識別コードにGLN、商品コードにGTINを利用する。

MEMO

出題領域表

第1編 生産管理

		R2	R3
第1章	生産管理の基礎	管理目標1 生産の合理化21	5S1 生産形態2 多工程持ち作業16
第2章	工場の設備配置（レイアウト）	SLP（実施手順）3 DI分析15	生産現場のレイアウト分析3 工場レイアウト7
	生産方式	製番管理方式8 ライン生産方式16	同期化2 ライン生産方式5 ジャストインタイム6
	製品の開発・設計とVE		実験計画4
	生産技術	立体造形5	
	生産計画と生産統制	需要予測9 PERT（CPM）11 線形計画法12 需要予測35	需要予測8 PERT10 ディスパッチングルール11 現品管理13 流動数分析14
	資材管理		ストラクチャ型部品表9
	在庫管理・購買管理	エシェロン在庫2 最適生産量の決定10 発注方式13 小売店舗における在庫管理34	発注方式12 在庫管理32
第3章	IE (Industrial Engineering)	工程分析（基本図記号）7 標準時間設定17 作業分析18 生産の合理化21	流れ線図3 標準時間15 職務設計16 作業測定17 サーブリッグ分析18
	品質管理	品質表4 ヒストグラム6 仮説検定14	工程能力指数20 HACCP40
	設備管理	保全体制と保全費19 設備総合効率20	設備の信頼性19
	廃棄物等の管理	環境保全22	循環型社会形成21 食品リサイクル法25
第4章	生産情報システム		
	製造業における情報システム		

※表中の項目名とともに付されている白抜き数字は、本試験における問題番号となります。

R4	R5	R6
管理指標1 作業改善20	評価指標1 生産職場の管理指標21	生産形態1
	工場レイアウト2	設備レイアウト11 DI分析12
ライン生産方式2 生産管理方式4 TOC（制約理論）9	ライン生産方式6 生産ラインの改善活動18	ライン生産方式4 生産管理方式10
製品設計3	VE3 製品開発・製品設計4	
PERT7 ジョンソン法8 流動数分析14	PERT8 ディスパッチングルール9 工数管理、余力管理10 進捗管理13 需要予測32	PRET2 進捗管理と現品管理3 需要予測34
資材所要量計画6	ストラクチャ型部品表7	ストラクチャ型部品表5 資材管理13
発注方式10 在庫管理12 発注方式31	経済的発注量11 在庫管理31	外注管理14 在庫管理15 在庫管理33
製品工程分析（基本図記号）13 作業標準15 ストップウォッチ法16 作業改善20	運搬活性示数14 標準時間15 作業者工程分析16	標準時間設定法6 製品工程分析図16 マテリアルハンドリング17 経済性分析18
統計的検定5 QC7つ道具、新QC7つ道具11	QC7つ道具、新QC7つ道具12 解析用管理図18 HACCP39	工程能力指数7
生産保全17 設備総合効率18 TPM19	設備投資案の評価17 TPM19	設備管理8 優劣分岐点9 統計検定19
環境問題21	循環型社会形成推進基本法5 省エネ法20 食品リサイクル法24	環境配慮型生産20 廃棄物処理法21 食品リサイクル法25

第2編 店舗・販売管理

		R2	R3
第1章	店舗施設に関する法律知識	大規模小売店舗立地法23 都市再生特別措置法24 建築基準法27	都市再生特別措置法（立地適正化計画）23
	店舗立地と出店	商圏分析（ライリー＆コンバースの法則）25	商圏分析（修正ハフモデル）24
	商業集積と業種・業態	商店街実態調査報告書26 商業動態統計28	ショッピングセンターの現況22
第2章	商品販売計画	売価と売価値入率30 在庫管理指標32	売上と利益27 人時生産性28 品揃え政策30
	商品調達・取引条件		
	売場構成・陳列	陳列手法29	照明26 ビジュアル・マーチャンダイジング29
	価格設定	景品表示法31 商品政策・価格政策33	消費税転嫁対策特別措置法31
第3章	物流機能		物流機能36
	物流戦略	輸送手段の特徴36 ユニットロード37 物流センターの運営38	物品の輸送手段33 物流の生産性指標34 物流センターの機能35 ユニットロード36 物流センターの運営37
第4章	店舗システム	割賦販売法41 個人情報保護法43 RFM分析44	CRM39
	取引・物流情報システム	GS1事業者コードとJANコード39 GS1 QRコード40 流通ビジネスメッセージ標準42	GTIN38 中小企業共通EDI標準41 電子タグ42

※表中の項目名とともに付されている白抜き数字は、本試験における問題番号となります。

R4	R5	R6
中心市街地活性化法23 都市計画法24 屋外広告物26	大規模小売店舗立地法25 防火管理26 都市再生特別措置法（立地適正化計画）27	都市計画法23 屋外広告物法24 古物商許可30
商圏分析（ライリーの法則）25 商業動態統計22		
	ショッピングセンターの現況22 商店街実態調査23	商業動態統計22 電子商取引に関する市場調査報告書26
販売計画27 品揃え政策28	粗利益率と相乗積28	人時生産性27 交差比率31
売場づくり29	売場づくり29	非計画購買29 VMD32
価格政策30	食品表示法30	価格政策28
物品の輸送手段32 ユニットロード33 物流センターの機能34 積載率の改善35 物流センターの運営36	輸送手段と輸送ネットワーク33 中継輸送における実車率、積載率34 物流センターの運営35	輸送手段35 ユニットロード36 物流センターの機能37 物流センターの運営38
マーケットバスケット分析39 POSデータ分析（相関分析）40 個人情報保護法41	マーケットバスケット分析38 顧客セグメント分析40	資金決済法41 個人情報保護法42 RFM分析43
GTIN37 AI38	JANシンボル36 GTIN37	GTIN-1339 AI40

参考文献一覧

「JISハンドブック2023品質管理」 日本規格協会
「生産管理用語辞典」 日本経営工学会編　日本規格協会
「ビジュアル図解食品工場のしくみ」 河岸宏和　同文舘出版
「生産情報システム」 太田雅晴　日科技連出版社
「生産情報システム」 石田俊広　同友館
「新版　生産管理の基礎」 村松林太郎　国元書房
「ザ・ゴール」 エリヤフ・ゴールドラット　ダイヤモンド社
「生産マネジメント入門Ⅰ」 藤本隆宏　日本経済新聞出版社
「生産マネジメント入門Ⅱ」 藤本隆宏　日本経済新聞出版社
「生産管理システム」 大野勝久/田村隆善/森健一/中島健一　朝倉書店
「新版IEの基礎」 藤田彰久　建帛社
「IE 7つ道具」 実践経営研究会編　日刊工業新聞社
「経営工学概論」 秋庭雅夫/佐久間章行/石渡徳彌/山本正明　朝倉書店
「経営工学概論第２版」 都崎雅之助/大村 實　森北出版
「POM　生産と経営の管理」 吉本一穂/伊呂原隆　日本規格協会
「PERTのはなし　効率よい日程の計画と管理」 柳沢滋　日科技連出版社
「図解よくわかるこれからの生産管理」 菅間正二　同文舘出版
「生産管理がわかる辞典」 菅又忠美/田中一成編著　日本実業出版社
「図解生産管理　基本の基本からSCM、ERPまで」 田中一成　日本実業出版社
「生産管理実務（生産部門担当者編）」 生産管理研究会　産能大学出版部
「続々・目で見て進める工場管理」 岡田貞夫　日刊工業新聞社
「QC7つ道具　100問100答」 細谷克也　日科技連出版社
「QC手法　100問100答」 細谷克也　日科技連出版社
「よくわかる『新QC7つ道具』の本」 鈴木宣二編著　日刊工業新聞社
「生産現場の改善手法」 想田豊太郎　日本能率協会マネジメントセンター
「現代の生産管理」 古屋 浩　学文社
「生産管理概論第２版」 桑田秀夫　日刊工業新聞社
「生産現場構築のための生産管理と品質管理」 木内正光　日本規格協会
「図解でわかる！環境法・条例－基本のキー」 安達宏之　第一法規
「自動車設計と解析シミュレーション」 三浦登・福田水穂共編　培風館
「まちづくり三法の見直し」 国土交通省都市・地域整備局まちづくり推進課/都市計画課監修　都市計画・中心市街地活性化法制研究会編　ぎょうせい
「図解入門よくわかる最新都市計画の基本と仕組み」 五十畑弘　秀和システム
「商業建築企画設計資料集成②設計基礎編」 日本店舗設計家協会監修　商店建築社
「店舗・立地の戦略と診断」 石居正雄他　同文舘出版
「新店舗施設管理用語小事典」 木地節郎/浜田恵三編　同友館
「店舗施設の総合知識」 高瀬昌康　誠文堂新光社
「店舗の開発・診断の実践」 高瀬昌康　誠文堂新光社
「戦略的商品管理」 徳永 豊　同文舘出版

「インストア・マーチャンダイジング〈第２版〉」
公益財団法人流通経済研究所編　日本経済新聞出版社
「物流の知識」宮下正房/中田信哉　日本経済新聞出版社
「ロジスティクス入門」中田信哉　日本経済新聞出版社
「物流がわかる事典」中田信哉編著　日本実業出版社
「マーチャンダイジングがわかる事典」三浦一郎/服部吉伸編著　日本実業出版社
「卸売業のロジスティクス戦略」田島義博監修　臼井秀彰/寺島正尚/加藤弘貴　同友館
「ロジスティクス概論」中田信哉/橋本雅隆/嘉瀬英昭編著　実教出版
「マーチャンダイジングの知識（第２版）」田島義博　日本経済新聞出版社
「販売士（３級）検定試験ハンドブック」日本商工会議所編　カリアック
「現場管理者のための『７つ道具』集」実践経営研究会監修　日刊工業新聞社
「戦略的カテゴリーマネジメント」麻田孝治　日本経済新聞出版社
「マーチャンダイジングの知識」田島義博　日本経済新聞出版社
「基本流通論」中田信哉/橋本雅隆　実教出版
「現代物流システム論」中田信哉/橋本雅隆/湯浅和夫/長峰太郎　有斐閣
「ベーシック流通と商業」原田英生/向山雅夫/渡辺達朗著　有斐閣
「よくわかる都市計画法」都市計画法制研究会　ぎょうせい
「流通政策入門（第２版）」渡辺達朗　中央経済社
「売り場づくりの知識」鈴木哲男　日本経済新聞出版社
「図解入門よくわかる最新LED照明の基本と仕組み」中島龍興他　秀和システム
「ショッパー・マーケティング」財団法人流通経済研究所編　日本経済新聞出版社
「店頭マーケティングのためのPOS・ID-POSデータ分析」
公益財団法人流通経済研究所編　日本経済新聞出版社
「流通情報システム化の動向　2016〜2017」流通システム開発センター
日本品質保証機構（JQA）　https://www.jqa.jp/index.html
日本バリュー・エンジニアリング協会　https://www.sjve.org/
BellCurve　https://bellcurve.jp/statistics/course/9700.html
一般財団法人　持続性推進機構「エコアクション21」　https://www.ea21.jp/
国土交通省「中心市街地活性化ハンドブック」
流通システム開発センター　https://www.gs1jp.org
国土交通省「都市計画運用指針における立地適正化計画に係る概要」

索引

【こ】

【さ】

【し】

【す】

【せ】

【り】

【れ】

【ろ】

【わ】

MEMO

中小企業診断士　2025年度版
最速合格のためのスピードテキスト　3　運営管理

（2003年度版　2002年10月1日　初版　第1刷発行）
2024年11月18日　初　版　第1刷発行

編著者　TAC株式会社（中小企業診断士講座）
発行者　多田敏男
発行所　TAC株式会社　出版事業部（TAC出版）

〒101-8383
東京都千代田区神田三崎町3-2-18
電話 03(5276)9492(営業)
FAX 03(5276)9674
https://shuppan.tac-school.co.jp

組　版　株式会社　グラフト
印　刷　株式会社　ワコー
製　本　株式会社　常川製本

ISBN 978-4-300-11403-2
N.D.C. 335

中小企業診断士講座のご案内

ストレート合格を目指す！ TACを選ぶメリット。それは"効率性"！

学習効果が高まるよう編成された質の高いカリキュラム・講師・教材で構成されるTACのコースを受講することで、無理なく実力をつけることができ、効率的に1・2次試験のストレート合格を狙えます。

専門校を利用するメリット！

戦略的カリキュラム
INPUT&OUTPUTの連動・繰返し学習が効果的！
ムリ・ムダを省いた必要十分な学習量！

2次試験合格の秘訣
スケールメリットが合格の可能性を高める！
新作演習問題・添削指導も充実！

充実のフォロー体制
安心して学習できる環境を整備！
学習メディア別に充実したサポート！

全科目のINPUT（知識習得）とOUTPUT（問題演習）を組み合わせたオールインワンコース「1・2次ストレート本科生」「1・2次速修本科生」を開講しています。

2025年合格目標コース ～豊富なコース設定で効率学習をサポート～

※模試の会場受験にはお席に制限がございます。2次公開模試の会場受験は本科生のみとなり、単科での申込は自宅受験となります。

≪オプション講座≫ ※名称は変更となる場合がございます。日程は予定です。

- ●1次重要過去問チェックゼミ（経営・財務・運営・経済）‥▶3/中旬案内開始
- ●1次「財務・会計」特訓ゼミ‥‥‥‥‥‥‥‥‥▶3/中旬案内開始
- ●1次「経済学」解法テクニックゼミ ‥‥‥‥‥‥▶3/中旬案内開始
- ●2次事例Ⅳ特訓 ‥‥‥‥‥‥▶8/上旬案内開始
- ●2次事例別過去問対策講義‥▶8/上旬案内開始

※詳細は、案内開始時期にTACホームページおよび資料をご請求ください。

中小企業診断士講座のご案内

学習したい科目のみのお申込みができる、学習経験者向けカリキュラム

1次上級単科生(応用+直前編)

□ 必ず押さえておきたい論点や合否の分かれ目となる論点をピックアップ!
□ 実際に問題を解きながら、解法テクニックを身につける!
□ 習得した解法テクニックを実践する答案練習!

カリキュラム ※講義の回数は科目により異なります。

1次応用編 2024年10月～2025年4月

1次上級講義
[財務5回/経済5回/中小3回/その他科目各4回]
講義140分/回
過去の試験傾向を分析し、頻出論点や重要論点を取り上げ、実際に問題を解きながら知識の再確認をするとともに、解法テクニックも身につけていきます。
[使用教材]
1次上級テキスト(上・下巻)
(デジタル教材付)

➡INPUT⬅

1次上級答練
[各科目1回]
答練60分+解説80分
1次上級講義で学んだ知識を確認・整理し、習得した解法テクニックを実践する答案練習です。
[使用教材]
1次上級答練

⬅OUTPUT➡

1次養成答練 [各科目1回] ※講義回数には含まず。
基礎知識の確認を図るための1次試験対策の答案練習です。
(配布のみ・解説講義なし・採点あり)

⬅OUTPUT➡

1次直前編 2025年5月～

1次完成答練
[各科目2回]
答練60分+解説80分/回
重要論点を網羅した、TAC厳選の本試験予想問題による答案練習です。
[使用教材]
1次完成答練

⬅OUTPUT➡

1次最終講義
[各科目1回]
講義140分/回
1次対策の最後の総まとめです。法改正などのトピックを交えた最新情報をお伝えします。
[使用教材]
1次最終講義レジュメ

➡INPUT⬅

1次試験【2025年8月】

さらに! 「1次基本単科生」の教材付き!(配付のみ・解説講義なし)

◇基本テキスト(デジタル教材付)

◇講義サポートレジュメ

◇1次養成答練

◇トレーニング

◇1次過去問題集

開講予定月

◎企業経営理論/10月　◎財務・会計/10月　◎運営管理/10月　◎経済学・経済政策/10月
◎経営情報システム/10月　◎経営法務/11月　◎中小企業経営・政策/11月

学習メディア

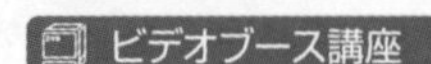

教室講座　ビデオブース講座　Web通信講座

1科目から申込できます! ※詳細はホームページまたは資料をご請求ください。(右上参照)

(2024年2月現在)

書籍のご購入は

1 全国の書店、大学生協、ネット書店で

2 TAC各校の書籍コーナーで

資格の学校TACの校舎は全国に展開!
校舎のご確認はホームページにて

資格の学校TAC ホームページ
https://www.tac-school.co.jp

3 TAC出版書籍販売サイトで

CYBER BOOK STORE TAC出版書籍販売サイト

24時間ご注文受付中

https://bookstore.tac-school.co.jp/

新刊情報をいち早くチェック!

たっぷり読める立ち読み機能

学習お役立ちの特設ページも充実!

TAC出版書籍販売サイト「サイバーブックストア」では、TAC出版および早稲田経営出版から刊行されている、すべての最新書籍をお取り扱いしています。
また、会員登録(無料)をしていただくことで、会員様限定キャンペーンのほか、送料無料サービス、メールマガジン配信サービス、マイページのご利用など、うれしい特典がたくさん受けられます。

サイバーブックストア会員は、特典がいっぱい!(一部抜粋)

通常、1万円(税込)未満のご注文につきましては、送料・手数料として500円(全国一律・税込)頂戴しておりますが、1冊から無料となります。

専用の「マイページ」は、「購入履歴・配送状況の確認」のほか、「ほしいものリスト」や「マイフォルダ」など、便利な機能が満載です。

メールマガジンでは、キャンペーンやおすすめ書籍、新刊情報のほか、「電子ブック版TACNEWS(ダイジェスト版)」をお届けします。

書籍の発売を、販売開始当日にメールにてお知らせします。これなら買い忘れの心配もありません。

書籍の正誤に関するご確認とお問合せについて

書籍の記載内容に誤りではないかと思われる箇所がございましたら、以下の手順にてご確認とお問合せをしてくださいますよう、お願い申し上げます。

なお、正誤のお問合せ以外の**書籍内容に関する解説および受験指導などは、一切行っておりません。**

そのようなお問合せにつきましては、お答えいたしかねますので、あらかじめご了承ください。

1 「Cyber Book Store」にて正誤表を確認する

TAC出版書籍販売サイト「Cyber Book Store」の
トップページ内「正誤表」コーナーにて、正誤表をご確認ください。

CYBER BOOK STORE TAC出版書籍販売サイト

URL:https://bookstore.tac-school.co.jp/

2 1の正誤表がない、あるいは正誤表に該当箇所の記載がない ⇒ 下記①、②のどちらかの方法で文書にて問合せをする

★ご注意ください★

お電話でのお問合せは、お受けいたしません。

①、②のどちらの方法でも、お問合せの際には、「お名前」とともに、
「対象の書籍名（○級・第○回対策も含む）およびその版数（第○版・○○年度版など）」
「お問合せ該当箇所の頁数と行数」
「誤りと思われる記載」
「正しいとお考えになる記載とその根拠」
を明記してください。

なお、回答までに1週間前後を要する場合もございます。あらかじめご了承ください。

① ウェブページ「Cyber Book Store」内の「お問合せフォーム」より問合せをする

【お問合せフォームアドレス】

https://bookstore.tac-school.co.jp/inquiry/

② メールにより問合せをする

【メール宛先　TAC出版】

syuppan-h@tac-school.co.jp

※土日祝日はお問合せ対応をおこなっておりません。

※正誤のお問合せ対応は、該当書籍の改訂版刊行月末日までといたします。

乱丁・落丁による交換は、該当書籍の改訂版刊行月末日までといたします。なお、書籍の在庫状況等により、お受けできない場合もございます。

また、各種本試験の実施の延期、中止を理由とした本書の返品はお受けいたしません。返金もいたしかねますので、あらかじめご了承くださいますようお願い申し上げます。

TACにおける個人情報の取り扱いについて

■お預かりした個人情報は、TAC（株）で管理させていただき、お問合せへの対応、当社の記録保管にのみ利用いたします。お客様の同意なしに業務委託先以外の第三者に開示、提供することはございません（法令等により開示を求められた場合を除く）。その他、個人情報保護管理者、お預かりした個人情報の開示等及びTAC（株）への個人情報の提供の任意性については、当社ホームページ（https://www.tac-school.co.jp）をご覧いただくか、個人情報に関するお問い合わせ窓口（E-mail:privacy@tac-school.co.jp）までお問合せください。

（2022年7月現在）